LA FRANCE VUE D'EN FACE

DU MÊME AUTEUR

Les analysés parlent, Stock, 1977.
Les Mères célibataires volontaires, Stock, 1979.
Les Faiseurs d'argent ou les mécanismes de la réussite, Belfond, 1983.

DOMINIQUE FRISCHER

LA FRANCE VUE D'EN FACE

ÉDITIONS ROBERT LAFFONT
PARIS

Que soient ici remerciés :

– Les journalistes du *Monde* pour m'avoir communiqué des informations passionnantes et m'avoir aidée tout au début à bien centrer cette enquête, destinée au départ à devenir une grande émission de télévision (coproduite par LMK, *Le Monde* et TF1) et qu'en dernière instance TF1 n'a pas osé produire de crainte qu'elle fasse moins de 10 % d'audience !

– Frédérique Kleman, sociologue, qui a réalisé une partie des entretiens et collaboré à l'analyse,

– Les étrangers qui ont accepté de répondre à cette enquête et qui contrairement à ce que pourraient laisser entendre leurs critiques aiment réellement la France,

– Patrick Démerin, pour m'avoir pilotée en milieu germanique, pour m'avoir aidée à déchiffrer la presse allemande, et pour bien d'autres choses encore...

SOMMAIRE

*... J'aime la France. J'aime ce beau pays et
j'aime son peuple. Oui, je sais combien il est
mesquin, égoïste, pourri de politique et victime de son ancienne gloire, mais dans tous
ses défauts, il reste infiniment humain et ne
voulant à aucun prix sacrifier sa grandeur et
sa misère d'homme. [...] Je ne crois pas à sa
décadence complète, bien que je prévoie de
longues années d'égarement, de mensonge,
de lâcheté. Et pour que la vraie France
puisse un jour revivre, il faut des années de
sacrifice...*

Boris VILDE [1]

1. Allemand de la Baltique, naturalisé Français, linguiste et ethnologue, il faisait partie du réseau de résistance du musée de l'Homme. Mort pour la France à trente-deux ans. Il écrivit ce texte quelques heures avant d'être exécuté au mont Valérien.

Martin Blumenson, *le Réseau du musée de l'Homme*, Seuil, 1979.

INTRODUCTION

Qui a peur de l'Europe ?

L'imminence de 1993 et de la Grande Europe suscite en France, comme dans tous les pays concernés par cette aventure, préparatifs et débats d'experts pour unifier certains particularismes locaux susceptibles de ralentir ou de compliquer la libre circulation des individus et des marchandises.

Avant l'arrivée des flonflons officiels qui célébreront le grand magma réconciliateur où iront se niveler les spécificités trop encombrantes et les nationalismes excessifs, chacun des pays concernés, derrière un enthousiasme de circonstance, soupèse en secret ses chances de résister à la grande étreinte tant espérée, devenue par ailleurs une nécessité impérieuse à l'approche du troisième millénaire.

En effet, comment continuer à exister dans l'univers concurrentiel international où les combats se livreront surtout à l'échelle des continents : Sud-Est asiatique contre Amérique du Nord, URSS contre États-Unis, Europe unifiée face à l'un ou l'autre de ces blocs. Car l'époque où un David pouvait espérer triompher d'un Goliath est révolue. Face au géant américain Boeing, ce n'est pas l'aéronautique française seule qui a gagné, mais le projet Airbus, qui résulte d'une synergie européenne.

L'ouverture des frontières à l'intérieur de l'Europe du Marché commun ne signifie pourtant pas la fin de la concurrence à l'intérieur de cette zone franche. Débarrassée des barrières protectionnistes, la concurrence à l'intérieur de l'Europe devrait au contraire se faire plus sévère. A moins que le grand projet fusionnel, dont rêvent quelques Européens passionnés, et qui consiste-rait en une répartition harmonieuse des tâches en fonction des aptitudes et des vocations de chacun des partenaires, ne devienne un jour réalité. Ainsi l'on verrait la France sous-traiter son industrie et sa haute technologie aux Allemands pour redeve-nir un pays essentiellement agricole dont la mission serait de nourrir ses frères européens, les Allemands prendre en charge l'industrie automobile, le matériel électroménager avec l'aide des Anglais ou des Scandinaves, et les Italiens être responsables des industries textiles et du cuir, etc. Cette vision utopique, exprimée avec beaucoup de sérieux par quelques Européens d'outre-Rhin, signifie que l'entité européenne idéale devrait, à son stade ultime, converger non pas vers le nivellement des identités cultu-relles, mais plutôt vers une harmonisation des spécificités écono-miques au nom de critères de rentabilité définis en commun. C'est ainsi que l'Europe unie, devenue plus forte, serait à même de faire front au reste du monde.

Cette parenthèse refermée, l'échéance prochaine ne semble provoquer ni grands remous ni interrogations métaphysiques chez la plupart des principaux partenaires européens. Sauf en France. En effet, si l'on en croit le témoignage de divers experts étrangers résidant et exerçant une partie de leur activité en France, donc situés à des postes d'observation privilégiés, notre pays semble le seul à accorder à la concrétisation officielle de l'Europe une telle valeur symbolique.

Même si, au niveau des actes officiels, la France semble assez euphorique, confortée par son statut de pays promoteur de l'idée européenne et qui œuvre depuis près de vingt ans au mieux de ses compétences pour la voir aboutir, des signes aussi nombreux que révélateurs démentent ostensiblement cette apparente séré-nité. Car, même si chacun des autres partenaires européens ressent au tréfonds de lui-même une légère appréhension, aucun ne paraît manifester une inquiétude comparable. Ne serait-ce que parce que la plupart de ces pays n'attendront pas l'autorisa-tion officielle de 1993 pour partir respirer l'air du large.

D'où l'intérêt constant des médias français pour ce thème, ce dont témoignent une multitude d'articles, d'ouvrages, de tables rondes ou de colloques auxquels participent hommes politiques et experts en tout genre, ainsi que le contenu des interrogations formulées par les uns et les autres et qui sont autant de symptômes d'un profond malaise. Tout observateur attentif et assez extérieur pour juger avec l'objectivité que seul autorise le recul en arrive au même constat : La France tremble ! La France a peur !

Stanley Hoffmann[1] analyse parfaitement ce mélange de fétichisme et d'inquiétude des Français envers 1993, cette surenchère qui conduit même certains de nos concitoyens à des comportements de panique sur le plan politique : « Ce qui m'inquiète, c'est qu'il n'y a qu'en France que cette date a pris une sorte d'allure fétiche. Nulle part ailleurs on n'a fait de 1992 cette espèce de mythe. J'accepte que l'on dise que 1993 va être une sorte de clé, mais à condition de préciser aux gens, pour ne pas les effrayer, que les étrangers ne vont pas les déposséder de leurs biens. Dans une région comme l'Alsace, où il y a très peu d'immigrés, où le taux de chômage est plus faible qu'ailleurs, quinze pour cent de votes pour Le Pen à l'élection présidentielle de 1988 s'expliquent en partie par la crainte de 1992. Les Français ont peur d'être livrés aux Allemands, de subir encore plus leur emprise, par manque d'information. »

Tout semble se passer comme si, abritée jusque-là des turbulences du monde dans la quiétude de l'Hexagone, réfugiée dans une image de grandeur héritée des siècles passés, et jamais réactualisée à l'aune de l'histoire récente, la France commençait à ressentir l'importance de l'enjeu. Comme si cette date fatidique représentait sur le plan symbolique une sorte d'épreuve initiatique, comme peut l'être une confrontation impitoyable avec le réel, la vérité toute crue, qui s'impose après un trop long engourdissement, un refus par trop délibéré de s'interroger sur soi-même.

Interrogation sur sa place et son influence dans le monde, mais aussi espoir d'être implicitement reconnue chef de file de l'Europe à travers la consécration officielle ou officieuse de Paris comme capitale. Choix qui la rassurerait quant à sa prééminence symbolique par rapport aux autres pays européens qui, eux, sont loin d'être dupes.

Mais aussi interrogation plus ponctuelle sur l'efficacité de ses institutions, la compétitivité de ses produits et de son industrie,

---

1. Professeur de Sciences Politiques à Harvard.

la valeur de son enseignement et de ses cerveaux, la qualification de ses cadres dirigeants et de sa main-d'œuvre sur un marché du travail risquant de devenir autrement plus concurrentiel.

Le discours des hommes politiques a beau se vouloir résolument optimiste et rassurant, la presse étrangère ne s'en laisse pas conter et ne rate pas une occasion de souligner que sous les déclarations volontaristes pointent le doute et l'angoisse. Ainsi, dès juin 1987, le journal *Stern* soulignait narquoisement que Jacques Chirac, probablement assez mal informé des résultats du commerce extérieur, avait, quelques mois avant leur publication, claironné haut et fort que « si tout continuait à aller aussi bien, la France serait dans les cinq prochaines années la première puissance économique d'Europe, devant l'Allemagne de l'Ouest ». Il aurait d'ailleurs ajouté un peu plus tard que « jamais la France n'avait perdu de pari avec l'histoire ». Toujours dans le même ordre d'idées, c'est François Mitterrand, épinglé par un journaliste yougoslave, qui, voulant lui aussi redonner confiance, aurait conjuré le fantasme du déclin en y faisant expressément allusion : « Il n'y a pas de raison pour que la France se laisse emporter par le déclin. C'est vraiment une idée absurde lorsqu'il s'agit d'un pays comme le nôtre. »

Mais apparemment, plus l'échéance approche, et plus les journalistes étrangers constatent que nos doutes augmentent. En novembre 1988, c'était la *Neue Zürcher Zeitung* qui posait la question avec une rare causticité. Début décembre 1988, *la Gazette de Lausanne* publie un numéro spécial d'un optimisme très relatif sur l'état de la France, etc. Cette incessante floraison d'articles montre bien que les étrangers, même ceux supposés neutres, tels les Suisses, attendent la France au tournant. Est-ce à dire qu'ils sont, d'ores et déjà, convaincus du déclin français et jubilent en attendant l'heure de la curée, ou bien s'agit-il d'autre chose ?

Quelles chances nous donnent-ils de réussir le pari de l'Europe ? Au prix de quels sacrifices ? Surtout quelles sont selon eux les causes de nos principales difficultés, de ces retards que les autres rattrapent et que nous, malgré nos efforts, nous n'arrivons pas à dominer ?

En effet, après l'euphorie des trente glorieuses, la France a traversé une période de crise consécutive aux deux chocs pétroliers.

Elle en a émergé, mais moins bien et plus lentement que les pays limitrophes. Car même ceux qui paraissaient les plus atteints (l'Angleterre, l'Espagne, l'Italie dont le rétablissement fut d'une extrême lenteur) semblent déployer depuis environ cinq ans une vitalité et un dynamisme infiniment supérieurs aux nôtres. Souffrant hier encore d'une économie sinistrée et d'un chômage endémique, ces pays paraissent aujourd'hui mieux armés pour affronter l'avenir, comme si, tout compte fait, ils disposaient de handicaps moins nombreux ou moins graves sur le plan des mentalités.

La France serait-elle véritablement plus atteinte que ses voisins européens, ou bien souffrirait-elle d'un mal spécifique, qui l'entraînerait vers un déclin irréversible ?

Alain Peyrefitte, l'auteur du *Mal français,* est l'un des premiers à s'être longuement interrogé sur les causes profondes de nos difficultés. Il en arrive même, pour déterminer la spécificité irréductible de ce mal mystérieux qui tient autant à l'influence du catholicisme qu'à celle de Colbert ou à la tradition jacobine, à user d'une interprétation quasiment psychanalytique : « Combien de fois, observant de près nos difficultés, ne m'a-t-il pas semblé qu'elles étaient d'ordre psychique ou sociologique, ou, si l'on préfère, qu'elles relevaient des mentalités. » Et un peu plus loin, il poursuit l'analogie et assimile la France au névrosé qui tourne en rond dans une problématique à répétition dont le sens lui échappe, mais pour laquelle s'impose une médication psychologique : « Oui ou non la France est-elle atteinte d'un mal persistant ? Si oui, quelles en sont les manifestations, les causes ? Est-elle en voie de guérison ? Ou sur quels principes pourrait s'ébaucher une thérapeutique ? »

Le livre de Peyrefitte est d'une grande richesse mais propose peu de solutions. Est-ce à dire que les solutions n'existent pas ou qu'il ne suffit pas de connaître les causes pour que la guérison vienne ensuite d'elle-même ? Ou bien est-ce que l'ouvrage de Peyrefitte, malgré son très fort impact, n'a pas suscité la prise de conscience espérée par son auteur, simplement parce que celui-ci, en dépit de la pertinence de son analyse, était trop impliqué comme acteur, étant à la fois homme d'État, ancien ministre, énarque et français, donc trop complice du système pour aller jusqu'au bout de l'énoncé des solutions ? Treize ans après la publication de cet ouvrage se pose aussi la question de savoir si cette perspective de déclin qui menaçait la France est propre à elle seule ou bien si elle s'inscrit dans un contexte plus large, englobant d'autres pays dans le monde. En d'autres termes, ne s'agit-il pas d'un problème de renversement des leaderships anciens provoqué par l'émergence de pays neufs, en particulier des « quatre dragons » du Sud-Est asiatique, dont la vitalité économique est en train de bouleverser la donne internationale et le statut des uns et des autres ?

Toutes ces questions, et en particulier celles relatives à l'état de la France, j'ai eu envie de les poser à des étrangers qui nous connaissent bien, mais qui ont aussi eu l'occasion d'étudier d'autres pays européens, les États-Unis, le Japon. Naïvement, à coup sûr, je me disais que seuls les étrangers ont la distance nécessaire pour aller d'emblée à l'essentiel. Et que, de même qu'une psychanalyse ne fonctionne que parce que l'analyste est complètement extérieur au patient et le demeure toujours, même après des années de fréquentation à raison de deux ou trois séances par semaine, ces étrangers auraient peut-être les moyens de nous faire comprendre sur nous-mêmes des choses que jusque-là nous nous étions toujours refusés à entendre. Non pas un discours intellectuel qui valorise plus qu'il ne déstabilise, mais un discours pragmatique et brutal qui, en nous faisant bien comprendre comment les autres nous voient, nous obligera peut-être à enfin réagir en délaissant certaines de nos chimères.

Pas évident qu'à l'issue du voyage ils nous apprennent du vraiment neuf. En analyse, non plus, on ne découvre jamais de l'inédit absolu, mais au moins on apprend à affronter et dépasser ce que jusque-là on avait toujours éludé, contourné, ou refusé de considérer comme important. Ainsi, le discours des étrangers peut contribuer à rendre conscient, omniprésent et cohérent ce qui jusqu'alors demeurait relégué en désordre dans l'ombre du subconscient. Parallèlement à ce « choc psychanalytique », il se peut que les constats de nos observateurs étrangers nous fassent honte, nous plongent dans notre médiocrité. Une honte salutaire, efficace.

Il est vrai que maints articles de la presse française ont dénoncé certaines de nos carences. Mais cette autocritique restait « entre nous », et de ce fait n'a pas pu ébranler l'ordonnancement de notre système de défense et nous contraindre au changement. Par contre, la critique formulée par les « autres » bouleverse nos appréciations. Il n'est plus question de péchés mignons ou de petits travers inhérents à la bonhomie franco-française. Il s'agit de défaillances, de dysfonctionnements. Mais, de la même façon que n'est pas analyste qui veut, le titre d'étranger ne suffit pas en soi pour apporter un point de vue intéressant. Il fallait donc les choisir à partir de critères volontairement arbitraires.

Tout d'abord, ces étrangers sont des professionnels de haut niveau. La plupart ont effectué des études supérieures. Ils possèdent donc les outils intellectuels pour radiographier et analyser la société française. Ils ne ressentent aucun handicap linguistique, puisqu'ils parlent tous couramment le français. De même, ils ont tous vécu en France pendant au moins trois ans, dix ans en moyenne, rarement davantage, bien que cinq d'entre eux au moins soient installés en France depuis près de vingt ans.

Parmi eux, un bon nombre de correspondants de la presse écrite ou des grandes chaînes de télévision. Je dirais même qu'au départ, dans une sorte de pré-enquête, j'ai surtout interrogé des journalistes étrangers pour baliser les principaux thèmes. Ensuite, pour approfondir les pistes « entrevues » grâce à eux, je suis allée interroger des gens qui pouvaient m'ouvrir d'autres horizons. Parmi eux, certains occupent des postes d'experts dans des institutions internationales. Quelques-uns travaillent dans des établissements français, mais la majorité sont affectés dans des filiales d'entreprises étrangères en France où, néanmoins, le personnel est en majorité français. Quelques-uns se sont même portés acquéreurs de nos entreprises en difficulté et les ont rattachées à leur empire ; d'autres ont essayé de conseiller certains de nos patrons qui envisageaient de s'installer à l'étranger. Ils connaissent aussi nos écoles, nos universités où certains enseignent. Ils sont aussi chercheurs dans nos laboratoires et nos centres de recherche les plus prestigieux. Chasseurs de têtes, ils connaissent la valeur d'un Français sur le marché de l'offre internationale.

Ils ont testé nos infrastructures, été confrontés à nos services publics et à cet État omniprésent et tentaculaire. Ils ont été soignés dans nos hôpitaux dont ils apprécient la compétence. Ils utilisent nos transports en commun dont ils admirent la ponctualité et la rapidité. Ils connaissent nos institutions, et admirent d'ailleurs l'intérêt des Français pour la vie politique, la chose publique. Dans l'important taux de participation aux principales élections, ils semblent même percevoir une survivance de l'esprit de 1789, ce qui leur apparaît très positif en comparaison de certains pays comme la Suisse où les gens votent parce que la loi les y oblige ou comme les États-Unis, où moins de quarante pour cent de la population se dérangent pour élire le président.

Avec le temps, ils se sont aussi familiarisés avec notre culture et même nos idiomes les plus secrets. Ils ont vécu dans nos villes, habité des maisons et des appartements conçus en fonction d'autres critères de confort et d'aménagement que les leurs. Quelques-uns ont trouvé un conjoint en France, leurs enfants ont parfois fréquenté nos écoles. Ils ont lu notre presse, regardé nos hommes politiques à la télévision. Mais surtout, ils ont découvert notre style de vie pendant une période assez longue pour s'imprégner de nos coutumes et comprendre le mécanisme de nos comportements. Néanmoins, ils ont conservé leur identité intacte et, même s'ils ont parfois vécu comme nous, ils ne sont jamais devenus comme nous. Aucun d'entre eux, par exemple, n'a songé à se faire naturaliser. Quel que soit leur amour de la France et leur satisfaction d'y vivre, il ne s'agit le plus souvent que d'un séjour temporaire. Se faire naturaliser est un projet qui leur est donc étranger.

De même, leur lien avec leur pays d'origine s'est toujours maintenu à travers leurs activités professionnelles. Ce ne sont pas des exilés nostalgiques ou pleins de rancœur envers le pays natal. Leur identité est intègre, et leur sens critique, corroboré par une formation poussée et ouverte aux perspectives internationales, joue à plein dans le regard qu'ils portent sur la France et les Français. Pour ces diverses raisons, l'acuité de leur vision ne s'est pas émoussée à la longue, contrairement aux émigrés, qui, tout en perpétuant leurs coutumes ou leur langue, s'assimilent inconsciemment davantage dans le pays d'accueil, dès l'instant où ils perdent tout contact physique avec leur pays d'origine. Même si extérieurement, pour des raisons d'ordre culturel, certains émigrés donnent l'impression de s'assimiler plus difficilement. L'image de la France que nos observateurs nous proposent va donc bien au-delà des habituels clichés véhiculés par les touristes qui n'en ont éprouvé qu'une perception éphémère et superficielle. Même les clichés qu'ils nous proposent comme tels ont été en quelque sorte revisités, intériorisés puis longuement analysés. Ce processus permettant justement à ces clichés d'accéder à un autre statut.

Ce point mérite qu'on s'y attarde quelque peu. La matière première de ce livre est donc constituée par ce que les sociologues nomment tantôt « représentation », tantôt « image ». Les images présentes dans les propos se sont formées à partir d'une mosaïque d'expériences quotidiennes, d'observations, de croyances, mais aussi de conversations, de lectures et parfois – pourquoi ne pas le dire ? – de sortes d'autojustifications, car, lorsqu'un étranger parle de la France, il parle aussi nécessairement un peu de lui-même, qu'il en soit conscient ou non.

Il n'est donc pas facile de déterminer si ce que nous disent les étrangers coïncide exactement avec la réalité présente de la France. Au même titre, il n'est pas possible de tout rejeter en bloc sous prétexte que ce n'est pas absolument conforme à ce que nous croyons ou considérons comme étant une autre ou une nouvelle réalité. Il nous faut donc accepter leurs représentations comme telles, quitte à les relativiser. En précisant par exemple que leurs points de vue, leurs représentations sont façonnés, entre autres, par leur vécu mais aussi par les positions sociales souvent enviables qu'ils occupent. Il faut aussi accepter que tout ceci peut ne pas correspondre à une expérience de la société française dans son intégralité et sa diversité, mais est limité et circonscrit par le champ de leurs activités, la durée de leur séjour, les milieux fréquentés, le hasard des rencontres et par une implantation avant tout parisienne.

Il y a peut-être plus important encore. Ce sont des gens dotés d'un bon bagage intellectuel et qui, par leurs fonctions, ont été souvent amenés à lire et même parfois à côtoyer les interprètes les plus autorisés de la société française et de ses mœurs. Ainsi beaucoup ont lu des ouvrages d'une grande diffusion tels que *le Mal français,* d'Alain Peyrefitte, *Toujours plus,* du journaliste François de Closets ou *la Nomenklatura française,* d'Alexandre Wickam et Sophie Coignard, ouvrages qui d'ailleurs ont été cités à plusieurs reprises. En revanche, un nombre plus restreint a pris connaissance de livres moins grand public comme ceux du sociologue Michel Crozier ou du politologue américain Stanley Hoffmann. Souvent on constatera que ces interprétations « autorisées » donnent de la cohérence à des images qui sinon risqueraient d'apparaître sous une forme plus dispersée ou plus confuse.

Il y a aussi un risque dans ce genre d'exercice. C'est que ces représentations reflètent, d'une certaine manière, ce que certains sociologues comme Michel Dobry qualifient d'« illusion culturaliste [1] ». En d'autres termes, on n'est parfois pas très loin de la vieille idée selon laquelle chaque peuple a son caractère, son âme propre, son « génie ». Avec, dans le cas présent, un risque supplémentaire : celui de vouloir comparer chaque différence identifiée à un modèle unique. En effet, dans la plupart des cas, le modèle de référence incontournable sera inévitablement le pays le plus puissant, celui qui incarne aussi le mieux les valeurs de la réussite et de la modernité, tant pour des Européens que pour les Japonais ou les quelques Israéliens que j'ai aussi interrogés. Autrement dit, tout ce qui est différent des États-Unis court le risque d'être assimilé à une infériorité, à un retard, voire à un handicap insurmontable.

Cela posé, les représentations que l'on trouvera ici ne sont peut-être que des images, mais ce n'est pas pour autant qu'il faille les considérer comme nulles et non avenues. En effet, les sociologues citent depuis toujours le fameux « théorème de Thomas » énoncé par le sociologue américain Merton [2] : « Quand les hommes considèrent certaines situations comme réelles, elles sont réelles dans leurs conséquences. » A savoir, peu importe si ce que les étrangers pensent de la France est exactement conforme à la réalité, puisque cette opinion sera agissante dans leurs attitudes à l'égard de la France et des Français. En conséquence, qu'on le veuille ou non, le fait d'avoir une mauvaise image représente de toute façon un préjudice grave pour un individu comme pour un pays. Ce qui veut dire que l'image de la France qui se dégage de ce livre, image tantôt provocante, tantôt blessante, le plus souvent dérangeante, ne peut être prise à la légère. Elle doit être reçue avec gravité, car son rôle est décisif

---

1. Michel Dobry, *Sociologie des crises politiques,* Presses de la Fondation nationale des sciences politiques, 1986.
2. R.K. Merton, *Éléments de théorie et de méthode sociologique,* Plon, 1965.

dans les différents lieux ou circonstances où la France réelle se confond avec son image.

A titre d'exemple, on peut mentionner les différentes situations où l'influence de cette image peut ou non contribuer au succès ou à l'échec du label français : négociations commerciales internationales ; décisions d'investissements ; image des entreprises, des enseignes et des produits français ; valeur accordée à notre enseignement et à notre système de formation (il faut quand même savoir que les docteurs de nationalités étrangères formés dans nos universités sont parfois amenés, pour faire valoir leur diplôme, à passer une seconde soutenance dans leur pays d'origine, en particulier dans les pays du Maghreb !) ; évaluation de la compétence de nos hommes politiques et des dirigeants de nos grands groupes industriels (malgré ou à cause de l'ENA)... Refuser cette image, sous prétexte qu'elle n'est qu'une image, et une image dérangeante, reviendrait à courir un risque considérable à la veille de 1993. Ne pas mettre en œuvre tous les moyens dont nous disposons pour corriger rapidement cette image serait véritablement suicidaire.

Cent personnes environ ont été interrogées. L'échantillon nécessaire pour traiter une étude qualitative approfondie est volontairement limité dans la mesure où chaque entretien dure plusieurs heures et donne ensuite lieu à une minutieuse analyse de contenu. Une telle approche apporte aussi un tout autre type d'information qu'une enquête statistique basée sur un échantillon de plusieurs milliers de personnes. Dans une étude quantitative, on se contente de vérifier les réponses à un nombre limité de questions. Une dizaine tout au plus, comme dans l'enquête du *Figaro Magazine* en septembre 1988. Par contre, ici ce sont les interviewés qui ont en quelque sorte choisi les thèmes de l'entretien à partir d'une consigne de départ très large. Cependant, dans une deuxième étape, les entretiens ont été recentrés autour de plusieurs thèmes principaux issus de la première phrase.

Mais cela n'explique pas à partir de quels critères ont été sélectionnées les nationalités des interviewés.

Le monde étant très vaste, et les subjectivités nationales trop complexes à prendre en compte, le choix des nationalités n'a pas été effectué au hasard, mais en fonction de deux critères.

● En majorité, les interviewés sont originaires de pays avec lesquels la France se sent directement en concurrence, quand elle essaie de mesurer son rang et son inflence dans le monde. Donc non seulement des Européens mais aussi un pourcentage important d'Américains et de Japonais.

● Ils appartiennent majoritairement à des pays qui symbolisent, pour la France, des modèles à égaler, ou des rivaux dangereux dans le cadre de l'échéance de 1993, donc peu de représentants de petits pays si ce n'est des pays quasi frontaliers. D'une façon générale, les nationalités choisies (Allemands, Italiens, Anglais, Espagnols, Hollandais, Belges, Suisses, Américains et Japonais) disposent en France non pas de représentants isolés mais de véritables « colonies d'intérêt ». Depuis plusieurs années déjà, leur influence sur la société française s'est exprimée en terme d'intervention économique ou d'influence culturelle.

J'ai essayé de panacher équitablement les nationalités, mais je dois reconnaître que l'échantillonnage pèche par excès d'Allemands alors que les Espagnols sont les plus rares. Pour répondre d'avance à la critique de n'avoir interrogé qu'une élite, je répondrai que, pour parler d'un tel sujet, seule une « commission d'experts » composée d'individus de « haut niveau » était capable de se livrer à ce genre d'exercice. Par ailleurs, à quelques variantes près, les opinions et jugements recueillis s'avèrent très proches, très concordants et très peu biaisés par les variables de nationalité. Sauf pour quelques thèmes mineurs.

Heureux comme Dieu en France [1]

Attention ! Malgré l'extrême sévérité de certains de leurs propos, les étrangers aiment la France, mais d'un amour qui n'est pas exempt d'ambiguïté. Surtout, ils considèrent comme un privilège d'y séjourner. Encore que, cette opinion favorable a évolué avec le temps, la France étant un pays fermé qui ne se donne pas d'emblée au premier venu. On peut apprécier la beauté du pays

---

1. Titre d'un ouvrage de Friedrich Sieburg, qui connut un extraordinaire succès en Allemagne vers 1927, et en France sous le titre *Dieu est-il français ?* On y décrit la France comme un pays de cocagne, plein de richesses et d'abondance, patrie du bien-être et du bien-vivre, mais un rien archaïque et où tout fonctionne approximativement.

sans pour autant s'y sentir aussitôt accueilli, accepté et à l'aise. Pourtant ceux qui, une fois leur mission terminée, devront quitter notre pays le feront à regret. Il n'est pas impossible qu'ils essaient de rempiler ou de trouver des prétextes professionnels ou personnels pour y revenir le plus souvent possible, la France étant encore considérée comme l'un des rares endroits du monde où il fait bon vivre en toute saison.

Pays carrefour entre différentes cultures, pays qui, plus qu'un autre, donne l'impression d'être à cheval sur le passé et l'avenir, la France est le lieu de l'harmonie, de l'équilibre, du temps perdu et retrouvé pour qui veut bien la découvrir.

Pour les étrangers cultivés, la France arrive encore en tête du hit-parade des pays où il ferait bon passer une année sabbatique, si l'opportunité s'en présentait. A la limite, certains étrangers considèrent une mission en France un peu comme une sorte de séjour privilégié. C'est une impression que l'on ressent très fortement en discutant avec eux, mais tout spécialement avec les Japonais, qui adorent la France pour « son caractère si divinement équilibré ». C'est aussi l'opinion d'un bon nombre d'Américains et de quelques Allemands. Je dis bien « quelques », car aujourd'hui, parmi les Allemands dits francophiles, on trouve de plus en plus d'amoureux déçus qui opteraient plus volontiers pour l'Italie dont les sites naturels et le patrimoine culturel sont d'une beauté comparable, où le climat est plutôt plus agréable, l'art de vivre encore plus raffiné et la nourriture tout aussi variée, n'en déplaise aux Français. Et puis, les Italiens sont tellement plus aimables et chaleureux, ajoutent-ils avec un sourire narquois. Cette comparaison ne date pas d'hier. Entre autres impressions, ils considèrent que les Italiens, certes plus commerçants que les Français, sont aussi globalement moins xénophobes. Surtout, l'Italie est un pays qui se laisse apprivoiser facilement alors que pour se sentir bien en France il faut au préalable en posséder les clés, et disposer au bas mot d'au moins un an.

Un pays par trop paradoxal

C'est pourquoi les touristes étrangers qui ne font que traverser la France, étape incontournable d'un rapide périple en Europe, au même titre que les Européens venus passer quelques jours en voisins, en conservent souvent des impressions très mitigées. Déception devant l'accueil maussade d'une population qui, à quelques exceptions près, fait peu d'efforts pour comprendre et aider des visiteurs qui maîtrisent mal la langue. Indifférence des Parisiens, stressés, pressés, à l'égard des touristes perdus dans les dédales du métro, à la recherche d'un site, et croyant se faire comprendre dans ce moderne esperanto qu'est devenu l'anglais un peu partout, sauf en France.

Abus tous azimuts des cafés et restaurants qui gonflent sans vergogne les tarifs destinés aux étrangers en leur servant automatiquement des consommations doubles : double café ou formidable de bière si rien n'est spécifié à l'avance. Grossièreté des chauffeurs de taxi, indifférence méprisante des vendeuses de grands magasins, bien trop occupées à discuter entre elles pour s'occuper des clients – avec une palme d'or pour le personnel du BHV mentionné à plusieurs reprises –, omniprésence des cars de CRS massés pour des raisons mystérieuses à quelques carrefours, ce qui donne l'impression aux étrangers que la France vit à la veille d'une guerre civile, car comment expliquer cela hors d'un contexte de dictature ?

Malgré d'importants progrès au niveau du réseau hôtelier, de nombreux *tour-operators* se plaignent que la France se vend mal[1]. Ce constat m'a été confirmé par une responsable de la chambre de commerce de Paris qui a eu l'occasion de centraliser un certain nombre d'études sur l'image de la France auprès des touristes de différentes origines. D'une façon générale, les *tour-operators* ont le sentiment de lutter à armes très inégales, face à la contre-publicité effectuée par les étrangers de retour d'un périple en France. Qu'il s'agisse d'Européens, de Japonais, de Sud-Américains, les critiques sont nombreuses et consensuelles : mauvais accueil partout. « La plupart des Japonais qui reviennent de Paris racontent deux ou trois mauvais souvenirs et cela fait boule de neige ; de même, la plupart des touristes japonais qui reviennent une seconde fois en Europe refusent de revenir en France », m'explique un étudiant japonais, qui travaille depuis quelques années comme guide accompagnateur et est

---

1. Heureusement, grâce au bicentenaire, 1989 a fait le plein de touristes !

donc très bien placé pour enregistrer les récriminations de ses compatriotes. Du côté des Européens, même son de cloche.

Espagnol, domicilié en France depuis trente ans (c'est le plus ancien résident de tout l'échantillon), M. Tourné est à la fois directeur de l'agence de voyages Mélia et vice-président de la chambre de commerce franco-espagnole. Il ressent très douloureusement la mauvaise image de la France auprès de sa clientèle : « Cela me fait mal au cœur de vous rapporter ce que j'entends dire et répéter par ma clientèle, à savoir que la France serait magnifique sans les Français. Depuis 1985, il y a une baisse inquiétante des touristes. Jusque-là, j'avais beaucoup d'étrangers, de toutes nationalités mais en particulier des Sud et Nord-Américains, mais aussi d'Extrême-Orient. Maintenant que la France n'est plus un passage obligé, certains étrangers la boudent délibérément et il faut proposer un tour d'Europe où la France est une option facultative... Quand je reçois des délégations de personnalités qu'il faut traiter avec égards, nous envoyons dans les hôtels où ils sont logés des équipes d'extra stylés et formés par nos soins pour faire tampon avec le personnel fixe, et afin d'être sûrs que nos clients seront bien traités... Malheureusement pour eux, les Français n'ont pas encore compris que servir un client, ce n'est ni s'abaisser ni perdre sa dignité... »

En vérité, comment expliquer aux touristes de passage ce que Flora Lewis, représentante à Paris du *New York Times,* a fini par comprendre après plusieurs années d'observations attentives. A savoir que les Français sont des gens à deux vitesses ou à deux visages. « Dans la rue, au volant de leur voiture, c'est la goujaterie, l'agressivité, la grossièreté personnifiées... mais le même Français, si vous le rencontrez chez des amis, devient aimable, courtois, bien élevé... »

Parmi les résidents, les moins acerbes sont les francophones et les Anglais. L'ennemi héréditaire aurait-il rendu les armes ou bien la politesse et l'hypocrisie l'emportent-elles sur la sincérité ? Cette indulgence pourrait bien résulter, plus profondément, d'une identification plus aisée aux problèmes français, les Anglais étant tributaires d'une histoire récente comparable. Les nationalités les plus dépitées par ce climat hostile et agressif qui, malgré tout, est plus marqué à Paris qu'en province, sont nos plus proches voisins, ceux avec lesquels nous devrions théoriquement avoir le plus d'affinités : les Italiens et les Espagnols. Les vieux contentieux avec eux sont loin d'être réglés et semblent même se durcir dans la mesure où ils ont moins besoin de nous qu'auparavant.

Mépris viscéral des Français pour des peuples qui, pendant des décennies, leur ont fourni une main-d'œuvre bon marché. Dédain imbécile à l'égard des nations qui, non seulement sont les plus proches de nous quant à la langue, la culture, l'économie, mais qui demeurent les seules à nous admirer, à nous prendre encore parfois comme modèle et à souffrir depuis si longtemps d'une espèce d'amour sans retour. L'Italie, par exemple. Ce n'est pas un hasard si ce sont les Italiens qui, aujourd'hui, ont la parole la plus ironique et la dent la plus dure à notre égard en nous accusant des tares les plus honteuses. Par exemple d'être malpropres sur nous et dans nos maisons (image vengeresse transmise et amplifiée par des générations de bonnes italiennes et espagnoles) ; de ne pas respecter des règles d'hygiène élémentaire dans la distribution commerciale de certains produits. Le pain sacré, vendu sans emballage par les boulangeries de quartier, est transporté dans les conditions les plus infâmes. Sur les comptoirs de café, le sucre est présenté en vrac dans un sucrier où n'importe qui plonge ses doigts, alors qu'en Italie il est toujours servi en sachet. Mais encore et surtout les trottoirs de la capitale pollués par des excréments de chiens et certains lieux publics transformés en ménagerie (restaurants, TGV, métro), etc.

En même temps, nos amis latins jubilent sous cape, en constatant qu'ils sont sur le point de rattraper et même de dépasser ce voisin si dédaigneux, si imbu de sa supériorité, dans divers secteurs économiques dont il était jadis le leader incontesté. Que leur importe si l'influence française régresse désormais en Italie. Depuis quelques années, les Italiens se sont tournés vers d'autres modèles culturels : l'Allemagne, les États-Unis surtout.

Un signe révélateur, pour des intellectuels italiens francophones : l'unique librairie française de Rome vient de fermer, faute d'amateurs de littérature française, comme le déplore Victor Lobrano, une cinquantaine d'années, directeur du bureau parisien de la RAI 1. Fou de joie d'être envoyé à Paris, il n'a pas tardé à déchanter. Est-ce à cause de son accent si, aujourd'hui encore, on le traite parfois de « Rital » ? Qu'importe les petites vexations ! La France reste pour lui un grand pays, mais un pays dont l'attitude doit absolument changer dans les plus brefs délais.

« La France est un modèle pour les Italiens qui se sentent beaucoup d'affinités avec votre pays ; Paris est un peu la capitale de l'Italie. La culture française nous a beaucoup influencés sans qu'il n'y ait jamais eu de réciprocité. Je connais des Italiens qui viennent exprès en France acheter des produits français, pourtant vendus trente pour cent moins cher en Italie... Nous nous passionnons pour la vie politique française... Pensez que pendant la campagne présidentielle cinq cent mille personnes ont regardé le débat opposant Chirac et Mitterrand retransmis par notre troisième chaîne. Quand nous sommes malades, nous allons nous faire soigner dans les hôpitaux français parce que nous avons plus confiance dans la médecine française que dans la nôtre. En contrepartie, les Français nous méprisent, et nous prennent toujours pour des " Macaroni ", des " Ritals ", d'anciens émigrants... Les Français ne veulent pas admettre que les Italiens ont changé, et que les touristes d'aujourd'hui n'ont rien de commun avec les émigrants d'antan... Vos hommes politiques nous manifestent le même mépris que l'homme de la rue, sinon Giscard n'aurait pas exclu les Italiens du sommet de la Guadeloupe. Dans son dernier livre il n'y a pas un seul mot sur l'Italie... Ce racisme s'est aussi exprimé dans le ton méprisant de la presse française pour parler de Berlusconi qui incarne pourtant une image de réussite aussi acceptable que celle de Tapie... Il serait souhaitable que le monde politique français cesse enfin de considérer l'Italie comme un pays sous-développé, une sous-préfecture de la France... Maintenant je souffre moins. Je suis habitué à ne jamais voir les gens sourire dans l'ascenseur... à entendre dire à un feu rouge, quand je suis dans une voiture de la RAI : " Tiens les Ritals ont la télé." Je déplore davantage que la France n'ait pas plus envie de sortir de ses frontières, ne se préoccupe pas de conserver ses amitiés et perde ainsi progressivement son influence culturelle en Italie... »

De même, ajoute H. Van Kirk Reeves, avocat international, qui adore la vie en France où il séjourne depuis presque une dizaine d'années : « Au début, c'est très difficile de se lier avec des Français, de comprendre pourquoi ils ne vous sourient jamais, mais lorsqu'ils vous ont adopté, l'amitié est moins super-ficielle et plus durable qu'aux États-Unis. » Qu'on se le dise, les Français gagnent à être connus et compris, mais que d'obstacles pour dégager leurs carapaces ! C'est seulement une fois que l'on a découvert les raisons profondes qui sous-tendent ce comporte-ment paradoxal et rébarbatif qu'il devient plus facile de s'y adap-ter, tout en continuant à le déplorer :

– première cause, une image périmée de sa place et de son rôle dans le monde ;

– deuxième cause, l'archaïsme fondamental de la société fran-çaise, son attachement au passé, qui conditionne sa résistance au changement mais qui constitue cependant une part importante de son charme ;

– troisième cause, une indécrottable hexagonalité qui a un rôle déterminant sur les mentalités.

Ceci posé, les étrangers qui vivent ici n'ont pas non plus l'im-pression que la France s'achemine lentement vers son « déclin », ce type de déclin qui s'exprime par des villes en ruine, des cam-pagnes en friche, des populations misérables. En dépit du grand nombre de clochards ou de mendiants dans les rues, la France ressemble toujours à un pays riche et plutôt prospère. Le climat général s'est amélioré depuis cinq ans et le pays se porte plutôt bien, même s'il rencontre un certain nombre de problèmes.

Bien que bon nombre de journalistes étrangers prennent un malin plaisir à nous envoyer le terme de déclin à la figure, le contexte dans lequel ce concept est employé mérite d'être analysé avec soin et surtout de n'être pris ni au pied de la lettre ni dans le sens que lui confèrent certains penseurs français qui, selon les observateurs étrangers, se situeraient plutôt à droite qu'à gauche.

Pour le Britannique Edmund Fawcett, correspondant de l'heb-domadaire *The Economist,* la France va plutôt mieux qu'il y a dix ans, en dépit de difficultés non négligeables, mais en rien exceptionnelles, puisque la plupart des autres pays européens en connaissent de semblables : taux de chômage élevé, tissu indus-triel pas assez modernisé, personnel sous-qualifié, conflits autour des travailleurs immigrés, etc. D'ailleurs, pour se sentir rassuré, il suffit de traverser la campagne française et de voir ces ban-lieues coquettes où les municipalités investissent en tennis, parcs et équipements sportifs. Il faut donc savoir que, lorsque les étrangers parlent de déclin à propos de la France, c'est souvent avec ironie, pour nous renvoyer nos propres craintes et nous faire prendre conscience qu'il s'agit d'autre chose : d'une crise de mutation et d'identité qui frappe un certain nombre de pays occidentaux, mais que la France a plus de mal à franchir que les autres.

« De toute façon, les Français aiment se plaindre, m'explique en souriant Edmund Fawcett que je suis allée interviewer, après la lecture de son article[1] dont le ton général m'a paru trop optimiste et trop indulgent. Selon lui, la France ressemble comme une sœur au malade imaginaire de Molière. Comme lui, elle encense ceux qui la disent mourante, et s'irrite contre ceux qui affirment qu'elle se porte comme un charme. A ce propos, il me raconte une anecdote qui lui semble tout à fait révélatrice de la mentalité française. Pour promouvoir un numéro spécial sur la France, la rédaction londonienne avait choisi de jouer la provocation en axant la publicité dans la presse et sur les affiches sur une accroche caustique : « 1993 : un nouveau Waterloo pour la France ? » Dès la parution, la presse française faisait référence à l'article. En quelques jours, les kiosques français furent dévalisés par les lecteurs, morts d'inquiétude, qui voulaient connaître à l'avance ou bien la sauce à laquelle ils allaient être mangés, ou bien les recettes qui les empêcheraient peut-être d'être mangés.

Les étrangers minimisent-ils à ce point les difficultés de la France ? Certes non, elles existent ; ils les ont rencontrées et se sont montrés tout à fait habiles à en expliquer les causes, les tenants et les aboutissants, même s'ils mettent le terme de déclin entre guillemets et l'emploient dans un contexte différent.

En effet, et on le verra tout au long de cette enquête, la France souffre avant tout de ne pas renoncer à sa grandeur passée.

Ainsi la connotation du terme « déclin » varie selon celui qui l'emploie. Le Français dans un registre nostalgique, les étrangers de façon presque joyeuse, au second degré, c'est-à-dire sous l'angle de la dérision et parce qu'ils en profitent pour souligner notre masochisme de complaisance.

Le drame de la France, un drame qui frise tantôt le ridicule, tantôt le tragique – et cela les étrangers en sont convaincus –, c'est de ne pas avoir compris, accepté et intériorisé à un moment

---

1. *The Economist,* 12 mars 1988.

clé de son histoire la nécessité de ce deuil inéluctable. La force de pays comme l'Italie, l'Espagne nouvelle ou la RFA, c'est d'avoir, volontairement ou poussés par les circonstances, réussi à assumer ce deuil sans pour autant renier l'intégralité de leur passé.

Néanmoins, aussi paradoxal que cela puisse paraître, ce que les étrangers apprécient le plus chez nous appartient au passé. Le culte porté à nos écrivains et nos penseurs s'arrête à Jean-Paul Sartre et Albert Camus, nés avec le siècle. Non pas qu'ils nient la valeur de notre haute technologie, la compétence de nos écoles d'ingénieurs, le bon fonctionnement de notre administration et de notre service public, la qualité de nos infrastructures. Bien au contraire. Mais même quand ça va bien, ils nous reprochent encore et toujours, à travers nos choix, de nous accrocher à une image périmée de la France et à tous les archaïsmes consubstantiels à cette image, et de nous opposer, par là même, à d'irréversibles mutations.

Chapitre premier

L'OBSESSION DE LA GRANDEUR

1. Un pays qui se trompe d'image

Selon un récent sondage de la Sofrés[1], la France est considérée comme un pays doté d'une aura exceptionnelle, dont le rayonnement se fait encore sentir dans diverses parties du monde. Mais c'est aussi un pays qui, depuis la perte de son empire colonial, a cessé d'être et d'apparaître comme une grande puissance. Si dans certains pays d'Amérique latine la culture française conserve son prestige, aux États-Unis seuls subsistent quelques clichés. Stanley Hoffmann le fait bien sentir en faisant un constat qui n'a rien d'exaltant :

« A part ceux qui sont spécialisés, les étudiants de Harvard se désintéressent de pays comme la France. Ils se passionnent pour des continents : la Chine, l'URSS, l'Afrique, le Moyen-Orient, l'Inde. Depuis très longtemps ils n'établissent plus de distinction très nette entre les pays européens. Celui qu'ils connaissent le mieux, c'est encore l'Allemagne à cause du prestige de l'industrie allemande et surtout des voitures allemandes. Aujourd'hui, pour de jeunes Américains qui s'intéressent à la géopolitique, un pays comme la France n'est plus qu'un pion mineur qui, malgré ses découvertes, ses réussites technologiques, n'est perçu et apprécié que comme un des plus beaux musées de la culture européenne... »

Malheureusement, le drame de la France, et sur ce point les étrangers de tous bords sont formels, c'est d'œuvrer de telle sorte

---

1. Sondage publié dans *le Figaro Magazine* du 22 octobre 1988.

que, depuis l'après-guerre, l'illusion de la grandeur et de la gloire françaises dans le monde persiste à tout prix. C'est pourquoi la « grande nation » comme la nomment bon nombre d'étrangers à grand renfort de guillemets, enfermée dans son rêve de grandeur, a voulu être présente dans tous les domaines où la renommée de la France lui paraissait en jeu. Toutes ses grandes options politiques, stratégiques, industrielles et même culturelles semblent avoir été conçues et décidées dans le but exclusif de perpétuer un fantasme, une illusion dangereuse. Ainsi les Français se sont lancés, au nom de cette « mystique de la grandeur », dans divers projets de prestige qui, finalement, se sont révélés déficitaires. Dès que l'occasion se présente, les étrangers ne manquent pas de se gausser de ce « nombrilisme hérité en droite ligne de Louis XIV » ou de le déplorer.

Ils se demandent surtout si cette obsession de la grandeur ne s'est pas en quelque sorte exacerbée, amplifiée, après la perte de l'Algérie et le retour au pouvoir du général de Gaulle – le dernier grand homme de l'histoire de France –, un peu comme si ce dernier, liquidateur forcé de l'ultime joyau du grand empire colonial, se devait de proposer aux Français, à titre de compensation symbolique, de grands desseins à la mesure de ses propres rêves de grandeur nationale. C'est un peu sur cet arrière-fond que la Constitution fut élaborée. C'est-à-dire édifiée en système dont la clef de voûte reposait sur un président détenteur d'un nombre de pouvoirs suffisants pour s'opposer aux excès du parlementarisme qui n'avait que trop déstabilisé la France.

A la fois aveuglée et stimulée par ce rêve éperdu de grandeur, la France s'est retrouvée partiellement déchargée de la nécessité de mener son deuil à terme et d'aller jusqu'au bout de cette remise en cause radicale qu'impose toujours un deuil primordial. En d'autres termes, elle a fait l'économie de ce travail de deuil qui aurait pu la contraindre à rechercher une image plus adéquate à sa nouvelle identité. A l'inverse, l'Allemagne et le Japon se félicitent aujourd'hui d'avoir été assujettis à cette concession par la défaite et la pression des vainqueurs. En effet, ils furent contraints d'abjurer à tout jamais leurs rêves de grandeur et de gloire, et de sacrifier l'espoir revanchard de redevenir une grande puissance militaire pour apprendre, à la place, à se satisfaire de « rêves d'épicier ». Ce renoncement à un style de représentation

32

périmé, imposé par la force des choses, a eu un effet salutaire sur les mentalités et l'économie de ces deux pays.

Avec l'arrivée des socialistes au pouvoir, certains observateurs venus d'ailleurs s'imaginaient à tort que la France allait se défaire peu à peu de ces fantasmes entretenus par les gaullistes et adopter une représentation plus en accord avec l'image de la France réelle. Mais il n'en fut rien. Le retour du refoulé monarchique qui relève de cette nostalgie de la grandeur semble au contraire s'être amplifié sous Mitterrand I et II. Preuve flagrante : l'intérêt que porte la presse française à ce thème du président-prince. De même, les grands chantiers symboles, entrepris durant les deux septennats. Ces exemples, et bien d'autres, indiquent parfaitement que les socialistes n'ont pas osé changer de cap en obligeant les Français à assumer leur identité de puissance moyenne.

De toute façon, dans l'environnement géopolitique actuel, la notion de grandeur renvoie à un concept archaïque et nocif. A la limite, le terme de puissance peut s'employer pour définir certains pays. Mais tout homme politique américain n'ignore pas qu'il se couvrirait de ridicule si, au cours d'une intervention officielle, il employait un terme aussi pompeux à l'égard des États-Unis. Car il ne suffit pas de disposer d'une force de frappe pour être considéré comme une grande puissance. La France l'apprend chaque jour à ses dépens, comme le montre sans équivoque cet extrait d'un article paru dans *Stern*[1] et intitulé « Rêves de grande puissance[2] » :

« La force de frappe coûte des sommes folles, mais elle est garante de la " grandeur " de la France. Elle est l'expression la plus élevée de ce sentiment d'identité nationale qui, en France, transcende tous les partis. Les Français veulent être gouvernés avec des rêves, disait Napoléon. Ses descendants, de De Gaulle à Mitterrand, s'en tiennent à cette maxime. Les rêves de puissance, d'indépendance, de prééminence sont trop beaux pour que les Français admettent que la réalité les en détourne. »

En conséquence les seules négociations qui comptent en matière de désarmement sont celles qui ont lieu entre les deux

1. Claude Luterbeck dans *Stern* du 15 juin 1987.
2. En français dans le texte.

seules véritables grandes puissances que sont les États-Unis et l'URSS.

Même des pays économiquement puissants comme la RFA ou le Japon savent qu'à l'échelle mondiale leur situation est celle de moyennes puissances. La RFA, comme les autres pays européens, accepte d'exister en fonction du cadre européen sans s'encombrer de préséance. En revanche, pour la France, assure l'historien britannique Theodor Zeldin[1] : « L'Europe arrive à point pour redonner vie et perspective à son obsession de grandeur : depuis longtemps les Français cherchent désespérément ce qu'ils appellent un " grand dessein " même si leur vision de l'avenir reste floue... »

Consciente de perdre ses leaderships économiques, la France donne donc l'impression de vouloir récupérer à la marge son influence culturelle, comme le souligne sans aménité Claude Müller, ancien correspondant à Paris d'un journal suisse[2] :

« La " grande nation " se laisse porter par l'espoir instinctif de retrouver sa véritable " grandeur " dans le cadre de la construction d'une Europe qui, cela va sans dire, serait particulièrement respectueuse des désirs et des intérêts spécifiques de la France. Cette échappatoire à l'Hexagone s'accompagne toutefois du danger d'être déçu dans ses grandes espérances, et de la crainte insidieuse de manquer de force... pour résister aux tempêtes européennes d'une concurrence sans frontière... »

2. A LA RECHERCHE D'UNE NOUVELLE IDENTITÉ

Alors que la France vient de célébrer dans la liesse et le faste le bicentenaire de la Révolution, certaine d'apparaître encore et toujours comme une démocratie modèle, à la fois patrie des droits de l'homme et République exemplaire, les étrangers récusent d'entrée de jeu cette image. Ils ont beau avoir été globalement séduits par la magnificence des diverses cérémonies conçues pour célébrer l'année sans pareille, cela ne les a pas empêchés de se goberger du message égalitaire et inter-

---

1. Theodor Zeldin dans *Herald Tribune* du 28 novembre 1988.
2. *Neue Zürcher Zeitung,* 5 novembre 1988.

nationaliste distillé par la parade Goude où représentants de toutes les nations symboles marchaient au coude à coude, Blancs et Noirs étroitement mêlés, dans un show dont l'esprit évoquait davantage le carnaval que 1989.

L'impact de cette grande leçon égalitaire que la France rêvait d'offrir au reste du monde a été quelque peu terni par l'initiative bien révélatrice de l'orgueil national et de l'ambiguïté du régime de n'inviter au départ que les chefs d'État des pays les plus riches du monde.

Bref, comme si la parade Goude, au même titre que la réunion en parallèle des pays les plus endettés de la planète, n'avait d'autre finalité que de faire oublier un impair bien trop révélateur.

Si la presse étrangère n'emprunte pas exactement les termes à la fois familiers et ironiques dont usent et la droite et la gauche françaises pour stigmatiser la propension de nos présidents de la République à jouer les monarques, à s'entourer de « courtisans passés à l'encaustique d'une noblesse feinte, fidélisés à coup de sinécures royalement distribuées aux féaux et autres rejetons de la mitterrandesque famille [1] », c'est que ce ton, de même que certains surnoms familiers tels que Tonton II, digne successeur de Tonton Ier, transposés ailleurs perdraient tout leur sel. Cela étant, elle ne se prive pas pour accabler nos dirigeants de sarcasmes et critiquer, avec un ton à la fois plus grave et plus alarmiste, un pays qui avec une bonne conscience impayable se présente comme la patrie de l'égalitarisme alors que ses institutions révèlent le contraire. Pour nos observateurs venus d'ailleurs, il ne fait aucun doute qu'il s'agit là d'une des causes principales de ce mal français dont on parle tant dans l'Hexagone.

Autrement dit, si la France ne va pas aussi bien qu'elle le pourrait, si elle voit certains mois sa productivité et ses profits soudainement chuter, non pas à cause de la conjoncture internationale mais à la suite de revendications salariales prolongées par des grèves interminables, ceci est à mettre en relation avec le régime. De même, quand dans un pays réputé l'un des plus inégalitaires d'Europe, comme l'indique pour la énième fois consécutive le Centre d'études des revenus et des coûts (CERC), un patron ose publier un livre intitulé *la France paresseuse* [2] et par-

---

1. Jean-François Kahn dans *l'Événement du jeudi* du 15 décembre 1988.
2. Victor Scherrer, *la France paresseuse*, Seuil.

vient par cet exploit à scandaliser le très conservateur *Washington Post,* c'est qu'il y a vraiment quelque chose de pourri dans ce royaume !

Au secours ! La France change de régime

C'est pourquoi les observateurs étrangers, en essayant de traquer l'origine du handicap de la France actuelle, prennent d'emblée le régime et les institutions sociales comme bouc émissaire. Mus par un souci d'élucidation, ils dénoncent à coups de sarcasmes la pompe des manifestations officielles et le comportement majestueux d'un président qui se croit revêtu de l'hermine et de la pourpre royales du « Grand Siècle ». Le ton des interviewés et de la presse étrangère n'est pas très loin de celui des articles de *l'Événement du jeudi* ou de *Libération* qui comptabilisent avec indignation le coût des déplacements du souverain et de sa cour à l'étranger ou qui ironisent sur son style pompeux, son goût des fastes et de la dorure. A quelques nuances près, cependant. En effet, les étrangers sont sincèrement inquiets et offusqués. Ils y voient un symptôme grave pour la démocratie française. Par contre, Jean-François Kahn se montre moins alarmiste lorsqu'il se demande [1] « s'il faut en rire ou en pleurer, s'en indigner ou s'en moquer ». Rien de tragique à ses yeux. Il préfère relativiser et souligne que tout n'est que pantomime, simple mise en scène sur fond de royauté dans ce simulacre de grandeur dans lequel se complaît un président élu au suffrage universel. Et ce, même si ce président finit par croire que sa réélection participe du droit divin ! En tout état de cause, ce pseudo-roi, affublé d'un surnom dérisoire, a vu son pouvoir s'émietter et n'a réussi, selon *l'Événement du jeudi,* qu'à ressembler à la reine d'Angleterre. Pourtant les Français ne doivent pas croire la République en péril : « Car si le roi n'est pas nu, l'apparence ne doit cependant pas faire illusion : Tonton II n'est plus ce monarque inaccessible et quasiment tout-puissant qu'étaient Pompidou et Giscard et même Tonton Ier... » La preuve en est que les premiers avaient toujours eu « jusqu'ici un parti majoritaire et un Parlement à leur botte, une information audiovisuelle à leur service, une jus-

---

1. Jean-François Kahn dans *l'Événement du jeudi* du 15 décembre 1988.

tice presque en leurs mains et un pouvoir économique à leur dévotion... ».

Tout au plus, ce monarque constitutionnel sans titre a-t-il réussi la prouesse d'autoriser quelques historiens émérites, mais passablement révisionnistes, de concrétiser le grand rêve de certains révolutionnaires de 1789 partisans de la modération : réconcilier, en une harmonieuse synthèse, l'idée de monarchie et celle de république et de démocratie. Ainsi, comme l'écrit Pierre Nora [1] en conclusion d'un article visant à définir le concept de république : « Ironie et logique de l'histoire : avec de Gaulle et François Mitterrand, la république monarchique renouait avec la monarchie républicaine, et se retrouvait après deux cents ans de séquelles révolutionnaires là où elle voulait aller aux premiers jours. »

D'une certaine façon, caricatures et pamphlets locaux, qui se contentent de grossir le trait sans pousser l'analyse au-delà, ne proposent qu'une interprétation partielle et superficielle de ces évolutions. En effet, pour les observateurs étrangers, même les attaques les plus féroces qui tirent à boulets rouges sur le népotisme du chef d'État, sur une classe sociale restreinte qui s'accapare systématiquement des pouvoirs et qui parvient au sommet autant par les vertus de la méritocratie que par la bienveillance du prince, ne font pas apparaître réellement ce glissement décisif : la France tend, en réalité, de démocratie qu'elle était, à se muer, subrepticement mais irrésistiblement, en une monarchie. Et même une monarchie sans connotation démocratique, à la différence des autres monarchies européennes qui subsistent justement à cause de ce caractère démocratique.

Selon eux, la Constitution de la Vᵉ République a sonné le glas d'une certaine image de la France dont ils se sentaient plus proches que du régime hybride qui se profile à l'horizon [2]. Ainsi,

---

1. François Furet et Mona Ozouf, *Dictionnaire critique de la Révolution*.

2. Pour éclairer l'impact symbolique essentiel de cette Constitution sur la société française, nos étrangers se demandent si son élaboration par de Gaulle n'est pas à mettre en regard avec la perte de l'Algérie. Le Général pourrait bien avoir « largué » l'Algérie, scorie dans la pureté de la « grande nation », pour se consacrer aux larges desseins hexagonaux. Comme si à l'emprise géographique (symbole de pouvoir et de nationalisme dans les discours colonialistes de Jules Ferry) se substituait le blanc concept, l'idée quintessenciée d'une Constitution cristallisant les fantasmes de la nation.

en relisant la presse étrangère de ces dernières années, et en écoutant disserter certains observateurs étrangers, dont des politologues spécialistes en sciences humaines ou des historiens, on s'aperçoit que ceux-ci ne cessent de pointer des exemples qui mettent en lumière cette régression, mais aussi la séduction qu'elle exerce sur une partie non négligeable de la population. En effet, cette population est elle-même nostalgique de la grandeur de la France, de ces temps monarchiques ou napoléoniens où cette primauté française n'était ni contestée ni contestable.

En d'autres termes, le comportement caricatural de nos hommes politiques ne prend de l'importance et du sens que parce qu'il fait partie d'un ensemble, et non en tant que trait isolé. Il est imputable à une Constitution qui, visant la stabilité politique, a concentré trop de pouvoirs entre les mains d'un seul homme, créant dès lors chez ceux qui en deviennent détenteurs l'inévitable syndrome de la grosse tête. Le régime vers lequel la France semble réellement s'orienter, c'est effectivement une monarchie de type indéfini. Ce constat s'articule autour de cinq points :

— le comportement du chef de l'État et de son entourage ;

— l'intérêt de l'ensemble de la population pour les valeurs de l'Ancien Régime ;

— le retour à une véritable société de castes dans un monde qui s'est toujours caractérisé par une organisation sociale très hiérarchisée ;

— le centralisme parisien qui semble s'être encore renforcé, malgré les efforts liés à la régionalisation ;

— la remontée de l'extrême droite, des valeurs conservatrices et xénophobes.

C'est la faute à la Constitution

Tout bien considéré, les étrangers ne prétendent pas que les Français souhaitent une restauration monarchique. La preuve en est le très mauvais score du candicat royaliste aux élections présidentielles de 1974 qui a contraint son chef de file à se saborder et à faire campagne pour François Mitterrand, avec le soutien du prétendant officiel au trône, le comte de Paris. Nul n'affirme non plus que les idées monarchiques redeviennent à la mode dans la vie politique française, et qu'aujourd'hui un candidat royaliste aurait sa chance. En revanche, ce qui apparaît clairement, c'est la prégnance de l'esprit monarchique dans le système social et les mœurs de la Ve République, ainsi que l'attrait de ces idées pour le « bon peuple de France ».

Pour Stanley Hoffmann, professeur de sciences politiques à Harvard qui a consacré plusieurs ouvrages et articles de revues à la France [1], et qui, entre autres griefs, lui reproche de ne pas assez se comporter en démocratie, ce retour du refoulé monarchique n'est en rien surprenant.

Lors de notre rencontre à la terrasse du Fouquet's, par une matinée ensoleillée et tranquille de juin 1988, alors que je lui demande de me parler de ce qui fait le plus problème dans la France actuelle, il s'attaque aussitôt à la tradition réglementariste et dirigiste, héritée en droite ligne de l'Ancien Régime, et dont la France, malgré des révolutions successives, n'a jamais réussi à se débarrasser tant dans les institutions que dans les mentalités.

« Je crois que quand on a eu pendant des siècles la même structure politique, même si on passe de la monarchie à la république, cela forme la psychologie des gens. Les gens ont des attentes très largement formées par les structures et, de ce fait, ont du mal à s'imaginer que les choses auraient pu être différentes. Cela, on ne s'en aperçoit que quand on voyage beaucoup et longtemps. Sinon les attentes et les représentations sont celles que le système favorise et provoque indépendamment des siècles. De mon point de vue, cette thèse est plus proche de ce que les sociologues pensent aujourd'hui que des thèses de Max Weber sur les différences entre les pays catholiques et protestants reprises et développées par Alain Peyrefitte dans *le Mal français*... »

En réalité, si l'on suit le raisonnement de Stanley Hoffmann, partagé grosso modo par l'ensemble de l'échantillon, l'idée monarchique n'a jamais été complètement éradiquée. Ni les révolutionnaires de 1789 ni les différents régimes qui se sont succédé par la suite n'ont eu raison d'elle. Selon les étrangers, il suffit pour s'en convaincre de compter le nombre de restaurations

_____

1. *Essais sur la France. Déclin ou renouveau,* Seuil, 1974.

et de Constitutions qui se sont succédé en deux siècles. Ils soulignent aussi l'aversion ressentie pendant longtemps par une partie de la population à l'égard de la république, même si depuis un siècle aucune véritable menace ne s'est manifestée contre elle. Profondément refoulée, mais non pas détruite pour autant, l'empreinte monarchique qui, pendant des siècles, a marqué ce pays a donc insidieusement refait surface pour devenir tout à fait manifeste aujourd'hui.

La principale cause mise en avant pour expliquer ce retour du refoulé monarchique est la Constitution de la Ve République, dont la paternité revient au général de Gaulle. Démocrate convaincu, le Général a souvent été accusé par les étrangers d'être favorable au parti royaliste. Lors d'une rencontre mémorable, n'aurait-il pas promis au comte de Paris de le faire remonter un jour sur le trône de France[1] ? Si cette prémonition ne s'est pas concrétisée dans les termes souhaités par le Général, il n'en faut pas pour autant la considérer comme fausse ou utopique puisque, sans qu'il ait été nécessaire de changer officiellement de régime, la Constitution a indirectement joué sur les mentalités. Attribuant à des présidents élus au suffrage universel un pouvoir absolu, elle les a transformés en monarques, ôtant, par le même tour de passe-passe, tout sens critique à un peuple pourtant prompt à s'insurger contre les absolutismes, longtemps fier d'avoir guillotiné son roi et qui soudain, dans le cadre d'un questionnaire publié par le journal *le Monde,* le gracie. En ce sens, la Ve République se démarque radicalement de la IIIe et de la IVe qui n'accordaient à leurs présidents qu'un rôle honorifique et des pouvoirs limités, comme c'est le cas dans tous les pays d'Europe de l'Ouest. Même le président des États-Unis ne concentre pas autant de pouvoirs dans sa seule personne.

Autrefois, les politiciens aux dents longues ne briguaient pas ce poste, plutôt réservé à des notables inconnus du grand public et choisis pour leur honorabilité et leur aptitude présumée à bien représenter la France dans des manifestations officielles. A l'époque, personne ne se passionnait pour l'élection présidentielle, les candidats étant élus par les grands électeurs. Ainsi, Vincent Auriol et René Coty, tous deux membres du barreau à la retraite, avaient une image de citoyens débonnaires sans préten-

---

1. *The Guardian,* 28 avril 1987.

tion ou talent particulier. Plébiscité par le suffrage universel, le général de Gaulle a sacralisé la fonction présidentielle, lui redonnant un style à la fois grandiloquent et très vieille France qui a plus amusé que choqué ou inquiété. Les Français étant bien convaincus que le de Gaulle monarque ne pouvait pas avoir de successeur.

Avec Georges Pompidou, ancien normalien, à première vue assez proche du profil IIIᵉ République, la France devenait une République éclairée et moderne. Mme Pompidou remisait une partie des dorures et, pour rajeunir l'Élysée, faisait appel à des créateurs contemporains. Bien que doté du même pouvoir que son prédécesseur, Georges Pompidou a donné l'impression d'avoir conservé jusqu'au bout son allure plébéienne. Sa maladie survenue à mi-parcours a peut-être empêché que le pouvoir lui monte à la tête comme cela se produira rapidement avec Giscard. Insatisfait de n'être qu'un élu du suffrage universel, Giscard cherche, paraît-il, un complément de légitimité dans une prétendue parenté avec Louis XV. La presse étrangère raille l'étiquette sophistiquée imposée dans les réceptions officielles. La baisse de popularité d'un homme qui au début de son mandat présidentiel incarnait l'image d'une France jeune, ouverte, moderne, a souvent été imputée à ce comportement de monarque de plus en plus caricatural.

En 1981, l'arrivée d'un président socialiste, issu d'un milieu modeste et élu avec le soutien des voix communistes, laisse espérer un retour à la simplicité, la mise au rancart des vieilles nostalgies royalistes et des rêves de grandeur du Général. Mais rapidement, il faut déchanter. A travers les premières cérémonies officielles, en particulier l'intronisation du Panthéon, prélude déjà très significatif, comme le soulignent les interviewés, François Mitterrand se présente en digne successeur du général de Gaulle, comme si les pouvoirs attachés à la fonction présidentielle entraînaient automatiquement les mêmes effets pervers. Autrement dit, ce glissement serait donc inexorable, quelles que soient les convictions du président. De par son statut, celui-ci endosse quasiment automatiquement une défroque de monarque, et sa mue est encouragée par la passivité admirative du peuple. A la limite, c'est le manque de réaction du « bon peuple » qui choque le plus les observateurs étrangers et qui les pousse désormais à traiter avec un parti pris d'ironie les manifestations du royaume : inauguration de grands travaux lancés par un président qui veut laisser son empreinte à travers des monuments érigés sous son règne comme c'était la coutume jadis ; mais aussi faste des réceptions organisées dans les plus belles demeures de France en l'honneur de chefs d'État étrangers surpris qu'un président socialiste fasse un tel étalage de somptuosité.

La presse étrangère, et en particulier les télévisions, comparent avec étonnement l'attitude des présidents français à celle de leurs homologues étrangers des pays de l'Europe de l'Ouest, et même des États-Unis, qui continuent à se comporter comme de simples citoyens.

A la fois suisse et italien, Norberto Bottani, la quarantaine svelte et élégante, a une formation de sociologue acquise dans ces deux pays. En France depuis une dizaine d'années, il est responsable dans le cadre de l'OCDE des projets d'innovation dans le domaine de la recherche et de l'enseignement. Comme tout sociologue qui se respecte, Bottani se méfie des stéréotypes et des images d'Épinal, conscient que chacun peut en être victime, en dépit d'une vigilance constante. Mais il ne peut éviter de faire allusion à ce paradoxe si spécifiquement français. A savoir que, chez ce peuple dont le comportement individuel conserve encore de façon évidente les empreintes de l'esprit de 1789, prospère un système présidentiel unique en son genre :

« Le poids impressionnant de la figure du président dépasse amplement les prérogatives constitutionnelles qui sont pourtant considérables. Je pensais que cela s'arrêterait avec de Gaulle, mais je constate que Mitterrand occupe pour les gens la même place symbolique. L'intervention du président à la télévision, tellement surchargée de symboles de pouvoir, me laisse abasourdi. Le fait qu'il suffit de quelques millions de voix pour rendre une nation entière dépendante d'un seul homme qui réunit entre ses mains de gigantesques pouvoirs symboliques et réels est quelque chose d'ahurissant... Les autres pays ont aussi un président mais pourraient tout aussi bien s'en passer, de la même façon que dans certains cantons suisses les écoles fonctionnent très bien sans directeur... »

Mais Bottani n'est pas le seul, loin de là, à dénoncer le pouvoir exorbitant du chef de l'État. Les autres le font simplement avec un ton moins modéré, et surtout sont plus sceptiques sur la valeur de notre démocratie. En particulier les Allemands, qui, forts du tribut payé à l'histoire, s'autorisent à critiquer avec virulence un système permettant à un seul homme de disposer d'un tel pouvoir. En regard de leur expérience, ils sont convaincus que ce système, indépendamment des intentions de François Mitterrand, ne peut être à la longue que néfaste à la démocratie. « Le président a des pouvoirs inimaginables... Il a une chasse gardée en matière de sécurité intérieure et extérieure... C'est vraiment le chef suprême. [...] En RFA, le président a seulement une fonction représentative », dit Marcus Kerber, trente-deux ans, Berlinois ayant réussi à incarner dans sa haute stature une raideur et une distinction prussiennes que j'imaginais disparues. Haut fonctionnaire en RFA, il est arrivé en France il y a trois ans, d'abord comme invité à la section étrangère de l'ENA. Il est entré ensuite à la banque Indosuez, en tant que responsable du secteur acquisition.

Pour lui aussi, le comportement des Français reste complètement dominé par le modèle monarchique. En réalité, le meurtre de la famille royale, malgré sa portée symbolique, a été insuffisant pour éradiquer le respect de la monarchie et son influence sur l'organisation de la société et la structuration des mentalités. Le centralisme parisien, inchangé depuis des siècles, va de pair, selon lui, avec la persistance de l'esprit monarchique à tous les échelons de la société. A savoir le respect de la hiérarchie au même titre que le rôle des castes qui est beaucoup plus frappant en France qu'ailleurs : « Chaque Français rêve d'être un roi et dès qu'il se retrouve dans une position de force agit comme s'il était un roi. J'ai du mal à m'expliquer ce comportement que je retrouve sans arrêt... Peut-être faut-il l'attribuer au fait que la France a trouvé très tôt l'identité de la nation et de l'État, alors que, par exemple, des pays comme l'Allemagne ou l'Italie l'ont découverte très tard. Et puis la France a toujours eu un centre politique, administratif, économique et intellectuel qui était Paris. De Gaulle a toujours répété qu'avoir Paris c'est avoir la France... C'est la façon dont est organisé le pouvoir politique qui contribue à perpétuer ce phénomène de cour dans un pays supposé être une démocratie. [...] François Mitterrand entretient

43

une cour et tout le monde s'incline... » Les étrangers sont de même interloqués de constater que chez nous, titres et particules ne sont en rien dévalués.

Janninck Van B., un Hollandais de quarante ans, patron d'une société de conseil qui, entre autres, organise des joint-ventures, a choisi la France comme point de chute depuis trois ans mais il y vient depuis bien plus longtemps. Son français est impeccable, à peine une pointe d'accent que l'étendue de son vocabulaire fait vite oublier. Même allure longiligne que les Allemands du Nord, même look Madison Avenue que les « wasp » américains, mais un jugement sur la France nettement plus acerbe. Pendant les trois heures de l'interview, il tapera avec ardeur sur cette France aussi agréable qu'irritante et incompréhensible :

« Connaissez-vous un autre pays au monde où un président agit comme Mitterrand qui trône, royal, au-dessus de la foule. Cet espèce de roi sans titre se permet n'importe quoi. Un Watergate est impensable en France où tous les scandales sont étouffés. Dans d'autres pays, il serait impensable qu'un Giscard termine son mandat sans jamais se justifier sur une affaire comme celle des diamants. Et dire que la France se considère comme un pays démocratique. »

Un peuple inconséquent

« En France les rois sont enterrés mais la monarchie n'est pas morte. » C'est ainsi que la *Utrechts Nieuwsblad*[1], important quotidien des Pays-Bas, titre un article consacré au succès touristique de la basilique Saint-Denis. Ce monument où sont enterrés presque tous les rois de France semble devenu depuis peu un passage obligé. « Saint-Denis est le symbole du tourisme de masse, aussi bien que le symbole de l'hystérie de masse. » Il serait intéressant de vérifier s'il s'agit là d'une mode récente liée à la montée de l'intégrisme, ce qui justifierait la présence d'un public très ciblé, ou si les visiteurs sont surtout des amateurs de belle architecture religieuse dont la basilique de Saint-Denis est un exemple représentatif.

Pour le journaliste hollandais, il ne fait aucun doute qu'une

---

1. 31 janvier 1987 (*les Français à la une,* La Découverte).

grande partie de ces visiteurs ont des sympathies royalistes. La preuve que le parti royaliste reprend du poil de la bête, le journaliste la trouve dans les résultats d'un sondage réalisé en 1987 et selon lequel quatorze pour cent des Français se déclaraient favorables au retour de la monarchie. Ce pourcentage, précise le journaliste, est plus élevé que celui du Parti communiste ou du Front national, qui sont tous deux représentés au parlement français.

Le quotidien britannique *The Guardian*[1] reprend la même thèse en fondant la démonstration sur le succès d'une vieille série télévisée. « Les téléspectateurs français ont récemment plébiscité la reprise des *Rois maudits,* une sorte de Dallas monarchique... La reprise de cette saga coïncide avec un regain de nostalgie pour la royauté... » Mais ceci semble tout à fait logique pour le journaliste qui cite l'historien Emmanuel Le Roy Ladurie selon lequel « aujourd'hui, c'est la monarchie qui soulève le moins de controverse en France... Cette attitude est relativement nouvelle dans le paysage politique français ». En effet : « La cause de la restauration semblait enterrée depuis qu'un candidat royaliste n'avait remporté que quarante-cinq mille voix à l'élection présidentielle... mais le retour au trône du roi d'Espagne Juan Carlos, descendant de la famille royale française, et les campagnes menées par les gouvernements des deux bords pour ranimer l'histoire d'avant 1789 ont porté leurs fruits... »

Plus récemment, la presse étrangère, évoquant les spectacles et manifestations destinés à célébrer le bicentenaire, l'interprètent comme une manière déguisée de réhabiliter la royauté. Le procès de Louis XVI sur TF1 terminé par un acquittement massif est, pour les journalistes étrangers, très révélateur d'un changement d'attitude qu'ils ont aussitôt disséqué. Dans le même ordre d'idée, le ton résolument réformiste de certains ouvrages récents consacrés à la Révolution montre bien que la France est entrée dans l'ère des nostalgies et file un « mauvais coton ».

Mais bien d'autres points prouvent la vitalité de l'idée monarchique. Il suffit de constater, disent les étrangers, le prestige dont jouissent encore titres et noms nobles dans la France contemporaine. Ceci est éminemment paradoxal, car la France est une république où les titres sont interdits, mais pourtant ils sont encore utilisés. Par contre, en RFA, en Hollande ou dans les pays

---

1. *The Guardian,* 28 avril 1987.

scandinaves, les titres sont autorisés mais personne n'a l'idée de les mentionner. D'où l'étonnement des étrangers. Untel qui a transité par Sciences-Po a remarqué que sur les bulletins d'inscription figure une petite case pour la particule. Un autre a constaté que dans ce pays où l'usage des titres est prétendument interdit, il est fréquent de voir figurer sur l'annuaire du téléphone des noms précédés de titres nobiliaires.

Tout cela est vrai, y compris qu'en 1989 un titre ou un nom à particule continuent à valoir leur pesant d'or à la foire aux vanités comme au supermarché de l'emploi... Je suis bien placée pour le savoir, ayant réalisé il y a quelques mois un film documentaire de deux heures sur l'aristocratie française[1]. A ma grande surprise, j'ai entendu la plupart des descendants des grandes familles, tant ceux qui approchaient la quarantaine que ceux qui étaient encore étudiants, m'affirmer dans une belle unanimité « qu'un grand nom et une particule représentent à eux seuls cinquante pour cent d'un CV, et qu'à compétence et diplôme égaux, la balance penchera presque toujours en leur faveur ».

Ces multiples indices, identifiés par les observateurs étrangers, montrent combien la France souffre dans son inconscient collectif du « syndrome de lady Macbeth ». Inconsolable d'avoir tué son roi, marquée par dix siècles de continuité monarchique, elle tente éperdument de laver sa faute, en réveillant les mêmes vieux fantômes, en changeant, plus que toute autre nation, de régime et de Constitution. Néanmoins, nul n'imagine un instant que les Français pourraient se prendre de passion pour l'un des quelconques prétendants ou voteraient par référendum le retour de la monarchie. En revanche, beaucoup redoutent que le retour du refoulé emprunte d'autres voies et se serve d'une Constitution qui survalorise le pouvoir présidentiel pour transformer un élu du peuple en sorte de monarque constitutionnel. La France étant jugée comme une démocratie « faible » par bon nombre des étrangers interrogés, un changement de régime peut aussitôt apparaître comme lourd de menace.

---

1. *Noblesse oblige,* TF1.

3. Un pays qui a trahi son idéal ?

> « A l'échelle Richter de la démocratie réelle, je
> situerais la France en dessous non seulement du
> PAS (Paysage anglo-saxon) mais aussi de l'Es-
> pagne nouvelle, et peut-être de l'Italie. » Edward
> Behr, rédacteur en chef de Newsweek.

C'est la question que se posent la plupart des étrangers en
constatant l'évolution de nos institutions et de nos mentalités.
Pour éviter toute ambiguïté quant à la signification exacte de ce
terme, référons-nous tout d'abord au *Petit Robert* qui, entre
autres informations, précise qu' « une démocratie est un système
régi selon des principes égalitaires ; son contraire étant la société
aristocratique et monarchiste ». Et pour apporter une preuve
supplémentaire, regardons du côté d'un ouvrage plus récent qui a
confié ce type de réflexion à des historiens et des philosophes
réputés. Ainsi Philippe Raynaud propose une définition très
proche de celle du *Robert* : « Depuis le XIXᵉ siècle, on considère la
Révolution française comme une des principales étapes dans la
formation de la démocratie moderne, qui n'est pas seulement un
régime politique (fondé sur la combinaison du système représentatif et du système universel) mais aussi un régime social, caractérisé par l'absence d'inégalités statutaires de type aristocratique
et par la place centrale qu'y ont les aspirations égalitaires[1]... »

J'ignore si les étrangers connaissent ces définitions, mais en
tout état de cause le sens du terme « démocratie » semble bien
identique d'un pays à l'autre. En conséquence, l'image peu
réjouissante de la France sur laquelle se fonde leur refus de la
considérer comme une authentique démocratie ne peut nous laisser indifférents.

Si les étrangers refusent de voir dans la France une démocratie
à part entière, c'est parce qu'elle a oublié sinon trahi le plus fon-

---

1. *Dictionnaire critique de la Révolution.*

damental des trois principes cependant inscrit sur les frontons de tous nos établissements publics : le principe égalitaire. Car non seulement la France, société particulièrement hiérarchisée, est restée inégalitaire dans son organisation sociale, mais surtout, force leur est de constater que même devant la loi et la justice, les citoyens sont loin d'être égaux entre eux. C'est ce dernier point qui conduit les étrangers à taxer la France de « démocratie faible » par opposition à des pays à démocratie forte comme les États-Unis, mais aussi la RFA, les Pays-Bas ou certaines monarchies constitutionnelles considérées à l'unanimité comme des démocraties exemplaires.

Un pays où les institutions sont à la solde du pouvoir

Si les ressortissants des pays anglo-saxons, de l'Europe du Nord ou de RFA sont si enclins à considérer la France comme une démocratie faible, c'est à cause de la mollesse des institutions, qu'il s'agisse de la presse ou de la justice, à s'opposer au pouvoir politique, à l'État. En France, tous les grands scandales où sont impliquées des personnalités politiques de premier plan sont étouffés et échappent à la justice. A ce propos, les étrangers disposent d'exemples nombreux et révélateurs : l'affaire des « diamants », l'attentat du *Rainbow Warrior,* l'escroquerie Chaumet où avait été impliqué le ministre de la Justice Albin Chalandon. La presse étrangère n'a pas manqué d'établir des parallèles saisissants entre ce qui se passait en France et dans d'autres pays, où n'importe quel homme d'État à la place de Chalandon eût immédiatement démissionné pour se justifier des accusations portées contre lui.

D'une façon générale, les observateurs étrangers ne sont pas tendres pour la presse française. Ils l'accusent de manquer de combativité et de contribuer, par sa mollesse, à étouffer ce genre d'affaires. Nombreux sont les journalistes qui dénoncent la connivence inadmissible entre personnel politique et journalistes. Par exemple, ils en retrouvent une preuve dans cette petite repartie aussi anodine que fréquente dans les interviews d'hommes politiques, ces derniers s'exclamant : « Voilà une très bonne question ! » Comme si le rôle d'un journaliste était de poser une bonne question, c'est-à-dire une question qui arrange l'interlocuteur ! Le rôle d'un journaliste est justement de ne poser que les mauvaises questions, les questions qui dérangent.

Ainsi, il n'y a pas un seul étranger parmi ceux que j'ai interrogés ou dont j'ai lu la prose pour imaginer qu'une affaire comme le Watergate puisse aboutir à la même issue en France, où « tous les scandales sont étouffés », alors qu'aux États-Unis la justice et l'opinion publique vont jusqu'à exiger la destitution d'un président. Selon eux, aucun homme politique français ne saurait faire preuve de la même dignité que le chancelier Brandt qui a démissionné, non pas pour s'être montré coupable d'espionnage mais parce qu'il avait manqué de vigilance dans le choix d'un de ses proches collaborateurs. Mais de tels sacrifices sont la rançon d'une véritable démocratie.

Liberté, Inégalité, Egocentricité[1]

C'est ainsi que l'ancien correspondant[2] à Paris du *Spiegel* titrait un article paru dans un ouvrage collectif sur la France. Il mettait l'accent sur le renforcement des structures hiérarchiques dans tous les rouages de la société française, de cette République qui, aux yeux de quelques étrangers, mériterait de figurer au palmarès des États bananiers d'Afrique : « En France, il est beaucoup question d'égalité. Mais dans la dure réalité du monde professionnel, la vertu d'égalité est peu courante. Un peu partout la France ne cesse de développer des idées on ne peut plus hiérarchiques... et de construire de nouvelles barrières sociales. La République aime aussi distribuer des médailles car, parallèlement à la caste des grands corps situés tout en haut de la pyramide, elle s'entoure d'un deuxième cercle composé des chevaliers, officiers et commandeurs de la Légion d'honneur... En France, il y a aussi un gouffre entre les riches et les pauvres beaucoup plus considérable que dans les États voisins... »

L'arrivée des socialistes au pouvoir n'a rien changé dans la

---

1. François de Closets, sur la couverture de son livre *Toujours plus,* avait proposé la version suivante : Liberté, Inégalité, Féodalité.

2. Klaus Peter Schmid in *Frankreich, Menschen und Landschaften,* Elefanten Press, 1988.

mesure où bon nombre d'entre eux ont des origines sociales identiques aux énarques de droite. En tout cas, ils n'ont rien fait de plus pour éliminer les privilèges dont bénéficient cette nouvelle aristocratie française qui figure sur l'annuaire des grandes écoles et des grands corps de l'État. Nous les retrouvons dans les cabinets ministériels et à la tête des entreprises nationalisées. A ceux-là, la nation a fait don d'un ensemble de privilèges : hiérarchie des places, des titres, des signes, des voitures et des appartements de fonction, avec répartition des cylindres ou des mètres carrés au prorata des titres respectifs.

Ainsi, tel petit secrétaire d'État aux classes défavorisées, anciennement gauchiste, dispose d'un cuisinier et de domestiques pour inviter à déjeuner de vieux copains aux frais de l'État, comme me le fait remarquer un journaliste allemand. Resté, lui, un pur et un dur, il n'en a pas fini d'être scandalisé par le train de vie des anciens copains qui ont rejoint les cabinets ministériels pour vivre désormais la « vie de château » : voitures de fonction et tutti quanti. De même, un directeur d'un établissement para-public disposera d'une voiture de fonction et d'un chauffeur dont sa femme ou ses enfants font usage sans scrupule lorsqu'il est cantonné dans ses bureaux pour raison de service.

D'une façon générale, il suffit aux étrangers de pénétrer dans la société française pour être convaincus de son caractère hiérarchisé et inégalitaire.

Voilà les impressions amères qu'éprouvent les étrangers qui ont vécu en France, en fréquentant nos institutions et nos hiérarchies. Comme si la France de 1989 avait tout oublié de la nuit du 4 août et avait recréé une nouvelle aristocratie qui bénéficie à son tour d'un ensemble de privilèges démesurés, incompatibles avec l'éthique d'une société démocratique. En effet, si la IIIᵉ République a tout mis en œuvre pour supprimer les privilèges de la noblesse en instaurant un système de recrutement des élites fondé sur la méritocratie, elle n'a pu supprimer les hiérarchies et empêcher l'émergence d'une nouvelle caste, celle des grands corps, bientôt dépassés par cette haute aristocratie que représente aujourd'hui l'énarchie. Cette caste non seulement se coopte entre elle, en centralisant tous les postes clés de la nation, mais surtout se reproduit de façon spectaculaire.

Quelques Français s'indignent également. Mais que faire,

sinon comme l'avocat et écrivain Jean-Denis Bredin, se saisir de sa plume et envoyer un article plein de colère qui passera dans la page 2 du *Monde* : « Les privilèges sont abolis ? Sans doute, mais nous ne cessons d'en inventer de nouveaux. Partout en France s'installent ou se fortifient des situations préférables, des droits exorbitants, des supériorités, des distances. Il y a les statuts privilégiés, qu'il convient de maintenir, les droits acquis qu'il ne serait tolérable ni d'abandonner ni de partager. L'idéal français, c'est de passer avant, de passer devant, de signifier qu'une marque quelconque, une prééminence, etc., tout est matière à créer des privilèges grands et petits. »

A côté des privilèges et des privilégiés, ce qui fait aussi dire aux étrangers que la France est redevenue, ou n'a jamais vraiment cessé d'être une monarchie, c'est l'organisation sociale, ressentie comme de plus en plus inégalitaire et hiérarchisée, qui donne vraiment l'impression que la France s'est réconciliée avec les valeurs de l'Ancien Régime. Ce qui montre bien que le président monarque n'est pas un phénomène isolé mais participe d'un tout.

Le come-back des castes

Le mode de sélection des élites françaises prouve aussi combien ce pays est hiérarchisé et inégalitaire. Comme si, le refoulé monarchique refaisant surface, la France sécrétait une sorte de caste calquée sur l'Ancien Régime. Il est certes indéniable que l'aristocratie a perdu, en tant que classe dominante, pouvoirs et privilèges. Cependant la société française lui a substitué une nouvelle aristocratie, non pas fondée sur la naissance, mais sur les « bonnes notes ». Tous les rêves de pouvoir peuvent se concrétiser pour cette caste issue de la méritocratie. Ce phénomène semble même, au cours des années, prendre de l'ampleur. Ainsi, jusque dans les années soixante, les sphères du pouvoir restaient encore accessibles à ceux qui, dans la terminologie actuelle, relevaient de la société civile : avocats, médecins, professeurs, notables provinciaux. Par contre, aujourd'hui, pour accéder au pouvoir, il n'existe pratiquement plus qu'un seul passage obligé, l'ENA.

Ce moule étroit est réservé en majorité aux rejetons parisiens de familles elles-mêmes déjà formées dans ce même moule. Autrement dit, des individus qui, depuis leur naissance, ont suivi quasiment le même parcours, dans le même périmètre géographique. Ceci ne va pas sans bouleverser les observateurs étrangers. Ils voient dans ce mode de sélection des élites un signe révélateur d'un rejet de toute disparité, de formation, d'origine, de profession, et, par conséquent, d'un processus qui, somme toute, se situe en parfaite contradiction avec la notion de démocratie. Dès lors, que penser d'un pays qui ne prend en compte qu'un seul critère de sélection : l'aptitude à passer des concours et à cumuler de bonnes notes ? Que penser d'un pays qui se fonde sur des résultats scolaires pour promouvoir aux plus hauts postes des jeunes gens, certes brillants et ambitieux, mais dont le profil et l'origine sont identiques ?

En toute naïveté, nous pensons toujours que les étrangers admirent nos grandes écoles et nous envient nos élites, alors qu'il s'agit pour eux d'une des principales aberrations de la société française. Écoutons Norberto Bottani, pourtant sincère admirateur de la France et certainement celui qui tient les propos les plus modérés. A ce propos, je souligne que les Italiens rencontrés dans cette enquête s'avèrent, globalement, les moins critiques vis-à-vis de notre système d'enseignement ainsi que ceux qui admirent le plus notre administration. Il n'empêche que l'ENA choque notre interlocuteur : « Les Français ont besoin de ce système de délégation et de hiérarchie sociale, les gens trouvent normal de dépendre de quelqu'un considéré comme le meilleur parce qu'il a réussi un concours public qui lui confère une légitimité acceptée de tous. La France est le seul pays où la sélection des élites se fait en fonction des résultats scolaires, ce qui est quand même un critère restreint. En Italie, il n'y a que des concours bidons auxquels personne ne croit. Quand on y réfléchit, c'est probablement parce que la société française est si peu égalitaire et que les gens ressentent toujours le besoin de défendre leurs droits... »

Italo-Américaine, environ trente-cinq ans, PHD[1] de Harvard en sociologie de la culture (discipline non homologuée par l'uni-

_____

1. PHD : diplôme américain qui se situe entre notre thèse de troisième cycle et l'ancienne thèse d'État.

versité française qui a refusé de l'intégrer), Diana Pinto est aussi une ancienne élève et une brillante collaboratrice de Stanley Hoffmann. Ce qui signifie qu'elle gravite dans un cercle intellectuel très sensible aux thèses de Michel Crozier. Néanmoins, vivant ici depuis une dizaine d'années, épouse d'un Français, mère de deux enfants inscrits dans une école française, Diana Pinto a eu tout loisir d'étudier la société française et de reformuler à partir de son propre vécu des notions découvertes à l'origine sous un angle théorique. Son réquisitoire à l'égard de nos élites est d'une sévérité sans appel, car, pour elle, ces élites sont la preuve d'un choix de société qui paraît tourner le dos à la démocratie :

« Pour moi, une bonne démocratie, c'est une démocratie aux élites brassées et mobiles. C'est-à-dire qu'on peut arriver au sommet par des voies multiples. Comparez avec les élites américaines, elles sont souvent pleines de barbares, regardez qui a habité la Maison-Blanche. La possibilité de diversifier la provenance de ces élites est ce qui rend une démocratie pimpante et forte. Ici, en revanche, la classe politique, dans sa majorité, est issue de l'ENA. Au moment de la création de l'ENA, il n'était nulle part spécifié que les énarques devaient s'emparer du pouvoir un peu partout. Ce qui se passe est très grave pour la France et a des conséquences très néfastes pour l'économie française, à cause de ces énarques qui deviennent des acteurs économiques sans en être. Alain Minc est le cas le plus resplendissant du génie français administratif qui se lance dans les affaires où il ne peut jouer que les éminences grises, n'étant ni un businessman ni un vrai manager comme on en trouve en Allemagne ou aux États-Unis. Je suis certaine que dans les quatorze pour cent de l'électorat de Le Pen, il y a des gens qui en ont marre de voir l'énarchie au pouvoir. Ils ont envie d'entendre un autre type de discours. »

Les succès médiatiques d'un Bernard Tapie, mais aussi d'un Jean-Marie Le Pen, qui usent tous deux d'un langage très populaire et très direct, n'ont pas d'autre origine. Certains Français ont eu l'impression d'enfin exister à travers ces individus et leur « parler vrai » qui n'est pas une langue de bois de technocrate. L'exemple de telles réussites leur a redonné l'espoir, en leur prouvant que l'ascension sociale ne passe pas toujours par la course d'obstacle des concours.

Pour Stanley Hoffmann il ne fait aucun doute que la France, depuis trente ans, est complètement étouffée par le système de formation des élites. Par ailleurs, il raconte avec amusement une anecdote très significative de l'effet produit par nos énarques à l'étranger. A quelques variantes près, le même type d'anecdote m'a été racontée par les Allemands ou des Japonais ayant parfois transité par l'ENA et appartenant à la haute administration de leur pays respectif : « Il y a cinq ou six ans, dans le cadre de la Fondation franco-américaine, j'avais organisé une rencontre entre futures jeunes élites françaises et américaines. Les Américains venaient de tous les horizons possibles. Leur délégation se composait d'animateurs socioculturels, d'un membre du Congrès, de maires, de membres d'associations diverses. Ces gens venaient aussi de différents États et de différents milieux. La délégation française était, elle, exclusivement composée d'énarques, presque tous parisiens, plus un jeune syndicaliste CFDT. Pour les Américains, c'était un spectacle extraordinaire, tous ces types sortis d'un moule unique et le pauvre syndicaliste perdu là-dedans et qui n'a jamais osé ouvrir la bouche... »

Pourtant, à l'origine, notre mode de sélection des élites résultait réellement de préoccupations démocratiques. C'est pour éviter une énième restauration que la IIIe République mit tout en œuvre pour isoler et écarter la noblesse qui avait retrouvé en partie ses prérogatives. Les dirigeants de l'époque avaient compris que, pour durer, la République devait se fonder sur des élites sûres et sorties du rang. Il fallut rallier la bourgeoisie possédante. Or, jusqu'alors, cette classe boudait la République, la fuyait, confiait ses enfants à l'enseignement confessionnel pour finalement les confiner dans l'entreprise familiale où le seul souci était l'enrichissement personnel. C'est dans cette optique de ralliement que les démocrates du siècle dernier créèrent les grandes écoles, en revalorisant l'enseignement laïc pour attirer les enfants de la bourgeoisie industrielle. Fondé par Bonaparte, créateur de l'École polytechnique et de l'École normale supérieure, le réseau des grandes écoles et des grands corps fut complété par les régimes ultérieurs. Uniquement accessibles par voie de concours, les grandes écoles avaient pour finalité de mettre en place une méritocratie. C'est effectivement dans ses rangs que la République rallia ses plus fidèles soutiens et ses plus grands hommes.

A la Libération, en 1946, Michel Debré eut l'idée de créer une école destinée à donner à la haute administration ses cadres dirigeants. Ainsi naquit l'ENA. Pour y être admis, deux voies d'accès étaient possibles : la voie « noble » qui était celle des concours conçus pour les « super grosses têtes » (le concours n'étant accessible qu'à des titulaires de diplômes prestigieux) et la voie interne, sorte d'entrée de service réservée à quelques fonctionnaires méritants. Les énarques, en fonction du rang de sortie de l'école, accédaient à des corps d'État ou des institutions plus ou moins prisées. Ce processus conduisit implicitement à établir un système hiérarchique supplémentaire. Au départ, les énarques restèrent dans l'administration, en essaimant dans les grands corps de l'État où, d'ailleurs, ils excellèrent. Puis on prit l'habitude de les détacher de leur ministère pour les envoyer dans les cabinets ministériels où ils firent merveille. Cette promotion leur donna progressivement le goût de la politique et on les nomma ministres. Un gouvernement de droite trouvait sa manne d'énarques de droite, un gouvernement de gauche n'était pas non plus en mal de trouver des énarques prétendus de gauche.

Malheureusement, tout système, y compris le mieux intentionné, contient des vices cachés et révèle peu à peu ses effets pervers. Ainsi, progressivement, comme il y avait de plus en plus d'énarques à caser et, qu'étant les plus diplômés, ils passaient pour les meilleurs, on fit appel à eux pour diriger les entreprises nationalisées. Les énarques qui présidaient ces groupes prirent l'habitude de s'entourer de jeunes énarques dont la réputation d'intelligence et de compétence devait obligatoirement rejaillir sur l'image de l'entreprise. Et de fil en aiguille, en moins de vingt ans, on les retrouve partout. Le président lui-même dispose d'une garde prétorienne de conseillers dont la majorité sont des énarques, un non-énarque comme Régis Debray, qui n'est que normalien et un intellectuel dérangeant et marginalisé, étant plus ou moins sur la touche.

L'ENA devenant le passage obligé du pouvoir, la bourgeoisie conditionne ses rejetons dès l'école primaire à se préparer aux concours des grandes écoles, comme le rapportent certains étrangers dont les enfants fréquentent des écoles françaises. Ce qui veut dire que l'énarchie a déjà commencé à se reproduire comme se reproduisent depuis déjà plusieurs décennies nos élites dirigeantes et, avant elle, l'aristocratie immémoriale. Cette caste qui ne cesse d'augmenter acquiert progressivement toutes les caractéristiques d'une nouvelle aristocratie bénéficiant d'exorbitants privilèges.

Les étrangers soulignent enfin un dernier point, et non des moindres, pour prouver le caractère inégalitaire de la France : la différence entre élite et manants quant au confort des installations éducatives. Nous parlerons en détail plus loin de l'inégalité du monde universitaire. Mais nos observateurs étrangers sont véritablement indignés par les différences flagrantes, les discriminations criantes entre universités et grandes écoles. Ces différences sont tangibles tant en ce qui concerne les bâtiments, l'entretien que le confort des locaux. Le journal anglais *The Spectator* écrit ainsi : « [...] des établissements déshumanisés, sordides, qu'étudiants et professeurs fuient aussi loin que possible [...] ».

Après un tel spectacle, pas étonnant que les étrangers dénient à la France le titre de démocratie à part entière !

Chapitre II

LES RAVAGES DE L'ARCHAÏSME

1. L'ARCHAÏSME À LA MODE DE CHEZ NOUS

La France n'est pas le seul pays d'Europe ou du monde auquel on peut reprocher ses archaïsmes. Toutes les nations anciennes traînent leur passé comme des chaînes, accablées sous le poids d'un héritage dont elles ne peuvent ni ne veulent se départir.

La République fédérale d'Allemagne, si prompte à enterrer son passé sans trop en faire le détail, conserve sous son vernis américanisé de nombreux archaïsmes. Dans certaines régions, de lointaines traditions remontent en surface et redeviennent populaires. Par exemple les rites initiatiques étudiants pratiqués dans certaines universités et qui consistent en combats au sabre devant se solder par une balafre au visage redeviennent à la mode malgré les interdictions officielles. De même, le rituel du *Diener,* cet espèce de salut prussien (une inclinaison du buste raidi suivi d'un claquement des talons), est toujours enseigné dans la bonne société. Le goût du folklore dans les vêtements, les fêtes, l'utilisation fréquente des différents dialectes est un virus qui frappe non seulement la Bavière mais d'autres régions allemandes, les milieux ruraux au même titre que les riches bourgeois et les intellectuels de gauche passablement contestataires par ailleurs. Tout cela peut nous surprendre dans un pays qui rejette avec ostentation les oripeaux du nationalisme et ne rate pas une occasion de se moquer de ces Français qui mettent les couleurs nationales à toutes les sauces, tant dans la bâche qui sert à cacher la réfection de l'Arc de triomphe que dans la décoration du RER recouvert de céramique bleu, blanc, rouge.

Dans une Europe vouée à l'union, où chacun essaie de minimiser ses spécificités pour entrer dans un moule unique, l'Angleterre avec ses nombreux archaïsmes semble aussi émerger d'une autre planète. L'Italie et l'Espagne, malgré leur dynamisme de fraîche date, préservent également des archaïsmes redoutables, comme les processions qui se déroulent en Espagne pendant la semaine sainte, ou les résultats du tiercé présentés à la radio sur l'air de la messe...

En dénonçant nos archaïsmes, les étrangers ne nient pas qu'ils sont eux aussi tributaires de ces persistances ou résurgences du passé. S'ils insistent autant sur la spécificité des archaïsmes français, c'est que ceux-ci semblent obéir à un autre code, à une autre logique et que surtout ces pesanteurs n'ont pas grand-chose de commun avec un attachement sentimental à tout ce qui est folklore, dialecte, spécificités régionales ou fêtes héritées d'une lointaine tradition qui ne suscitent ici qu'un intérêt mineur.

En revanche, et cela mérite d'être souligné, si l'archaïsme français est considéré comme grave, c'est justement parce qu'il se situe ailleurs que dans le folklore, et qu'il est omniprésent dans les institutions, l'organisation très hiérarchisée de la société, les comportements sociaux – facteurs qui se traduisent par une importante résistance au changement dans différents domaines.

Un système juridique particulièrement poussiéreux

La justice française a mauvaise presse à l'étranger. Rien n'effraie autant nos visiteurs que la perspective d'avoir maille à partir avec elle ou avec notre police. Les plus critiques à l'égard de notre système judiciaire sont incontestablement les Anglo-Saxons qui nous reprochent de ne pas avoir pris la peine de rénover un code juridique on ne peut plus archaïque.

En effet, la première version du code juridique français trouve ses sources au Moyen Age. Bien que remanié par Napoléon, il est toujours basé sur une vision de l'homme qui rappelle la lointaine Inquisition. Donc un système juridique complètement désuet et inadapté aux valeurs de la société contemporaine.

Les juristes, mais ils ne sont pas les seuls, rappellent les déclarations de certains hommes politiques qui, dans leur programme, soulignaient qu'il était urgent de rénover le Code et le système judiciaire, mais qui, une fois au pouvoir, oubliaient leurs promesses en prétextant d'autres urgences.

Après plusieurs siècles, la justice française fonctionne sur les mêmes principes arbitraires, à savoir que tout suspect est présumé coupable et doit apporter la preuve de son innocence, alors que, dans le système anglo-saxon, tout accusé est présumé innocent et c'est à la justice de prouver sa culpabilité.

Pour les étrangers, une justice qui autorise un juge à faire emprisonner un accusé en dépit d'une absence totale de preuves en se basant simplement sur son « intime conviction » est arbitraire et inique. Et surtout lorsqu'elle va jusqu'à le tenir enfermé pendant des mois sinon des années afin de le laisser à la disposition de la justice pendant le temps de l'instruction.

Est inadmissible aussi le traumatisme de la prison préventive pour une personne dont la culpabilité est douteuse, qui sera peut-être acquittée ou condamnée à une moindre peine que celle déjà effectuée à titre préventif.

Autre élément inique et particulièrement redouté, la détention préventive de trois jours sans possibilité d'avertir les proches ou de recourir aussitôt à un avocat. Pour les Anglo-Saxons, une justice qui traite ainsi les citoyens n'est pas digne d'un pays qui se prétend une démocratie.

Désormais, les étrangers ayant eu maille à partir avec la justice française et injustement victimes de la fameuse détention préventive peuvent l'attaquer devant la Cour européenne composée de juristes de tous les pays de la Communauté. Depuis son entrée en fonction, celle-ci a déjà statué sur plusieurs affaires de détention injustifiée commises en France. En septembre 1988, elle a eu à répondre à une plainte déposée par un Africain, arrêté pour un délit mineur, pour lequel il avait été ensuite reconnu innocent et qui exigeait des réparations pour cette détention abusive.

Les Anglo-Saxons sont aussi très choqués de constater qu'en France un récidiviste accusé d'un délit même bénin n'est pas jugé pour le dernier délit commis, mais que l'accusation cherche toujours à influencer le jury en faisant état de l'ensemble de son passé pénal. Dans le système anglo-saxon, le premier jury devant lequel comparait un accusé ne dispose pour prononcer le verdict que d'éléments relatifs au délit, afin que son jugement reste objectif et ne soit pas influencé par la connaissance de délits précédents.

Une sévérité excessive

Cette vision d'une justice qui veut punir avant de comprendre, qui ne voit en l'individu que le mal et la culpabilité, semble à beaucoup d'étrangers complètement archaïque. En particulier lorsqu'elle relève de magistrats auxquels on reproche leur trop grande jeunesse, leur inexpérience ainsi que leur formation insuffisante. En effet, autant les étrangers estiment que les avocats français de la jeune génération évoluent plutôt bien depuis quelques années, autant la magistrature leur paraît une corporation décevante.

Le droit commercial français ne semble pas s'être davantage modernisé. Le principal reproche que j'ai rencontré concerne la juridiction des faillites considérée comme nettement trop sévère. En effet, en France le système n'autorise pas le droit à l'échec. Ainsi, celui qui échoue est sanctionné de telle façon que, même s'il n'est pas de mauvaise foi, il n'a pas la moindre chance de recommencer.

Le système juridique anglo-saxon en revanche laisse, une fois de plus, une chance à chacun de surmonter l'échec. D'une part, le failli n'est pas dépouillé de ses biens personnels comme l'autorise la loi française, d'autre part, rien ne l'empêche de recommencer une autre affaire. Là aussi, on propose l'exemple d'une société qui fonctionne sur une tout autre vision de l'homme. Une vision qui inclut la confiance, le pardon et non pas, à tous les coups, la défiance et la menace d'une castration symbolique définitive. Car, de la même façon que la France a élaboré un système de sélection particulièrement pervers parce que fondé dès l'école primaire sur la confrontation avec l'échec, on verra plus loin comment le même système archaïque s'y prend pour castrer les motivations, les initiatives, le désir d'entreprendre de ceux qui ne sont pas bien nés. En réalité, ce système n'est bienveillant qu'avec ses élites dont les membres ont triomphé successivement de toutes les embûches et épreuves initiatiques.

C'est pour cette raison, m'explique H. Van Kirk Reeves,

juriste, membre d'un grand cabinet d'avocats international, qui enseigne aussi à HEC, que les Américains tentent leur chance plus facilement que les Français dès l'instant où une idée leur paraît bonne et réalisable. « Je ne prétends pas que le système américain soit meilleur. Le filtre français a peut-être des avantages, moins d'essais mais aussi moins d'échecs alors qu'aux États-Unis, où le filtre est beaucoup plus large, les tentatives sont plus nombreuses et les échecs également. Mais oser essayer fait partie du rêve américain. Chaque enfant est élevé avec la croyance que lui aussi peut devenir président. Progressivement il apprend que cela signifie que le pays lui donne sa chance, même s'il sait qu'il s'agit en réalité d'une boutade. » En Grande-Bretagne, les choses se passent de façon similaire même si le rêve anglais ne promet pas à chacun une couronne.

En fait, ce qui se dégage de ces deux systèmes juridiques, c'est bien la vision de deux sociétés. D'un côté, un système fondamentalement égalitaire et démocratique qui respecte l'individu et le pousse vers la réussite, lui donne le goût du risque, de l'autre un système de caste beaucoup plus fermé, encore basé sur un arbitraire hérité de l'Ancien Régime et inchangé dans l'esprit, qui s'oppose à la mobilité sociale et qui inhibe l'individu.

A partir de tels exemples, on comprendra d'autant mieux pourquoi les étrangers estiment que la France, en refusant de changer ses institutions les plus archaïques, témoigne inconsciemment de sa fidélité à son héritage féodal lointain, et non à la France des droits de l'homme.

Dès lors, on saisit aussi mieux pourquoi les observateurs étrangers sont parfois si critiques à l'égard d'un pays qui, en refusant d'évoluer, de rénover certaines de ses institutions dépassées, entérine l'injustice en laissant commettre des abus de toute nature, certains graves, d'autres frisant le tragi-comique ou la malhonnêteté.

Mieux vaut en rire qu'en pleurer

Telle cette tentative « d'escroquerie au malheur » commise au nom du Code Napoléon par une entreprise de pompes funèbres qui aurait exigé une majoration considérable pour transporter jusqu'à un cimetière parisien une personne décédée aux alentours de Paris. Sous prétexte que le Code prévoit l'obligation d'un cercueil blindé pour tout trajet n'ayant pas lieu dans le strict périmètre de Paris intra-muros. Cette loi se justifiait à une époque où, avec un corbillard tiré par des chevaux, une distance de soixante kilomètres représentait un trajet de plusieurs heures, un arrêt dans un relais de poste, etc. Elle est absurde aujourd'hui, comme me l'a expliqué Mme B., professeur au lycée international de Saint-Germain-en-Laye, qui pourtant s'est montrée très peu critique à l'égard de la France, sauf sur un point : l'archaïsme de nos lois auxquelles elle a été confrontée lors du décès de sa mère à l'hôpital de Melun et dont elle a dû elle-même ramener clandestinement la dépouille.

Autre exemple d'archaïsme : la législation sur la télévision qui n'est qu'une forme à peine remaniée de la loi jadis conçue pour les sémaphores.

Dans le monde de la justice restée si longtemps inamovible, le combat de quelques avocats et magistrats pour transformer les mentalités et faire bouger l'institution a été ressenti par les étrangers comme une bouffée d'oxygène.

L'amorce d'un changement

Dans cette profession, longtemps si vieillotte, les avocats se tournaient de préférence vers le judiciaire et le pénal ressentis comme une activité noble et valorisante. Par contre les droits des affaires et le civil ne suscitaient que des « vocations au rabais », car prêtes à se satisfaire d'activités mercantiles et sans grand prestige. Bien confiné dans sa pourpre et son hermine, le système juridique français a pu se payer le luxe d'une inertie de plusieurs siècles. Quand la France a enfin commencé à s'ouvrir aux affaires internationales, le manque de juristes compétents s'est cruellement fait sentir, d'où le succès de tous les grands cabinets internationaux installés à Paris depuis une vingtaine d'années et qui étaient là pour combler un vide consternant.

Selon les étrangers, c'est peut-être à cette carence que l'on doit la présence grandissante de nos étudiants dans les universités étrangères en vue d'un complément de formation dans des matières réputées mal connues et mal enseignées en France.

Parmi la nouvelle génération, les plus ambitieux, une fois ce complément de formation acquis, se perfectionnent encore par des stages dans des sociétés étrangères ou des cabinets internationaux. Selon nos juristes étrangers, il semble que ce séjour prolongé à l'extérieur ait exercé une influence très salutaire sur toute une partie de la profession. Mais, probablement, ce souffle d'air frais, bénéfique à des individus isolés, ne pouvait rien pour contraindre l'État et les instances suprêmes de la magistrature à tout mettre en œuvre pour accélérer la refonte radicale de l'appareil judiciaire, qui, en attendant, détériore terriblement l'image de la France au-dehors.

Cependant, il ne faut pas désespérer puisque, pour les étrangers, le barreau de Paris est devenu une des institutions de pointe de la Communauté en matière d'ouverture et d'intégration des juristes étrangers, d'où de sérieux progrès en matière de jurisprudence. C'est du moins l'opinion de Me Cremadès, avocat d'origine espagnole, qui travaille depuis fort longtemps à cheval sur les deux pays. « Actuellement, le barreau de Paris est à la pointe de l'évolution par rapport aux autres barreaux européens. Pour l'instant, la France est le seul pays de la Communauté qui délivre aux avocats européens une équivalence permettant de s'inscrire au barreau de n'importe quelle ville de France. Il suffit d'avoir au préalable passé un entretien avec un jury d'avocats. »

Richard Mead constate lui aussi une nette évolution, surtout s'il évoque l'effroi qu'il ressentait dans l'ambiance fétide de la faculté de droit, face à la rigidité d'un enseignement qui en 1965 lui paraissait aussi anachronique que s'il s'était adressé à des étudiants du siècle dernier : « En quinze ans, j'ai constaté avec satisfaction que les avocats français se sont vraiment améliorés. Je vois deux causes à ce progrès :

« La première, c'est que les Français qui partent étudier à l'étranger sont de plus en plus nombreux, au même titre que ceux qui font un stage dans des entreprises étrangères.

« La deuxième, c'est l'imminence de l'Europe. Ils ont compris qu'avec 1992 et l'arrivée des juristes étrangers, il allait y avoir une sacrée concurrence et que le seul moyen de résister était de s'adapter. »

Malheureusement cette prise de conscience ne semble pas encore s'être manifestée dans le cadre des institutions européennes.

Ainsi dans le cadre de la Cour européenne, où siègent des magistrats de toutes nationalités (certains disposant également d'un code inspiré du droit romain), il semblerait que les juristes français soient plus souvent pris à partie que les autres. Là aussi, l'attitude arrogante et rigide des Français suscite des critiques.

« Ils sont convaincus de détenir le meilleur système juridique du monde et en conséquence ne participent que sporadiquement aux discussions de droits comparés », m'assure un magistrat anglais qui préfère garder l'anonymat. Un Belge insiste, lui, sur l'évidente mauvaise volonté des Français à appliquer les directives européennes ou de s'y résigner à contrecœur et en faisant preuve d'une extrême lenteur.

2. Une société hiérarchisée à l'extrême

Rien n'est fait en France pour favoriser le brassage social, les étrangers le constatent mille et une fois. Les villes ou les petites agglomérations manquent, dans les périphéries ou les quartiers, de lieux comme les Gasthaus en Allemagne ou en Suisse, les pubs de voisinage en Angleterre, les coffee shops aux États-Unis où les gens, toutes classes confondues, se rendent facilement pour prendre un petit déjeuner, boire une bière à la sortie du travail...

Même si la notion de brassage social ne va guère plus loin dans ces différents pays, tout au moins donne-t-elle l'impression de davantage exister qu'ici. Ainsi la destruction de l'Allemagne, et les Allemands n'en sont pas peu fiers, a beaucoup contribué à ce nivellement des rapports sociaux. Le fait que patrons et ouvriers se soient retrouvés côte à côte, entre 1945 et 1947, pour déblayer les décombres et reconstruire l'usine de l'un ou la maison de l'autre a eu un effet radical sur les mentalités d'une société elle aussi très hiérarchisée avant guerre et qui s'est radicalement transformée. Les ingénieurs morts à la guerre ont été remplacés par des ouvriers compétents, ce qui a, paraît-il, contribué de façon durable, non pas à minimiser le prestige des diplômes, mais à éviter que ceux-ci ne constituent une barrière infranchissable pour les non-diplômés.

En France, par contre, les perturbations sociales dues à la dernière guerre ont été de loin insuffisantes pour provoquer un bouleversement salutaire. Ensuite, ni le traumatisme de la décolonisation ni Mai 68 ne sont parvenus à mettre à bas les clivages sociaux. Il n'y eut jamais de fracture suffisante, ce qui explique pourquoi la société française reste toujours tributaire d'une structure sclérosée et fossilisée. Même si aujourd'hui la génération qui a fait Mai 68 et *a fortiori* les plus jeunes pratiquent le tutoiement immédiat dans les rencontres informelles, les barrières sociales demeurent.

Reste d'ailleurs à savoir si le tutoiement de mise entre les moins de vingt-cinq ans, toutes classes confondues, persiste également entre cadres et ouvriers ou bien si ce tutoiement ne devient pas unilatéral, en particulier dans les rapports professionnels, comme ont cru le percevoir certains de nos étrangers.

La persistance de différences hiérarchiques extrêmement subtiles et complexes entre classes sociales participe activement au malaise français et surtout, on le verra plus loin, à la démotivation d'une partie importante de la société. Selon les étrangers, cela explique pourquoi certaines classes qui se vivent comme particulièrement méprisées lancent grève sur grève pour obtenir une revalorisation de leur statut.

Certes, dans l'univers considéré, une minorité a été influencée dans son jugement par la lecture d'ouvrages du sociologue Michel Crozier qui s'est beaucoup attaché à étudier et à dénoncer l'omniprésence de la hiérarchie dans les institutions françaises. Mais à côté, combien d'autres, de loin les plus nombreux, qui se basent sur leur vécu et leur intuition pour aboutir aux mêmes conclusions.

Les critiques sur la persistance de rapports hiérarchiques complexes constituent une opinion consensuelle pour la plupart de ceux qui ont pénétré les organismes privés ou para-publics, les sociétés importantes, ou les petites PME comptant au maximum une vingtaine d'employés. Dans la plupart de ces entreprises, on constate que le personnel de base qui va de l'OS au contremaître et de l'employé de bureau au gradé subalterne (c'est-à-dire le personnel pas ou peu diplômé) adopte automatiquement une attitude déférente pour ne pas dire humble devant un supérieur. Inversement, ce dernier leur répondra par une attitude de condescendance polie mais distante.

Il n'y a pas que les Allemands ou les Américains qui vivent en république pour s'étonner du poids de la hiérarchie. Les Anglais, pourtant habitués aux pesanteurs d'une société monarchique, très attachés à des traditions surannées, considèrent eux aussi que la France dépasse les bornes dans ce domaine.

Et pourtant les Anglais sont plutôt pleins de bienveillance à l'égard de nos petits travers comme de nos grandes faiblesses. Mais trop c'est trop. Parfois, comme le fait remarquer John Mac Brian, la cinquantaine fatiguée, économiste diplômé d'Oxford et administrateur à l'OCDE, en France depuis vingt ans :

« On parle de la France, pays républicain ayant aboli les titres de noblesse, et on constate qu'un Français sur deux ou presque a droit au titre de " Monsieur le Président ". N'importe quel titre donne des droits par rapport à ceux qui n'en ont pas. On se rend compte du respect des Français pour la hiérarchie sur les lieux de travail. Les prérogatives qui séparent les cadres supérieurs de l'ensemble du personnel sont étonnantes. Voitures de fonction, invitations aux frais de l'entreprise. Et de l'autre côté, dans une société comme Carrefour, on licencie un employé dont le seul crime est d'avoir mangé une pomme ou un abricot.

« Heureusement le comité d'entreprise arrive à faire contre-poids et exerce une influence démocratisante en offrant des facilités qui sont indépendantes de la place de chacun dans la hiérarchie. »

A chacun sa petite humiliation

Un exemple illustre bien ce type de rapport hiérarchique : celui de l'emploi du prénom, presque toujours unilatéral. A savoir que le supérieur appelle ceux qui sont sous ses ordres par leur prénom, alors que ceux-ci emploieront l'expression Monsieur ou Madame, à l'instar de l'employée de maison qui est toujours appelée par son prénom et qui ne peut s'adresser à ses employeurs qu'en utilisant une forme respectueuse. Dans certains milieux c'est tout juste si les domestiques ne s'adressent pas à leurs maîtres en usant de la troisième personne, ont noté certains étrangers. Marcus Kerber, malgré sa raideur prussienne, admet mal ce genre de procédés, en particulier quand il en est victime. Il ne s'est pas gêné pour le faire comprendre à son patron, un énarque plus vieux d'une douzaine d'années et qui a essayé d'entrée de jeu d'introduire entre eux un rapport hiérarchique :

« C'est un homme très gentil, qui s'adresse toujours aimablement aux secrétaires en les appelant par leur prénom. Moi aussi, il m'a tout de suite appelé Marcus, je me suis donc adressé à lui en lui disant Daniel mais il a paru très contrarié. Et je suis redevenu Monsieur Kerber. Il a essayé trois, quatre fois, mais je n'ai pas cédé ; maintenant, c'est le statu quo. J'aurais supporté cela de la part d'un homme de l'âge de mon père mais pas d'un type ayant à peine dix ans de plus que moi. En RFA les gens sont toujours attachés au titre, au statut, mais dans les rapports quotidiens ce souci de hiérarchie et de protocole ne se sent pas comme en France, la jeune génération a l'esprit trop contestataire. »

La parole n'appartient qu'aux chefs

Autre exemple, autrement plus grave, le poids de la hiérarchie est tel dans les entreprises qu'une parole du directeur annule des projets discutés et mis en forme pendant des heures par l'état-major dont l'avis ne vaut rien face à l'omnipotence de l'énarque qui siège en haut de la pyramide. Dans les établissements bancaires où l'on se plaint beaucoup du manque d'implication du personnel et des cadres intermédiaires, les étrangers en poste dans ces établissements parviennent tous au même constat : comment être motivé alors qu'aucune initiative, aucun avis ne sera jamais pris en compte s'il n'émane pas d'un membre du directoire, de quelqu'un faisant partie de la hiérarchie supérieure ?

Américains, Allemands, Japonais tiennent sur ce sujet des propos identiques, en particulier lorsque ces personnes ont travaillé dans des établissements bancaires ou des sociétés d'assurance, milieux où les rapports hiérarchiques restent particulièrement figés.

Il suffit pour s'en convaincre de se pénétrer des propos de T. S., un Japonais d'une quarantaine d'années qui travaille depuis cinq ans dans une de nos grandes banques nationalisées, après avoir été directeur d'une filiale japonaise d'une autre de nos enseignes bancaires :

« Pour un cadre moyen connaissant bien son métier, assez ambitieux pour préparer tous les examens internes, c'est terrible d'être du jour au lendemain chapeauté par un jeune énarque dont c'est le premier poste, qui ne connaît rien au métier, mais à qui ses diplômes donnent le droit de décider et de commander. La compétence professionnelle n'est pas synonyme de diplôme, même si, proportionnellement, le diplômé s'avère plus compétent après quelques années. Mais créer cette différence de catégorie dès le départ me paraît malsain et préjudiciable aux diplômés eux-mêmes. Comme on ne leur donne pas l'occasion d'apprendre le métier, ils ne comprendront jamais les problèmes concrets qui se posent à l'exploitation et auront toujours tendance à prendre des décisions théoriques. »

Ce manque de concertation et d'humilité explique qu'en France, dans différents domaines, on prend souvent des décisions inadéquates, que le personnel refuse d'exécuter.

Absence de concertation ne profite jamais

L'excès de hiérarchie ne crée pas seulement un climat pesant mais provoque aussi des nuisances autrement plus graves en termes de gaspillage d'énergie, d'investissement, de productivité, comme le montre l'exemple suivant, cité par le même banquier japonais, qui a pu constater d'autres aberrations liées à cette organisation pyramidale qui ne permet jamais à l'information de remonter du bas vers le haut avant la prise de décision.

« Toutes les innovations techniques, ici comme dans les autres banques nationalisées, sont décidées par les spécialistes du siège parisien, sans consultation préalable de la base, quelle que soit la question posée et même si le personnel est le premier concerné par cette innovation. Pour informatiser les guichets cela s'est passé ainsi. Le siège a fait appel à des informaticiens qui étaient des généralistes très versés dans la théorie, mais ne connaissant rien au métier de la banque. Dans l'élaboration de leur programme ils n'ont donc pas du tout tenu compte des habitudes de travail du personnel des agences, alors qu'il était facile de les consulter et d'adapter les nouvelles techniques pour leur faciliter le travail. Les employés ont opposé une sacrée résistance à cette innovation. Pour les implantations lointaines, y compris le Japon, c'est pareil, personne ne se préoccupe de connaître les méthodes locales. En conséquence, comme le système imposé par le siège parisien ne correspond absolument pas à ce qui se pratique, les gens continuent à travailler avec leurs méthodes à eux et ne se servent du deuxième code que pour les opérations avec le siège. Autrement dit, double manipulation, double travail, et un investissement fait en pure perte qui se traduit plutôt par une perte de temps et de rendement, alors que la concertation aurait pu éviter un tel gaspillage. »

D'aucuns, qui comparent l'organisation de la société française à celle de la société japonaise réputée également très hiérarchisée, reconnaissent la supériorité incontestable de cette dernière qui est de pouvoir s'assouplir dès qu'il est question d'initiatives profitables à l'entreprise ou susceptibles de motiver le personnel. Au Japon comme en RFA ou aux États-Unis, les cercles de qualité fonctionnent pour de vrai et pas seulement pour illusionner le personnel sur une prétendue prise en compte de sa parole.

Ici, un cadre moyen sait qu'à moins d'une circonstance exceptionnelle il ne sera jamais entendu par la direction, peu importe la qualité de sa proposition. D'une façon générale, la communication ne remonte jamais et les décisions sont prises de façon absolument unilatérales, comme le constate Marcus Kerber qui est assez désabusé par son expérience à la banque Indosuez : « Ce qui me tue c'est que, dans une discussion, le P-DG ou le supérieur hiérarchique aura, par principe, le dernier mot, même si tout le monde estime qu'il se trompe. Combien de fois ai-je vu des iniatives intéressantes annulées sans autre forme de procès, simplement parce qu'à un moment " Machin " revient de chez le directeur en disant : " Il n'est pas d'accord ", ce qui clôt définitivement la discussion... »

Des barrières maintenues coûte que coûte

Les Anglo-Saxons, comme tous les ressortissants de l'Europe du Nord, sont surpris et souvent indignés par le formalisme qui régit les relations humaines en France.

Ce formalisme, déjà pesant dans les relations d'égal à égal, surprend encore davantage lorsqu'il sert à marquer les rapports hiérarchiques entre patron et personnel, encadrement et personnel administratif et en dernier lieu entre ce dernier et les ouvriers. Ce phénomène a été disséqué par Michel Crozier qui, dans un ouvrage paru en 1979, mettait l'accent sur son aggravation [1].

Les différents exemples qui ont été cités montrent bien que les Français intériorisent très bien l'appartenance à une classe sociale et se comportent comme s'ils vivaient entourés de barrières symboliques interdisant le passage d'une classe à l'autre.

Erich Braun, un monsieur d'une cinquantaine d'années, a haute stature et très belle prestance, est citoyen de la ville de Hambourg. Spécialiste du management international, il dirige, depuis son retour en Allemagne il y a cinq ans, un club pour patriciens et importants notables hambourgeois. Une sorte de Jockey-Club à la sauce démocratique « made in Germany ». Juste avant il a passé près d'une dizaine d'années en France en tant que directeur d'une société automobile.

Dès le premier instant, comme ensuite pendant toute la durée de son séjour, comme depuis à l'occasion de ses déplacements occasionnels en France, il a toujours été frappé par l'omniprésence de la hiérarchie et du formalisme dans les relations sociales, en même temps que du manque de considération des classes supérieures pour les classes inférieures. Alors qu'en Allemagne on marque toujours une très grande considération dans les rapports avec le personnel, en France les choses s'expriment sans complexe à sens unique de façon immédiatement perceptible. Pas besoin d'être sociologue pour en prendre conscience.

« La France est une société stratifiée, qui pour une large part a évolué à contre-courant, dans le sens d'une rigidité plus grande. Et c'est une société dont les citoyens sont passionnément attachés aux distinctions et aux privilèges qui les séparent. Ce ne sont pas les patrons qui imposent les inégalités, c'est le fonctionnement de tout le système.

« Le premier jour quand je suis arrivé au bureau à 8 h 30, il y avait trente personnes alignées contre le mur. Les uns après les autres, ils m'ont dit " Bonjour, monsieur Braun " en me tendant la main. Après, la secrétaire m'a expliqué que c'était une marque

---

1. Michel Crozier, *On ne change pas la société par décret.*

de respect, car j'étais le patron. J'étais vraiment surpris car les marques de respect ne s'expriment plus sous cette forme en Allemagne. En RFA aujourd'hui, pour mériter un tel respect, il faut vraiment justifier d'une autorité fondée sur des qualités reconnues, un mérite beaucoup plus important qu'un statut de directeur. En tout cas, dans le cadre du management, c'est impensable. » Mais les ébahissements d'Erich Braun ne s'arrêtèrent pas là.

« A midi, l'entreprise étant en pleine nature, je suis descendu déjeuner seul à la cantine. A mon arrivée la salle était pleine. Je me suis assis à une table occupée par une dizaine de personnes. Deux minutes après la table était vide, et personne n'est venu s'asseoir à côté de moi. J'ai ensuite demandé à ma secrétaire ce que cela signifiait. Elle m'a expliqué qu'il s'agissait d'une marque de respect normale devant un patron. Avant moi, aucun patron n'était allé à la cantine. Il arrivait, mais très rarement, que les cadres descendent, mais alors on isolait un coin avec un paravent pour éviter au personnel de se sentir gêné. Ce serait une société de deux mille personnes, je comprendais. Chez Siemens, il y a une salle à manger pour le personnel et une pour la direction, ce qui est normal. »

M. Kufferath, patron d'un des plus grands groupes européens de moules à papier, qui a repris il y a quelques années une entreprise en faillite du groupe Trefimétaux, relate une expérience proche de celle d'Erich Braun et de bien d'autres. Lors de sa première visite à l'usine, il se souvient s'être heurté au veto des cadres quand il exprima le désir de déjeuner à la cantine. Ceux-ci, comme de juste, avaient réservé une table dans le meilleur restaurant de la région. Interloqués par sa décision, ils l'informèrent « qu'en France, il est contraire à l'usage qu'un patron se compromette en déjeunant dans le même lieu que le personnel ».

« Ils m'ont d'ailleurs précisé que jamais les anciens patrons, des polytechniciens qui ne quittaient le siège parisien que deux fois par an, n'auraient admis une attitude aussi familière avec le personnel. Mais j'ai appris que cela s'était su dans la région et que d'autres patrons déjeunèrent ensuite à la cantine. »

De tels exemples, qui font florès parmi les étrangers, donneraient raison à Michel Crozier lorsqu'il affirme qu'en France cer-

71

tains patrons seraient plus enclins au libéralisme que le personnel et que d'une façon générale les classes sociales ne s'y mélangent pas par tradition. Au cours de ses enquêtes, Michel Crozier avait en effet remarqué que, dans l'administration, « un commis, qui peut faire fonction de secrétaire administratif pendant dix ans, n'entrera jamais dans la caste supérieure. Lui-même refusera avec une indignation vertueuse l'entrée d'inférieurs dans son propre cadre ».

Plusieurs journalistes étrangers se sont servi des événements survenus pendant la grève des infirmières pour mettre l'accent sur cette extrême rigidité de la société française. En effet, indépendamment de leurs revendications statutaires, les infirmières exigeaient violemment que l'amendement Barzach destiné à permettre aux aides-soignantes non bachelières de devenir infirmières par le biais d'une formation interne soit abrogé.

Mais ce type de réflexe corporatiste et rigide n'est pas spécifique au milieu hospitalier, réputé très hiérarchisé. Il se retrouve également dans des professions supposées plus souples, où les gens bougent beaucoup, côtoient des milieux sociaux très variés, comme dans les milieux du journalisme et de la télévision ; Sandro M., Italien, réalisateur à la télévision, à peine la quarantaine, des cheveux bouclés un peu trop longs, n'a vraiment pas des allures intimidantes de P-DG ou de cadre dirigeant. La plupart du temps vêtu d'un jean et d'un blouson de cuir, il affiche le look relax des baroudeurs. Réalisant parfois des grands reportages pour la télévision française, il a l'occasion de partir en tournage avec des équipes pour d'assez longues périodes, ce qui suppose un semblant de vie commune. Mais rapidement, il constate que les techniciens, au moment des repas, se regroupent entre eux à une table séparée ou choisissent un autre restaurant que les gens de la production : réalisateur, journaliste et assistant. Il se renseigne et découvre que les indemnités de défraiement sont identiques. Il ne s'agit donc pas d'une question d'argent mais là aussi d'un rapport de classe qui joue à plein. Et quand Sandro, de guerre lasse, interroge enfin un technicien de FR3, celui-ci répond goguenard que « la technique c'est les prolos et les prolos, ils restent entre eux ».

Une communication défectueuse

Autre élément relié aussi à l'excès de hiérarchie, la mauvaise qualité de la communication. Le protocole qui entoure le téléphone, les différents barrages à surmonter avant d'atteindre un interlocuteur sont toujours mis en parallèle avec l'omniprésence d'un souci hiérarchique. Ce détail renforce encore l'image archaïque de la France, et montre à quel point là aussi elle se démarque de ses grands modèles qui ont compris depuis longtemps le rôle primordial de la communication directe. Au contraire, en France, chaque secrétaire fait barrage pour valoriser son patron, tout à fait favorable à cette attitude qui renforce son importance. Pour joindre un interlocuteur, me racontent des journalistes étrangers qui partent souvent en reportage dans divers pays, il faut en moyenne passer quatre fois plus de temps en France qu'en RFA, en Italie ou aux États-Unis. Il est impossible le plus souvent de planifier à l'avance parce que les gens n'ont pas confiance ou sont trop débordés ou ne veulent pas accorder de rendez-vous facilement, pour se faire mousser. Leur réponse est toujours : « Appelez dès que vous serez arrivé. » Ce qui signifie une semaine perdue sur place pour confirmer les rendez-vous.

Les commerciaux étrangers se moquent de ces rendez-vous téléphoniques octroyés comme une faveur après des dizaines d'appels et avant un rendez-vous. Laisser les visiteurs faire antichambre par principe fait partie de ce même formalisme qui irrite les étrangers. Au même titre que les exaspèrent les difficultés rencontrées dans la recherche d'informations détenues par des attachés de presse des services publics, qui, semble-t-il, n'ont pas encore compris que leur rôle était d'informer. Le nombre de doléances de la presse étrangère est incommensurable sur ce point.

D'une façon générale, nos amis étrangers sont aussi très surpris par la soumission dont font preuve les Français, ce peuple fier et ombrageux, devant une hiérarchie si subtile que chacun doit la subir quel que soit son rang ou sa condition.

Et, parallèlement à ce comportement qui finit à la longue par paraître infantile, des explosions soudaines contre l'autorité. D'où les grèves violentes et prolongées que certains interprètent autant comme la manifestation d'une rébellion et d'un ras-le-bol symbolique envers les hiérarchies qu'une revendication salariale aussi justifiée soit-elle.

La fréquence et le durcissement des dernières grèves sont aussi pour les étrangers la preuve d'un défaut de communication catastrophique, dérivant des mêmes pesanteurs hiérarchiques. Le refus de dialoguer d'un ministre, soi-disant trop occupé pour recevoir toutes affaires cessantes des représentants syndicaux venus discuter le déclenchement d'une grève, est selon eux très révélateur de ce formalisme archaïque hérité en droite ligne de l'Ancien Régime. C'est même une véritable gangrène pour la France.

Les étrangers considèrent souvent les grèves comme une réponse normale et justifiée des salariés face au mépris avec lequel patronat et gouvernement les traitent.

A ces élèves de l'université de Nanterre qui lui demandent les raisons du très faible taux de grève en RFA ou dans les pays scandinaves, l'Allemande Ulricke T., enseignante en philosophie et sciences politiques, explique que cela est principalement dû au respect que se témoignent les différentes classes sociales. Dans ces pays les syndicats sont des partenaires qui participent aux décisions et dont les suggestions ou demandes sont prises en compte.

« Il ne faut pas croire que si, en RFA, il y a moins de grèves qu'en France c'est parce que les ouvriers allemands sont plus disciplinés que les français mais simplement parce que leur avis est toujours pris en considération. La cogestion existe et le système paritaire aussi. En RFA, les syndicats sont très puissants et ont la possibilité d'influencer le patronat qui les traite comme des partenaires. Et puis ils n'ont pas des conditions de travail aussi terribles. Ainsi, l'Allemagne qui travaille en moyenne soixante-dix heures par an de moins que la France est plus productive. »

C'est vrai aussi qu'en Allemagne les fonctionnaires n'ont pas le droit de faire grève, contrepartie logique de la pérennité et de la sécurité de l'emploi. En revanche les employés du service public (qui eux ne sont pas fonctionnaires) ont le droit de faire grève car ils peuvent être licenciés.

3. DES FORMES RELATIONNELLES ANACHRONIQUES

D'une façon générale, les Français ont la réputation d'être beaucoup plus formels et rigides dans leur comportement que la plupart de leurs voisins européens, ce qui peut paraître paradoxal à côté des sempiternels clichés sur le Français bordélique, bon vivant, débonnaire, qui grâce à sa débrouillardise et son sens inné de l'improvisation se tire comme par miracle des situations les plus périlleuses ou les plus incongrues.

Ou les Français ont changé, ou nos étrangers qui ont eu toute latitude pour dépasser le stade des clichés ont réussi à cerner enfin notre vraie personnalité.

Dans le chapitre VI je dresserai une sorte d'état des lieux plus détaillé de la personnalité du Français dans ce qu'elle a de plus spécifique, pour me limiter ici à l'interaction entre un code social et les attitudes individuelles qui en dérivent.

Premier constat : à l'usage, on juge les Français froids, contrôlés et réservés en terme de tempérament, distants, conventionnels, entêtés, pour ne pas dire rigides, en terme de comportement.

En revanche le cliché sur la rigidité des Allemands se révèle partiellement erroné à l'usage, en particulier après avoir pu comparer les attitudes des uns et des autres dans les négociations d'affaires où les Allemands se montrent à la fois plus souples, plus directs et surtout s'adaptent plus vite. Dans les relations personnelles aussi peut-être sont-ils plus souples qu'il n'y paraît. Leur rigidité apparente vient souvent d'un excès d'organisation méthodique, d'un excès de prévoyance, d'une raideur dans les gestes, mais ils ont par ailleurs une grande mobilité.

Le prétendu sens de l'improvisation des Français, lui, relève plutôt d'une défaillance au niveau de l'organisation, conséquence d'un comportement moins rigoureux, moins porté à la précision, moins méthodique et plus léger en général, du moment que les apparences sont sauves, la forme respectée.

Mais cela n'est pas contradictoire avec un formalisme de

façade rattaché à la longue tradition monarchiste (pour l'étiquette et le cérémonial de cour) et administrative, qui se caractérise par un goût de la paperasserie, de la hiérarchie, et un système d'enseignement qui a toujours privilégié les formes académiques.

Les plus virulents sur le formalisme français sont bien sûr les Latins et les Américains, mais aussi les Allemands ; les moins sensibles, et pour cause, les Japonais.

Un détail parmi d'autres, mais qui a été cité presque par cinquante pour cent des interviewés, c'est la difficulté à pénétrer dans un foyer français et surtout le côté incroyablement protocolaire des invitations. Être convié cinq à six semaines à l'avance pour un dîner même raffiné est considéré comme une pratique d'une autre époque. Certains étrangers pensent au départ qu'il s'agit d'une confusion et que leur hôte se trompe de date ou de mois. Le manque d'improvisation dans les relations, les sorties, les invitations est aussi une spécificité française qui surprend beaucoup tant les Hollandais, les Allemands et les Anglo-Saxons que les Latins.

Autre exemple très significatif, les étrangers constatent que dans un lieu public les Français ne communiquent que très exceptionnellement avec des inconnus. Même dans un café surpeuplé, on ne s'assied pas à une table de quatre occupée seulement par un seul individu, alors que dans les pays anglo-saxons, suisses, germaniques, c'est une habitude normale que d'engager facilement la conversation avec ses voisins de table, que ce soit au restaurant, au café ou dans l'ascenseur.

L'étiquette : petits aperçus

Italienne et journaliste dans un grand hebdomadaire français, Nella P., quarante-cinq ans, a préféré garder l'anonymat. A-t-elle craint que ses critiques acerbes ne lui attirent des représailles dans son milieu professionnel ? Il est vrai qu'elle n'est pas tendre avec les Français dont elle ne cesse de découvrir les faiblesses et les mesquineries depuis trois ans qu'elle les côtoie assidûment. D'autant qu'en Italie chacun est toujours confronté à titre de référence à la prétendue supériorité des Français qui pour elle s'avère un mythe périmé. Depuis son arrivée en France, Nella ne cesse de déchanter, tout particulièrement en ce qui concerne les relations sociales :

« Chez moi, il y a toujours quelque chose dans le réfrigérateur afin de garder à dîner un ami de passage. Ici, je reçois les invitations vingt jours à l'avance pour un simple dîner. Si j'invite quelqu'un que j'ai envie de voir en lui téléphonant le jour même, on réagit d'une façon mitigée et on me demande d'un ton pincé : " Pourquoi ? Tu as quelqu'un qui s'est décommandé ? ", alors que j'adore recevoir des gens à l'improviste. »

Le formalisme protocolaire, « l'étiquette » qui préside aux relations d'affaires avec des Français surprend également beaucoup les étrangers, autant les Allemands et les Anglo-Saxons que les Italiens et les Espagnols. En revanche, des Américains me feront remarquer que les hommes d'affaires français s'adaptent bien mieux à la société japonaise qu'eux-mêmes ou leurs homologues italiens ou même germaniques, ce qui n'est peut-être pas un hasard, les Japonais passant pour un peuple lui aussi très formaliste.

Me Cremadès, pourtant désireux de limiter les remarques négatives sur un pays où il s'est senti suffisamment bien accueilli pour s'enraciner, ne résiste pas à l'envie de citer une anecdote bien révélatrice du côté cérémonieux de nos compatriotes :

« La différence avec l'Espagne est flagrante. En France quand vous rencontrez quelqu'un, le " vous " est de rigueur pendant pas mal de temps. En Espagne, le tutoiement est immédiat et cela a des conséquences très positives sur les relations entre les gens. Même si c'est superficiel. Il est plus facile ensuite de reprendre contact, de téléphoner pour proposer quelque chose. A cause du formalisme des Français je me retrouve parfois dans des situations ahurissantes telles que vouvoyer un client français pour qui je travaille depuis un certain temps et tutoyer mon adversaire espagnol que je viens de rencontrer mais avec qui le contact s'établit aussitôt. Mais je constate des progrès. Il y a vingt ans, les Français étaient terriblement formalistes ; mais maintenant ils deviennent petit à petit un peu plus décontractés... »

Les Américains, lorsqu'ils débarquent dans des entreprises françaises, ont l'impression de remonter le temps tant ils sont surpris par le protocole qui y règne. Mais ce sont surtout les formules de politesse épistolaires qui suscitent d'abord leur étonnement ensuite leur hilarité, qu'il s'agisse de lettres commerciales, de lettres officielles destinées à une administration, un avocat, un professeur ou tout autre personnage avec lequel le rédacteur n'a pas de relations personnelles. Le *Washington Post* s'est fendu d'un article d'une demi-page pour tourner en dérision l'aspect suranné de nos formules de salutation, tant dans les relations en face à face que dans la correspondance, insistant avec ironie sur la stricte étiquette qui codifie chaque geste de la vie professionnelle. Ainsi, le journaliste note que, dans un banal courrier commercial, l'équivalent français de « faithfully yours », formule passe-partout aux États-Unis, peut et doit se décliner de trois façons selon le rang du destinataire.

— Dans le cas d'un supérieur la formule préconisée est :
« Dans cette attente, je vous prie d'agréer, Monsieur, l'expression de ma très haute considération. »

— Dans le cas d'un égal, on peut simplifier en supprimant le « très » précédant « de ma haute considération ».

— Dans le cas d'un inférieur « l'expression de ma considération distinguée » suffit.

Soit au moins douze mots au lieu de deux, quel que soit le cas de figure imposé.

Autre pratique surprenante pour certains de nos voisins : le rituel quotidien et même bi-quotidien du *shake-hand* qui obéit à un code extrêmement précis. Ainsi, explique le journaliste, l'inférieur ne doit pas tendre la main le premier, ne doit pas exercer une pression trop forte, etc.

Là non plus, rien ne semble avoir été laissé au hasard et le nouveau venu qui débarque dans une entreprise française est invité à se munir au préalable d'un manuel de savoir-vivre.

Autres détails amusants pour les étrangers : l'emploi persistant et prolongé du titre monsieur suivi du nom de famille même entre gens jeunes surprend aussi beaucoup les hommes d'affaires anglo-saxons, accoutumés à passer d'emblée à l'emploi du prénom ; l'emploi du tutoiement entre élèves des grandes écoles qui persisteront à employer le vous avec leurs autres partenaires pour bien marquer la distance qui les sépare d'individus moins diplômés est également constaté – phénomène plutôt inattendu dans un pays qui se prétend plus égalitaire que les autres.

Plus surprenantes sont les remarques sur la relation des Français à l'argent où, là aussi, s'exprime un comportement qui est ressenti comme entaché d'archaïsme. Par exemple leur répugnance à manipuler de l'argent liquide les conduit en conséquence à faire un emploi abusif de chèques. Nos censeurs étrangers s'impatientent aux stations-service, aux guichets d'autoroute, à la gare, dans les commerces, en voyant les files d'attente s'allonger par la faute des Français en train de rédiger un chèque ou de proposer leur carte de crédit, souvent pour régler une somme très modeste. La signification de ce comportement les laisse d'ailleurs perplexes. Deux explications moyennement satisfaisantes sont proposées : l'une relative à la gratuité des chèques en France qui autoriserait un tel gaspillage, l'autre relative au sentiment d'insécurité des Français et plus spécialement des Parisiens qui craignent de se faire dévaliser en trimbalant de l'argent liquide. Mais la France passant pour un pays plutôt « sûr », cette explication semble assez improbable.

A la réflexion, je me suis demandé s'il ne faut pas envisager d'autres interprétations : l'une rationnelle et rattachée à des causes objectives, à savoir la bancarisation tardive des Français qui remonte au milieu des années soixante-dix et qui justifierait une utilisation encore ludique et gadgétisée du chèque ; l'autre, plus irrationnelle car tributaire de comportements inconscients, à mettre en relation avec une image malsaine de l'argent, image qui s'est développée dans un pays catholique où l'argent a toujours constitué un tabou. Dans cette optique, le chèque, objet plus neutre, plus abstrait, serait préféré à l'argent qui est à la fois quelque chose de sale et de trop concret. A la limite, en utilisant des chèques les Français souffrent moins de dépenser qu'avec du véritable argent. Cette théorie aurait au moins l'avantage de concorder avec le reproche « d'avarice » qui est souvent exprimé contre les Français, défaut auquel on rattache autant la difficulté à investir des patrons de PME qu'une plus grande réticence de la population à faire appel au crédit que dans d'autres pays.

Si l'on n'est pas convaincu par cet éclairage psychologique, on peut se rallier à l'opinion de Lothar Baier. Selon lui, le goût soudain et excessif des Français pour les procédés de paiement modernes peut s'expliquer, de même que la vogue du Minitel, par l'influence mobilisatrice de l'État.

En effet, l'État français incite la population à la modernité, la conditionne pour adopter des comportements prétendument novateurs pour en fait écouler et rendre rentables certaines inventions qui, sinon, seraient privées de débouchés suffisants.

Lothar Baier déclare : « On dit aux citoyens français : " Servez-vous de la modernité et utilisez des chèques ou des cartes bancaires au lieu de payer en espèces. " Ensuite, trop de gens obéissent et les banques qui avaient oublié de prévoir le coût de ces opérations disent : " Ça ne marche plus, on doit facturer les services, augmenter le prix de la carte bancaire. " En France, c'est toujours un peu drôle de constater qu'il y a une certaine propagande centralisée pour inciter les gens à faire telle ou telle chose, et quand ceux-ci obtempèrent, tout d'un coup ça ne marche plus. Il y a dix ans, quand je faisais des achats au super-marché, surtout en province, chacun payait en espèces et cela allait beaucoup plus vite... » Il ajoute qu'en RFA, « les cartes de crédit sont beaucoup moins répandues qu'en Angleterre, en France ou aux États-Unis où c'est vraiment la catastrophe. Au point que les magasins proposent des réductions pour les paiements en espèces. Aux États-Unis, une grande partie de l'endet-tement catastrophique vient d'ailleurs de l'abus des cartes de crédit dont les gens se servent à tort et à travers ».

4. Des individus inadaptés au monde moderne

Aux yeux des étrangers, l'enfermement français dans des rapports hiérarchiques est néfaste non seulement dans les relations humaines, mais aussi dans l'adaptabilité des Français à de nouvelles méthodes de travail qui supposent une plus grande autonomie de chacun, y compris des cadres de tous les échelons.

Ainsi les Américains, tout comme les Allemands, les Hollandais et les Suisses, sont toujours fort surpris de découvrir qu'à l'heure de l'ordinateur les *executives* français rédigent à la main et font encore appel à une secrétaire pour taper leurs rapports ou leur courrier. Une telle répartition des tâches leur paraît fon-cièrement absurde, car source de perte de temps et d'inefficacité.

Malheur quand la secrétaire, par le pire des hasards, tombe malade. C'est la panique générale. Il faut alors vite trouver une remplaçante, pour éviter l'asphyxie. Le patron, désespéré, ne sait à qui confier ses écrits raturés que seule une secrétaire dévouée et patiente est à même de déchiffrer. Les étrangers qui engagent des collaborateurs français se plaignent beaucoup de leur incapacité ou de leur refus à apprendre à se servir d'un ordinateur ou d'une machine à écrire.

Richard Mead est avocat international. A la fin de ses études de droit dans une université américaine, il est venu compléter sa formation en France. Puis il est reparti pour commencer aux États-Unis une carrière qui s'annonçait brillante, mais quand on lui a proposé de créer un cabinet international en France, il a accepté sans hésiter. Quitte à travailler plus et à gagner moins, il préférait mille fois la France aux États-Unis pour la qualité de vie. Ce qui ne l'empêche pas d'être très critique sur le manque d'adaptabilité des Français, en particulier à cause de cette subordination des gens à un ordre social étouffant, à un formalisme d'une autre époque quant aux attributions des tâches.

« Un avocat, un ingénieur, un manager ne tapent pas eux-mêmes leur courrier parce que ce sont des travaux subalternes et que, par tradition, ils doivent être effectués par le personnel *ad hoc*. Quand je dis à un avocat stagiaire d'apprendre à taper, je le vexe profondément, alors qu'un Allemand saura taper. C'est vrai que de ce point de vue, les Français sont particulièrement rétrogrades. Mais il y a une raison bien simple à cela, c'est que dans vos universités on n'exige pas que les étudiants remettent des devoirs tapés à la machine. Et ils n'ont même pas spontanément l'idée d'apprendre, puisque cela ne fait pas partie de leurs attributions. Ils préfèrent se ruiner pour faire taper leurs mémoires de fin d'étude. »

Il est vrai qu'aux États-Unis, en RFA, etc., les étudiants ayant terminé les années préparatoires n'ont pas le choix, les travaux manuscrits n'étant pas admis. Résultat : dans les grandes sociétés américaines et, en particulier, les grandes agences de publicité, l'industrie ou les banques, chaque cadre, chaque chef de pub, chaque directeur de marketing travaille devant son ordinateur. En France, les seuls à avoir ce comportement novateur à titre individuel sont passés par des universités américaines ou, alors, ont acquis dans leurs jeunes années une formation informatique, ou sont des originaux et des précurseurs en matière de style de vie.

Dans le Landerneau de la publicité parisienne, on cite l'exemple prodigieux de l'agence BBDP, la seule à avoir équipé ses commerciaux en traitement de texte que ceux-ci acceptent d'utiliser. Car le prodige est là. *A contrario,* combien de sociétés et d'administrations qui se sont heurtées au refus obstiné d'une partie du personnel administratif, quand il fallut leur demander d'acquérir une nouvelle formation. Une telle demande fut interprétée comme synonyme de menaces statutaires et rejetée en tant que telle.

Le groupe Bouygues lui-même en a fait la cruelle expérience. En effet, la société Cipel[1], secteur piles du groupe Bouygues, a voulu équiper en ordinateurs tout l'encadrement. Mais, mis à part le P-DG qui avait jadis travaillé dans l'informatique, aucun cadre n'a accepté de faire un effort constant pour apprendre à utiliser son ordinateur. Lequel a terminé sa carrière chez les secrétaires comme il se doit.

5. PIRE QUE LA HIÉRARCHIE, DES DISPARITÉS SALARIALES INADMISSIBLES

La hiérarchisation excessive de la société française ne prêterait pas autant à conséquence si elle n'était renforcée par une disparité salariale particulièrement choquante, autre vestige de l'archaïsme français. Les plus critiques à l'égard des disparités salariales ne sont ni les syndicalistes, ni les militants d'extrême gauche, mais les patrons, les ingénieurs, les managers, les journalistes, parfois. Les gens qui dans l'ensemble ont étudié les pyramides de salaires pour les comparer avec celles d'autres pays européens.

Dans le domaine des revenus, deux faits surprennent particulièrement nos observateurs étrangers. D'une part, les écarts de

---

1. Cipel : sous ce logo sont regroupées différentes sociétés de piles dont Wonder et Mazda ; le groupe Bouygues en était l'un des principaux actionnaires.

salaires entre ceux de la base et ceux de l'encadrement, d'autre part la modicité des petits revenus, qui laisse plus que perplexe quant aux conditions de survie des classes les plus défavorisées et situées au bas de l'échelle. C'est pour cette raison que j'entendis beaucoup moins de critiques sur les grévistes ou la mauvaise implication au travail de certaines couches de la population que je ne m'y attendais. Non pas que les étrangers soient favorables aux grèves, l'une des « sept plaies de la société française », mais ils en comprennent et en admettent les causes. Il ne s'agit pas d'un discours crypto-communiste, mais de la dénonciation d'un phénomène mis en parallèle avec l'aspect inégalitaire de la société française.

Un pays riche mais qui dépense beaucoup pour des opérations de prestige et où les pauvres sont considérés comme nettement plus pauvres en 1989 que dans les autres grands pays européens, voilà de quoi s'indigner ! Pourtant c'est ce dont témoigne cet article du *Spiegel* du 5 décembre 1988 : « La rémunération des bas salaires dans le service public est absolument misérable : le salaire de base d'un conducteur de métro représente à peine deux mille trois cents marks et un enseignant ne gagne que mille sept cent cinquante marks. »

A l'automne 1989, cette fois-ci à propos des grandes grèves du service public, la presse étrangère s'en est une fois de plus donné à cœur joie pour stigmatiser la persistance de l'injustice de la société française à laquelle les socialistes n'ont guère remédié en huit ans.

Karl Jetter, correspondant du journal conservateur allemand *Frankfurter Allgemeine Zeitung,* grand quotidien des milieux d'affaires, s'exprime longuement sur la grève des contrôleurs des impôts[1]. Après avoir décrit par le menu l'origine de la grève, les exigences des salariés, les propositions du gouvernement, les manifestations, etc. Karl Jetter termine en disant :

« Il est un fait que les grilles de salaires, qui ont été établies en 1948, ne correspondent plus en rien aux qualifications et aux exigences envers les personnels du service public. Infirmières, gardiens de prison, mais aussi instituteurs se plaignent de salaires trop bas, d'une image qui se dégrade et de conditions de travail insupportables. De fait, commissariats de police, bureaux de poste, hôpitaux et prisons sont souvent en France vétustes, sales,

---

1. *F.A.Z.* du 23 octobre 1989.

encombrés de choses disparates... Ils (lieux et salaires) rappellent plutôt les conditions des pays de l'Est que les institutions d'un état industriel moderne. »

En d'autres termes la France, qui s'imagine sur un pied d'égalité avec la RFA, est présentée outre-Rhin comme un pays sous-développé et rétrograde.

Les étrangers se demandent aussi comment les smicards peuvent réussir à survivre. La découverte de la rémunération d'un conducteur de camion PTT qui gagne, après dix ans d'ancienneté, six mille francs par mois a scandalisé toute une partie de la presse étrangère. L'énormité des disparités salariales à l'intérieur d'une même petite PME est aussi un sujet d'étonnement sans fin. Écoutons Erich Braun qui n'en a pas terminé avec ses indignations qui, bien que relatives à des faits qui datent de plusieurs années, restent encore d'actualité :

« Rendez-vous compte que dans une société de trente personnes je touchais en tant que directeur près de huit fois plus que le comptable. Il se serait agi d'une société de plusieurs milliers de personnes, une telle disparité entre le directeur et un employé aurait été compréhensible, mais là c'était scandaleux. Chez nous le plafond se situe beaucoup plus haut mais le plancher n'est pas aussi bas, donc globalement tout le monde gagne davantage. »

« Et puis, ajoute Erich Braun, ici les bas revenus sont vraiment trop bas. Quand je vois une famille de quatre personnes qui dispose d'un peu plus que le SMIC et des allocations familiales réussir à s'acheter une voiture, je me demande toujours ce qu'ils mangent, de quoi ils se privent, s'ils ont des chaises et comment ils paient leur loyer... »

Mais il y a encore autre chose que les Allemands, surtout, trouvent injuste chez nous : c'est de voir les riches bénéficier des mêmes prestations sociales que les pauvres. Le soi-disant système égalitaire français leur apparaît en réalité profondément inégalitaire, par rapport à la RFA où les hauts salaires sont exemptés d'office d'un certain nombre de prestations sociales dont les allocations familiales.

Le système des primes octroyées à défaut de l'augmentation de salaire demandé est un archaïsme très mal compris par les étrangers qui interprètent ce processus comme un expédient apparenté à l'aumône et non à la reconnaissance d'un dû mérité[1].

De même, le mode de rémunération, rarement calculé sur les effets de la productivité individuelle, au même titre que les grèves corporatistes pour refuser toute évolution dans ce domaine, participe également d'une archaïsme qui se retrouve à tous les échelons de la société.

6. Un goût du passé
QUI DÉMENT LES ASPIRATIONS A LA MODERNITÉ

Les étrangers qui connaissent bien la France pour y avoir séjourné à plusieurs reprises et pendant de longues périodes sont surpris à chaque retour de constater à quel point le passé et le présent cohabitent dans notre pays. Cette omniprésence du passé n'est, semble-t-il, pas perceptible avec la même intensité dans les autres pays européens qui sont pourtant eux aussi détenteurs d'un patrimoine culturel d'une importance comparable.

Cette singularité, interprétée comme l'expression d'un conflit latent, est nettement perceptible dans le parti pris de la France à vouloir donner d'elle une image résolument moderniste. Cette modernité, qu'elle se traduise par l'industrie de pointe ou la haute technologie française, se juxtapose pourtant à d'autres signes qui prouvent qu'inconsciemment la France éprouve les plus grandes difficultés à accepter le présent et à envisager l'avenir d'un œil serein.

A cause de cet imbroglio de signes contradictoires, nos censeurs étrangers qualifient la France de pays paradoxal, bizarre et difficile à décoder. Et la cause de cette complexité réside selon eux dans un tiraillement perpétuel entre passé omniprésent et modernité résolument voulue mais difficile à assumer partout.

En effet, qu'ils se baladent dans nos campagnes ou dans nos villes, qu'ils découvrent dans la presse les grandes polémiques qui par cycles mystérieux agitent la vie publique de la nation, la

---

1. Apparemment nos étrangers n'ont pas lu assez attentivement l'ouvrage de François de Closets *Toujours plus*.

cause du litige s'avère dans bien des cas une querelle des anciens contre les modernes à propos de la préservation ou du remplacement d'un vestige du passé.

Au pays de la Belle au bois dormant

Les Européens, mais aussi et surtout les Américains, insistent sur la spécificité du paysage français qui, sur de vastes étendues, semble encore très proche de la vision donnée par les peintres paysagistes du XVIIIe siècle. La campagne française serait la moins urbanisée de l'Europe moderne ; celle où la nature paraît la mieux préservée. Non seulement l'espace non construit et non cultivé couvre encore une superficie considérable, mais aussi l'habitat rural dans sa grande majorité semble immuable depuis des siècles ; même si dans divers coins de la campagne française des lotissements de pavillons préfabriqués ont jailli tels des champignons dans les dernières années, à quelques kilomètres à peine subsistent des villages où la plupart des habitations datent des siècles passés. De l'extérieur, les fermes donnent l'impression d'être demeurées inchangées depuis lors. Les étrangers savent, pour l'avoir vérifié, que cette impression n'est pas trompeuse et qu'un nombre non négligeable de villageois ne disposent ni de WC intérieurs, ni de salle de bains. Cet inconfort des demeures n'est pas la conséquence d'une extrême pauvreté mais plutôt d'une attitude très rétrograde à l'égard du confort.

L'état de vétusté des toilettes de restaurants ou de cafés dans la province française – même à quarante kilomètres autour de Paris[1] – laisse les étrangers estomaqués. Même la Grèce ou l'intérieur de l'Espagne et du Portugal, qui sont des pays beaucoup plus pauvres que la France, offrent aux touristes des installations sanitaires plus convenables.

Sociologue et politologue, ayant longuement étudié la société française, William R. Schonfeld, environ quarante-cinq ans, doyen du département de sciences politiques de l'université d'Irvine, en Californie, adore la France, pays où il a étudié, enseigné et a choisi de passer une année sabbatique, et qu'il a la prétention de bien connaître. W.R. Schonfeld tente une comparaison

---

1. Y compris dans les villes.

entre la mentalité espagnole et la mentalité française, étayée par des chiffres très éclairants.

« En Espagne, il a une sorte de course vers l'avenir qui ne date pas d'aujourd'hui et qui en France n'existe pas. Si l'on regarde les statistiques de 1965 relatives au nombre de logements avec salle de bains, on constate qu'en Espagne la proportion est largement supérieure à ce qu'elle était en France. Pourtant les deux pays ont été marqués par les guerres. La France a ensuite connu vingt ans de démocratie et un redressement économique spectaculaire alors que l'Espagne était un pays pauvre, ruiné par la guerre civile et vivant sous un régime totalitaire. » Pour W.R. Schonfeld cet indice révèle, parmi d'autres, la résistance des Français au changement.

De même, on remarque très peu de belles habitations privées, d'une architecture contemporaine. Les maisons neuves sont en majorité inspirées du passé. Sur les catalogues de Phénix les différents modèles portent d'ailleurs des noms qui en disent très long sur les goûts de la clientèle : Versailles, Trianon, Chambord, etc.

Le *nec plus ultra* pour bon nombre de Français riches ou seulement aisés est de faire restaurer à prix d'or des maisons en ruine. Cela aussi ajoute au charme de la France, mais confirme parallèlement le désintérêt d'une grande partie de la population pour l'innovation.

En d'autres termes, si l'État n'incite pas à moderniser mais au contraire se désintéresse de la France profonde, les gens pour leur part ne donnent pas l'impression de prendre des initiatives dans ce sens.

L'univers urbain ou l'empire des contrastes

En ville, effectivement, l'État instigateur de grands projets architecturaux commande aux plus prestigieux architectes du monde des projets d'une conception très futuriste destinés à cohabiter avec des sites anciens. Pour les étrangers, rien n'est plus révélateur de cette mentalité paradoxale que la cohabitation du moderne et de l'ancien dans le paysage urbain français, comme si le contemporain avait en quelque sorte besoin d'être parrainé, cautionné, avant d'être progressivement accepté. L'un des exemples les plus spectaculaires est celui de la pyramide construite dans la cour carrée du Louvre par le Chinois Pei.

Ce monument inauguré avec pompe par le président Mitterrand qui en avait été l'ordonnateur a suscité des polémiques aussi nombreuses que passionnées. Des journalistes étrangers avaient même informé leurs lecteurs que les Parisiens seraient peut-être invités à se prononcer par référendum sur la poursuite ou l'abandon du projet.

De même, presque tous les grands programmes d'aménagement et de transformation de la capitale ou d'autres villes de France se sont heurtés à des contestataires acharnés. Ceux-ci n'appartiennent pas nécessairement aux classes les plus conservatrices, bien au contraire. Mais dans bien des cas, ils ont réussi à faire échouer des projets qui faisaient l'unanimité des élus. A Paris, les exemples cités sont nombreux.

Le projet Pompidou d'une voie express rive gauche a dû être interrompu devant le poids des pétitions au même titre que la destruction de la gare d'Orsay. Le déplacement des Halles du centre de Paris asphyxié vers Rungis et surtout la démolition des pavillons de Baltard ont suscité polémiques et manifestations d'autodéfense violentes de la part de Parisiens d'origines politiques diverses. Parmi eux, bon nombre de militants de Mai 68, par ailleurs désireux de faire table rase du passé, mais en l'occurrence tous mobilisés autour de la sauvegarde des bâtiments, l'un des premiers exemples d'architecture d'ingénieur. Il y a peu de temps c'est à Reims que les esthètes se sont dressés pour protester contre la destruction de l'ancienne halle désaffectée dont les bâtiments avaient cependant été longtemps laissés à l'abandon.

L'aménagement du Front de Seine, la construction de la tour Maine-Montparnasse, puis celle du centre Pompidou, ainsi que les colonnes de Buren au Palais-Royal ont suscité les mêmes débats passionnés entre partisans du moderne et défenseurs de l'ancien. Les exemples abondent d'immeubles qui ne sont pas des chefs-d'œuvre mais que l'on cherche de force à préserver parce que leur maintien contribue à témoigner de l'empreinte du passé.

L'un des exemples les plus révélateurs de ce symptôme est

concentré autour de l'opéra de la Bastille. Ce monument d'une conception résolument moderne est accolé à une maison de forme ancienne, mais complètement reconstruite au point d'avoir un côté décor théâtral assez surprenant. Bon nombre d'étrangers se demandent qui a imposé le maintien et la réfection de cette bâtisse, conservée pour rappeler l'esprit de l'ancien faubourg Saint-Antoine. Est-ce l'architecte choisi, qui avait compris la démarche psychologique susceptible de plaire aux décideurs, ou s'agissait-il d'une contrainte imposée dans le cahier des charges soumis aux architectes qui ont concouru pour ce projet ?

Pour W.R. Schonfeld il s'agit là d'une singularité particulière aux Français et très révélatrice d'une attitude passéiste en contradiction avec des paris modernistes qui se révèlent parfois difficiles à assumer sereinement jusqu'au bout. Pendant tout l'entretien, il se défendra pourtant de critiquer notre pays, où il a conservé des attaches, dont il apprécie l'hospitalité, mais aussi l'ouverture d'esprit. Il faut préciser qu'en tant que politologue il a été autorisé par le RPR à assister à presque toutes les réunions politiques internes, dans le cadre d'une étude sur le fonctionnement des partis politiques en France. « Aux États-Unis cela aurait été impensable ! Aucun parti n'aurait permis à un étranger de suivre des débats internes ou de consulter ses archives. »

De la même façon qu'on ne critique pas l'appartement d'un ami qui vous reçoit, il juge malséant de porter sur la France des jugements négatifs. Ce qui ne l'empêchera pas de s'étonner de l'attachement aussi forcené que singulier des Français à leurs racines, même pour les choses apparemment les plus futiles.

« Aux États-Unis on se fout royalement du passé, ce qui est vraiment dommage. Les choses anciennes d'une valeur artistique reconnue sont conservées dans les musées mais ne font pas partie intégrante de la vie quotidienne alors qu'en France c'est partie intégrante de la société française.

« Je me souviens de ma surprise en arrivant au centre Pompidou dont la construction était tout juste achevée. Dans le même coin, on voyait des bâtiments du xviie siècle dont les façades, maintenues par de gros piliers en bois, risquaient de s'effondrer. Et à côté, cette structure très moderne, d'un style xxie siècle, entourée de tout un ensemble de résidences ultramodernes en construction. Et en même temps, cet effort spécial pour protéger dans la rue Saint-Martin, dont toute une partie avait été rasée, non pas un bâtiment d'un grand intérêt historique, mais simplement une très vieille maison en très mauvais état...

« J'ai visité beaucoup d'autres endroits, l'Angleterre, l'Espagne, le Moyen-Orient... Je n'ai jamais rien vu de comparable. Dans certains pays du Moyen-Orient les tentatives d'imposer de nouveaux styles de vie se heurtent à des résistances farouches comme si toute innovation risquait de leur faire perdre leur âme... Mais le mélange des deux avec autant de naturel est spécifiquement français. Je me suis souvent interrogé sur ce phénomène que j'ai du mal à expliquer même si je comprends très bien qu'un pays veuille conserver ses racines.

« D'autres pays ont eu une histoire glorieuse, mais aucun à ma connaissance ne s'efforce autant de conserver les traces de son passé. »

Certains correspondants de la presse étrangère, probablement moins francophiles que le Pr Schonfeld, se montrent aussi moins indulgents vis-à-vis du climat passionnel qui entoure chaque initiative susceptible de modifier un tant soit peu un coin de la capitale. Même s'il s'agit d'un quartier pourri, d'une zone de bâtiments insalubres, cela soulève un tollé général. L'intensité des passions déchaînées va même jusqu'à rappeler le climat de guerre civile qui avait entouré la construction de la tour Eiffel. Ceci montre bien que cet attachement n'est pas seulement le réflexe d'un monde hautement civilisé qui lutte pour la conservation de sa culture menacée par les barbares, mais que les Français n'arrivent ni à relativiser l'importance du passé ni à s'en distancier. Ainsi éprouvent-ils toujours les mêmes difficultés à regarder devant eux.

A l'époque où l'on avait fait état de l'existence probable de gisements pétroliers dans la capitale, il était question que la société Elf-Aquitaine installe quelques petites plates-formes de forage dans l'île Saint-Louis. La presse étrangère, abasourdie, s'en était donné à cœur joie en anticipant les réactions des Français. Le quotidien espagnol *El Pais* avait même consacré un long article à ce thème. Le journaliste ironisait de façon cinglante en évoquant un éventuel sacrilège : « Personne n'ose imaginer que l'on puisse enlever une seule brique du patrimoine historique de Paris pour forer un puits de pétrole. L'humanité entière entrerait en ébullition... Paris est un compendium de l'humanité. L'aleph dans lequel tous les temps coïncident, la boule de cristal dans laquelle se voient intactes les traces du passé[1]. »

Pour W.R. Schonfeld et d'autres Américains, cette propension à se complaire dans le passé se retrouve dans le succès de la brocante en France. L'ancien, peu importe l'époque, triomphe dans la décoration. Les meubles de grand-mère au même titre que les poutres apparentes excitent la convoitise des Français.

Certes, cette appréciation est formulée par des Américains pour lesquels la notion de passé, d'enracinement, pose problème, puisque aux États-Unis les maisons individuelles sont construites pour durer cinquante ans et pas davantage. Mais, Américains ou pas, ils n'ont pas tout à fait tort. L'hôtel Drouot, qui a ses émules dans à peu près toute la France, y compris dans les villes de cinquante mille habitants, se consacre peu à la grande œuvre d'art (aucune comparaison possible avec Christies ou Sotheby's) mais cherche à satisfaire la passion du bric-à-brac, de la récupération des Français. Nos observateurs d'outre-Atlantique sont aussi étonnés par la faculté française de détournement des objets anciens. D'où les postes TSF d'une esthétique approximative achetés à prix d'or chez un antiquaire, et transformés en bar ou autre rangement.

De même, en visitant nos appartements, ils font apparaître le paradoxe suivant : d'un côté un ameublement Louis XV en dorure et marqueterie dans un appartement situé dans un immeuble moderne, de l'autre des meubles contemporains très design dans un vieil immeuble avec poutres apparentes du Marais.

Mais le détail le plus choquant pour cet architecte italien qui a visité la Cité radieuse de Le Corbusier à Marseille est la « barbarie » avec laquelle certains copropriétaires ont coupé dans le sens de la hauteur et de la largeur des volumes harmonieux et des espaces ouverts, pour les aménager en appartements petits-bourgeois, cloisonnés en petites pièces tapissées de papier à fleurs et remplis de meubles rustiques aussi encombrants que dépareillés.

La question est donc de savoir si ce passéisme stigmatisé par les étrangers est depuis toujours une des caractéristiques de

---

1. *El Païs* du 11 janvier 1987 dans « Des Français à la une ».

l'identité française, ou s'il s'agit en l'occurrence d'un phénomène plus ponctuel, lié à un état de crise et qui se manifesterait dans ce domaine comme dans la vie politique, indépendamment de l'attachement normal d'un peuple à son environnement, et à son patrimoine culturel ?

Une vie intellectuelle systématiquement tournée vers le passé

Ses batailles d'Hernani, la France ne les livre désormais que pour des auteurs morts depuis longtemps, ce qui confirme bien les étrangers dans leur vision négative de la culture française depuis les années soixante à nos jours.

Ce qui n'empêche pas la vie culturelle française d'apparaître pleine de débats passionnés. Les étrangers ne cessent de marquer leur étonnement devant le succès persistant d'une émission comme « Apostrophes » dont il n'existe aucun équivalent à l'étranger, ce qui leur fait dire d'ailleurs que les Français sont des gens cultivés.

Mais ils spécifient après coup que, manque de bol, ces débats passionnés concernent essentiellement des causes ou des auteurs jugés ailleurs dépassés depuis longtemps et qui soudain agitent frénétiquement le Landerneau des intellectuels parisiens à la grande stupeur des observateurs étrangers.

La violente polémique suscitée par la sortie du livre de Victor Farias, à propos du nazisme et de l'antisémitisme du philosophe Heidegger, a jeté la consternation parmi les intellectuels étrangers et en particulier ceux d'outre-Rhin pour qui il s'agissait d'une affaire classée depuis belle lurette.

Au cours de notre entretien, Lothar Baier a longuement développé ce thème en insistant principalement sur l'aspect archaïque de ce débat franco-français. Son opinion est très représentative de ce que pensent les intellectuels allemands de tous bords, à l'exception des vieux nazis pas repentis. « Les Allemands savent à quoi s'en tenir sur Heidegger et ses engagements pro-nazis depuis son ralliement au parti nazi bien avant la guerre. A l'est du Rhin, on ne trouve plus aujourd'hui d'heideggerien de gauche, comme en France où la gauche a fermé les yeux pour récupérer Heidegger. Pourquoi ? Simplement parce que condamner Heidegger équivaudrait pour bon nombre de professeurs de philosophie qui ont fondé leurs certitudes à partir de cette théorie à se faire hara-kiri. »

Dans son livre[1], Lothar Baier, qui développe longuement le thème du provincialisme des intellectuels français, cite à propos du nazisme de Heidegger, qui n'est une découverte récente que pour les Français, un texte saisissant de l'écrivain Kurt Tucholski, francophone fervent, qui dès 1935 s'était réfugié en Suède pour fuir le nazisme. Désespéré, isolé, Tucholski, qui devait se suicider quelque temps plus tard, consacrait une partie de ses faibles ressources à lire la presse française. Il espérait que ce peuple d'exception dans lequel il plaçait ses derniers espoirs serait capable dans un éclair de lucidité de réagir devant la menace représentée par le national-socialisme et ses maîtres penseurs. Pauvre Tucholski, qu'aurait-il pensé de nous, lui qui, il y a bientôt cinquante ans, écrivait ces propos amers dans son journal après avoir lu plusieurs articles où les philosophes français encensaient Heidegger :

« Les Français sont en train de commettre un péché contre l'esprit. Ils se mettent des lunettes noires pour " germaniser " à tout prix. Que de mal je me suis donné pour une langue et pour un peuple qui n'a plus rien à me dire. »

La tournure prise par la célébration du bicentenaire est devenue le prétexte à refaire le procès de l'histoire tant à travers des ouvrages révisionnistes que des procès mascarades à la télévision où les téléspectateurs votent soudain l'acquittement du roi par sondage imbécile interposé. Ce phénomène dérive selon les étrangers de la même pathologie passéiste. Mais d'un passéisme qui semble en réalité vouloir renvoyer l'héritage de 1789 dans les poubelles de l'histoire.

Le 2 février 1989, un groupe de manifestants de la fonction publique, la tête couverte du bonnet phrygien, défilait en chantant sur l'air du « Ça ira » dont les paroles avaient été détournées de façon insolite :

---

1. *L'Entreprise France,* Calmann-Lévy, 1989. Curieusement le chapitre sur les intellectuels n'a pas été traduit dans l'édition française. Par manque de temps paraît-il !

Ça ne va pas, ça ne va pas
Les aristocrates sont toujours là !

Mais ce passéisme des Français ne s'exprime pas seulement dans la réhabilitation de Louis XVI ou de Martin Heidegger. Cette attitude somme toute très paradoxale, dans un pays qui par divers côtés s'est aussi révélé à travers les siècles très novateur et très créatif, les étrangers la stigmatisent également dans les goûts artistiques des Français.

Les étrangers qui s'intéressent à l'art me font remarquer que le centre Pompidou, destiné à présenter les créations contemporaines, a battu tous ces records d'affluence avec des grandes rétrospectives comme « Paris-Berlin », « Vienne, 1880-1938, naissance d'un siècle » alors que les expositions consacrées à des grands peintres contemporains n'attirent que de rares visiteurs en dehors des vernissages.

Philip Frericks, la quarantaine sympathique, est le représentant de la télévision hollandaise. Installé à Paris depuis longtemps, il préfère habiter ici qu'à Amsterdam, une petite ville de province en comparaison de Paris. Comme beaucoup d'étrangers il apprécie que Paris, comme New York, ressemble à un immense et scintillant patchwork de races et de nationalités, ce qui lui donne l'aspect d'une grande métropole futuriste. Mais parallèlement il constate que la nostalgie et l'emprise du passé demeurent omniprésentes. Petit détail, mais selon lui très révélateur de cette mentalité passéiste :

« Je ne connais pas une ville au monde où il y ait autant de cinémas qui projettent des films anciens, ce que j'apprécie car j'adore le cinéma. Je comprends donc très bien que les jeunes aient envie de découvrir les chefs-d'œuvre anciens et les moins jeunes de les revoir. Ce qui me surprend davantage c'est que certains ne vont presque jamais voir des films récents. Paris est une grande métropole, la seule ville qui pourrait à l'échelle de l'Europe être l'homologue de New York, n'était son retard culturel qui rend cela impossible. C'est pourquoi, de plus en plus, Paris est dominé par Londres, Berlin, bientôt Madrid, qui sont des villes ouverte à l'avant-garde. »

Chapitre III

L'ENFERMEMENT
DANS UNE SPÉCIFICITÉ DÉPASSÉE

1. LA SUPÉRIORITÉ OU LA MORT

La France ne rate pas une occasion de se comporter comme la grenouille de la fable qui ne cesse de s'affirmer supérieure dans l'absolu. Consciente de ne plus être la plus grande en tout, elle essaie cependant à tout propos de chercher des secteurs qui lui sont favorables et où la comparaison tourne à son avantage pour claironner ses succès dans la presse nationale où il est de bon ton d'adopter la politique de l'autruche. Ainsi, contrainte de faire allusion au déficit du commerce extérieur, la presse française, à qui on reproche souvent d'être à la botte des hommes politiques, en atténue l'impact en rappelant aussitôt que la France demeure le quatrième exportateur du monde, etc.

La course aux médailles

Rien n'est plus révélateur de ce symptôme mégalomaniaque que la « classomanie » systématique des Français, qui, depuis l'école primaire, ont été conditionnés à tout évaluer en terme de notes et de rangs. Ainsi, pas un quotidien, pas un hebdomadaire, pas une revue économique qui ne résiste au plaisir de publier des grands tableaux comparatifs pour situer le rang de classement des industries françaises par rapport aux autres pays. Le but ultime de l'opération étant, bien sûr, de trouver des secteurs – peu importe lesquels – où les Français réussissent encore la performance d'être ou les premiers ou les plus grands. Accessoirement, on reconnaît que ce type d'exercice peut provoquer une émulation salutaire. En attendant il s'agit d'une de nos manies que les journalistes étrangers épinglent volontiers.

Klaus Peter Schmidt, l'ancien correspondant du *Spiegel*[1] ne s'est jamais privé du plaisir de railler ce travers bien français :

« Les Français sont vraiment obsédés par les médailles. Ils ne ratent pas une occasion de se vanter de leur grandeur et de leur supériorité. Une fois ils ont la meilleure cuisine du monde, une autre fois le plus grand nombre de musées, ou bien la diplomatie la plus brillante, ou bien les plus grands écrivains. Ils ont aussi un club très sélect réservé aux entreprises françaises qui sont chacune numéro un mondial dans leur spécialité, et parmi lesquelles figure même un fabricant de brouettes. »

Un virus auquel nul n'échappe

Mais cette rengaine fait aussi florès chez nos hommes politiques. Quelle que soit leur orientation, rares sont ceux qui échappent au péché de vanité national et au plaisir sensuel provoqués par l'emploi répétitif de l'adverbe « plus », manie jugée aussi dérisoire qu'infantile par ceux qui nous décortiquent à la loupe : c'est Jack Lang annonçant la création de la plus grande bibliothèque du monde ; c'est François Mitterrand glorifiant la Pyramide de Pei, grâce à qui le Louvre deviendra le plus grand musée du monde ; c'est Michel Rocard annonçant à la télévision, avec des trémolos dans la voix, que le groupe Pechiney, grâce au rachat d'une société américaine d'emballage en aluminium, devenait numéro un mondial de l'emballage.

Mais je laisse la parole à Lothar Baier, journaliste au *Tageszeitung* de Berlin – quotidien de la gauche alternative –, et qui est un fin connaisseur de notre pays où il a vécu, travaillé, enquêté et auquel il a consacré un livre récemment traduit : *Firma Frankreich*[2]. Je rencontre Lothar le lendemain de l'intervention de Rocard et il me fait part en riant de sa stupéfaction,

---

1. *Frankreich Menschen und Landschaften.* Édité par Ingo Kolboom et H. Neger.
2. Janvier 1989.

partagée d'ailleurs par une bonne partie de la presse allemande qui, une fois de plus, met l'accent sur la crédulité des Français qui, malgré des précédents douloureux, ne ratent pas une occasion de se faire avoir par les Américains tant est démesurée et irréaliste leur volonté de se comparer à eux. Il est vrai que cette interview a été réalisée quelques semaines avant que n'éclate le scandale financier autour de cette acquisition. Il est intéressant de noter qu'un observateur étranger était immédiatement capable de percevoir qu'il s'agissait là d'une négociation pour le moins douteuse alors qu'un Premier ministre faisait la démonstration tonitruante de sa naïveté.

« Sans être un spécialiste, je sais cependant que des pays comme les États-Unis, la RFA ou la Suisse s'acheminent vers l'abandon de certaines technologies d'emballage anti-écologiques. C'est un secteur qui va connaître d'ici peu des difficultés énormes, puisque les bouteilles en plastique et tous les emballages de ce type, c'est-à-dire qui ne sont ni destructibles ni réutilisables, vont être interdits. De même les usines qui les fabriquent et qui sont très polluantes devront fermer ou se reconvertir. Il s'agit donc d'une industrie sans avenir. Le secret du rachat de la société American Can par les Français tient essentiellement au fait que cette firme, qui a perdu de sa valeur, a été vendue au rabais, ses possibilités de reconversion n'étant pas assez rapides pour intéresser les industriels américains ou allemands. Et la presse française, qui est toujours la plus mal informée du monde[1], fait de grosses manchettes en disant : " Nous venons de porter un coup terrible aux Américains en leur arrachant... " alors qu'il s'agit en réalité d'une affaire pourrie. La France va créer une usine d'aluminium monstre, qui devrait représenter deux mille emplois, ce qui dans l'immédiat n'est pas mal. Mais ce ne sera pas rentable dans l'avenir puisqu'il s'agit d'une industrie exigeant une extraordinaire consommation d'énergie et extrêmement polluante. Partout ailleurs, on développe des industries basées sur des principes contraires : économie d'énergie d'un côté, préoccupation écologique de l'autre. »

---

1. Sorte de leitmotiv qui revient régulièrement dans le discours de la presse étrangère faisant allusion à de ténébreuses affaires « enterrées », ou au fait que les journalistes fuient les vérifications et les enquêtes et se contentent des dépêches d'agence.

Une manie qui coûte cher

Cette mégalomanie serait un travers certes ridicule mais anodin si elle n'entraînait les Français dans des choix politiques, économiques et industriels erronés et coûteux. Car c'est ainsi que les étrangers considèrent certaines des plus prestigieuses réalisations de la haute technologie française. Ainsi le Concorde fut créé pour permettre aux Français de se croire invincibles en paradant avec l'avion le plus rapide du monde. Dans leur euphorie, ils oublièrent de vérifier par des études approfondies la nature des débouchés commerciaux potentiels, ou peut-être refusèrent-ils de tenir compte des résultats de ces études qui ne pouvaient ignorer le veto américain. Le fameux Concorde est donc devenu pour les étrangers « le plus grand échec du monde » ou tout au moins l'un des plus cuisants échecs commerciaux de l'histoire de notre aéronautique.

« En effet lorsque les Américains sortiront à leur tour un avion supersonique », m'explique Janninck Van B., un Hollandais de haute stature, qui fait fonction d'intermédiaire international pour des secteurs top secret – mais j'ai cru deviner que son activité touche l'aéronautique militaire et l'armement – « la technologie de Concorde sera complètement dépassée. Les Français pourront toujours prétendre que les Américains ont été horriblement protectionnistes dans cette histoire de Concorde, mais ce n'est pas une circonstance atténuante. Sans un carnet de commandes bien rempli, les Français n'auraient jamais dû investir autant dans le Concorde. C'est en cela qu'ils sont fautifs et que leurs idées de grandeur sont ridicules et dépassées. Il vaut mieux être un épicier qui gagne de l'argent, qu'un inventeur génial qui fait faillite. »

D'une façon générale, dans le cadre des compétitions et appels d'offres internationaux la France fait figure de maniaque de la grandeur. Elle ne daigne se mobiliser que pour de « grands », de vastes projets, les seuls à satisfaire sa mégalomanie exacerbée : le plus grand métro du monde, le plus grand aéroport du monde, le train le plus rapide du monde, le plus grand avion du monde, etc.

De plus, on la blâme de se détourner avec dédain des marchés de moindre importance assimilés à des prix de consolation.

Faut-il le répéter une fois de plus ? Mais j'insiste car cette image nous nuit considérablement y compris auprès de ceux qui admirent le plus la haute technologie française, tant ils craignent que cette attitude ne dissimule un désintérêt dangereux pour tout ce qui peut paraître « accessoire », qu'il s'agisse de finitions, de suivi en matière de pièces de rechange ou de service après vente. Comme me l'explique le correspondant à Paris de CBS, J. Albertson : « Je connais certaines firmes étrangères qui ne veulent pas acheter français parce que la direction craint que les services techniques soient défaillants en matière de maintenance. Ce sont des tâches trop prosaïques dont les entreprises françaises se désintéressent, car elles ne peuvent pas contribuer au prestige de la France. »

Peut-être est-ce en partie à cause de cette image ambiguë que certaines de nos réalisations les plus prestigieuses ne se vendent pas mieux à l'étranger, même lorsque à la suite d'un appel d'offres la France apparaît mieux placée au plan technique et même financier que ses rivaux.

E.S. Browning du *Wall Street Journal* sera encore beaucoup plus explicite sur ce point. Revenu en poste en France pour la deuxième fois, il connaît bien le monde des affaires et la mentalité française. Il nous admire pour notre créativité, notre inventivité bien supérieures selon lui à celles des Allemands, mais déplore que l'idée de grandeur parasite ces qualités et ne permette pas d'exploiter au mieux le « génie français ».

En effet, les Français, obsédés de prestige, oublient trop souvent de rechercher des marchés porteurs. C'est une défaillance caractéristique qui se retrouve un peu partout et n'est pas l'apanage du seul Concorde. Les Français sont impardonnables de ne pas étudier tous les paramètres commerciaux, y compris le protectionnisme américain.

« Les autres pays travaillent sur des projets moins grandioses, moins prestigieux mais plus valables sur le plan monétaire. En France on ne veut pas s'appliquer à améliorer des techniques de fabrication pour parvenir à des coûts moindres, donc à des prix plus compétitifs. Bref les Français sont incapables de s'investir dans un travail routinier sans aspect grandiose et spectaculaire. Ils oublient qu'au bout de quelques années ce type d'opération qui consiste à en réduire les marges et à vendre davantage se révèle aussi très rentable. Seulement pour les Français c'est moins glorieux de sauver l'industrie des machines-outils et de concurrencer sur ce secteur les Japonais, que de réaliser le plus grand train du monde. Je ne connais qu'une société française qui a compris cela sans jamais faire parler d'elle, c'est Michelin. »

Les plus grandes banques du monde

De même, nous nous vantons partout d'avoir les plus grandes banques du monde, car nos plus prestigieuses enseignes bancaires, le Crédit Lyonnais, la BNP, la Société Générale, sont effectivement représentées dans les quatre coins du monde. De là à en profiter pour susciter une confusion dans les esprits, il n'y a qu'un pas que nos censeurs étrangers, qui nous ont à l'œil, ne nous ont pas laissés franchir en toute impunité.

De leur point de vue, une fois de plus la France, emportée par sa mégalomanie superfétatoire, n'a pu s'empêcher de semer la confusion entre « grandeur » qui, en l'occurrence, signifie réseaux étendus, nombreuses agences et personnels pléthoriques, et « puissance ». Or, ce qui importe pour un établissement bancaire, c'est la puissance qui s'exprime à travers le volume d'affaires traitées, les bénéfices réalisés et le dynamisme commercial. Ce qui n'est pas le cas de nos mastodontes nationalisés qui, dans la période d'euphorie des années soixante-dix, ont effectivement multiplié le nombre d'agences en embauchant à tour de bras un personnel sous-qualifié dont aujourd'hui on ne sait plus que faire. Pour la plupart des financiers étrangers, autant des Américains que des Espagnols venant juste de reprendre une vieille maison protestante, la banque Vernes, il ne fait aucun doute que cette folie des grandeurs, alliée au dirigisme étatique qui empêche la compétitivité effective entre banques, sera autant la cause des difficultés que rencontreront les banques françaises que leur image déplorable à l'étranger.

C'est aussi l'opinion de E.S. Browning, francophone convaincu et qui récuse pourtant d'entrée de jeu la plupart des clichés négatifs sur la France (encore qu'il reconnaisse que c'est un pays dont le mode d'emploi est long à trouver, d'où la tentation de succomber aux clichés). « L'indifférence du gouvernement aux résultats a créé une situation absurde mais très spécifique. En France, l'idée de compétition entre banques se réduit à avoir « le plus » de guichets en France et en Europe. Les banques françaises ont trop embauché, ouvert trop d'agences. Les grandes banques sont fières de leur puissance, mais, en 1993, elles seront démunies par rapport à la concurrence internationale. Elles ne comprennent toujours pas que le rôle d'une banque, ce n'est pas seulement de comptabiliser des chèques. »

J'ai vérifié la validité des propos de Browning ou d'autres journalistes étrangers ainsi que des banquiers étrangers auprès de journalistes économiques du *Monde* qui m'ont donné le même son de cloche.

Que va-t-il donc effectivement se passer en 1993 ?

Peu de chances que les étrangers imprégnés par une telle image veuillent ouvrir chez nous des comptes qui ne seront même pas rémunérés. En revanche, de fortes chances que les Français, pour une fois oublieux de la fibre nationaliste, se laissent séduire par les conditions plus avantageuses offertes par les banques étrangères qui, elles, ne confondent pas puissance et grandeur.

Le plus grand bâtisseur du monde

Même les grandes réalisations architecturales de Mitterrand témoignent de cette éternelle obsession de grandeur. Que ce soit le musée d'Orsay, l'opéra de la Bastille, l'arche de La Défense, tous ces chantiers sont lancés avec une emphase extrême qui ne peut que susciter des comparaisons ironiques avec le Roi-Soleil. Plutôt que de financer ces opérations de prestige, quelques étrangers considèrent qu'il eût mieux valu que le gouvernement français consacre ces sommes à augmenter les infirmières ou à améliorer les infrastructures scolaires.

Pour Stanley Hoffman, il est indéniable que : « La France avait moins besoin d'un musée du XIXe siècle d'un intérêt mineur, même s'il fait courir les foules, que d'universités plus nombreuses, mieux équipées et mieux entretenues. »

Lors du « scandale » qui a entouré la démission forcée de Daniel Barenboïm du poste de directeur musical de l'opéra de la Bastille, des journalistes étrangers ont établi un parallèle saisissant entre le crédit de cinq milliards généreusement alloués par Lionel Jospin aux enseignants et ce qu'aurait représenté les gains annuels de Daniel Barenboïm, qui devaient avoisiner le milliard ancien, avantages en nature à peine inclus. Soit un rapport de un à cinq cents. Ainsi, toujours poussée par la même préoccupation de devenir la première cité musicale d'Europe, la France n'a pas craint de commettre un choix qui en dit long sur ses vertus égalitaires.

Une image qui nous dessert plus qu'elle nous sert

Peut-être est-ce en partie à cause de cette image ambiguë que certaines de nos créations les plus prestigieuses se vendent moins bien qu'escompté. Y compris pour l'usage interne, la France passe pour se mobiliser prioritairement autour de grands projets technologiques qui, quelle que soit leur utilité objective, sont pensés comme autant de défis conçus davantage pour maintenir le prestige de la France dans le monde que pour lui faire réaliser des bénéfices.

Les étrangers saisissent mal qu'ensuite les Français fassent si peu d'efforts pour commercialiser les « chefs-d'œuvre » du génie français. Ces Français, ne sont-ils pas les constructeurs du TGV, réputé le train « le plus rapide du monde » ? Pourtant ils furent incapables de l'imposer aux Espagnols qui, pour différentes raisons, préférèrent confier une partie des travaux à la société allemande Siemens dont le savoir-faire en la matière est cependant plus récent. Les Espagnols auraient peut-être même confié la totalité des travaux aux Allemands si une négociation au plus haut niveau n'était intervenue, à la demande de la France, pour faire bénéficier Alsthom d'une partie de la commande.

De même, la France est fière, très fière de son Minitel. Mais là encore, incapacité à exporter ce savoir-faire qui n'a pas été conçu et adapté en fonction des attentes d'un marché étendu mais de l'orgueilleuse politique de prestige des Télécoms.

Un échec de plus qui donne raison aux étrangers en les faisant ironiser sur les usages dérivés du Minitel, relégué pour la moitié au moins de son utilisation au rang de gadget pornographique.

Et si la grenouille revenait à la raison...

En cessant de ressembler à la grenouille de la fable, la France en perdrait-elle pour autant son identité ou verrait-elle augmenter son capital de sympathie ? En lisant les vœux que lui ont envoyés certains correspondants étrangers sollicités par le mensuel *Kiosque international*[1], j'opterai pour la seconde hypothèse. Il ne fait aucun doute en effet que cette attitude de surenchère explique la mauvaise image de la France et justifie les mouvements d'humeur à son égard. Le journaliste R. Smonig[2], à l'occasion des vœux qu'il adresse à la France, s'en gausse sur un ton badin :

« A tous les patriotes qui ne cessent de se gargariser des exploits de leur brave pays, de la " meilleure sécu du monde ", aux " meilleures télécoms de l'univers ", je leur souhaite, au moins en 1989, de sortir un peu de chez eux. Aux salariés du secteur public, je souhaite qu'il n'aient plus à s'exposer à la vindicte publique en faisant grève pour obtenir l'augmentation de leurs salaires, trop souvent de misère [...], mais ne changez pas trop quand même, car, tels que vous êtes, chers Français, vous êtes une matière première de choix pour mon travail d'observateur. »

2. UNE SPÉCIFICITÉ QUI TOURNE À L'ENFERMEMENT

Si chaque pays a hérité de spécificités plus ou moins encombrantes, aucun ne donne pourtant l'impression d'avoir autant œuvré pour les maintenir et les renforcer que le nôtre.

Le côté systématique de cette démarche explique pourquoi, pour bon nombre d'observateurs étrangers, l'expression « spécificité française » est devenue un cliché incontournable. A la limite, c'est presque comme si ce terme ne pouvait plus se concevoir autrement que sous la forme du syntagme « spécificité fran-

---

1. Cette parution n'a connu que 5 numéros, faute de lecteurs.
2. *Die Presse* (Autriche).

çaise », expression qui tend d'ailleurs à ressembler à un pléonasme.

Avant toute chose, les Français donnent l'impression de vouloir se distinguer, affirmer leur singularité envers et contre tous. Cela posé, cette notion, illustrée par des exemples aussi nombreux que variés, ne peut être réduite ni à un cliché périmé, ni à un cliché « emprunté » aux médias français comme l'était par exemple le thème du retour monarchique qui est devenu le point cardinal des lieux communs sur la France. Rendons à César ce qui lui revient sans conteste, et considérons qu'il s'agit là d'une observation dont la paternité revient vraiment à nos censeurs étrangers.

A une époque qui se caractérise plutôt par une certaine volonté d'homogénéité, par une recherche de dénominateur commun dans différents domaines, la France demeure le pays le plus réfractaire à cet objectif. Selon nos impitoyables juges, la France a effectivement gagné le pari de se singulariser dans les différents secteurs de la société, qu'il s'agisse de la vie publique, de l'enseignement, de l'industrie, du comportement individuel ou collectif des Français en tout lieu et en toute circonstance.

La sociologue américaine Diana Pinto est particulièrement sévère à l'égard du sentiment de supériorité qui se dissimule sous cette volonté de spécificité affichée par la France et dont l'État semble, à travers les exemples cités, le grand responsable.

« Un peu en tout, on assiste à des discussions franco-françaises. La France n'aime pas comparer ses PME et ses PMI à leurs équivalents italiens ou allemands, et pour cause. Elle a trop peur de constater les effets bénéfiques d'une véritable décentralisation par rapport à ses pseudo-efforts en ce sens. D'une façon générale on essaie de ne pas parler de ce qui se passe ailleurs pour esquiver une comparaison qui se révélerait extrêmement négative pour la France. Je suis convaincue que l'identité française est profondément fondée sur une notion de l'exceptionnalisme, d'une spécificité française foudroyante qui doit s'imposer partout pour maintenir la gloire nationale : spécificité de la politique étrangère, spécificité de la bombe atomique, spécificité de la tradition administrative française, spécificité du mode de sélection des élites, et ce produit spécifiquement français : les énarques.

104

« Toutes ces choses font que la France se distingue des autres pays européens – ce qui la rend très fière. »

Pour Diana Pinto, il ne fait pas de doute que ces spécificités dont les Français sont si fiers constituent plutôt un lourd handicap. D'une part, cela ne les rend pas sympathiques. A la limite cela pourrait être considéré comme secondaire. Mais cela nuit considérablement à l'image de la France, certaines de ses plus grandes réussites technologiques étant assimilées à des échecs dans la mesure où leur spécificité en a empêché la commercialisation à une très grande échelle.

L'un des seuls à admettre l'amorce d'un changement est Stanley Hoffmann, analyste particulièrement averti qui a non seulement fait ses études en France, mais qui, depuis trente ans, l'a choisie comme matière de réflexion privilégiée. Selon lui, le pays a évolué insensiblement dans le cadre de la vie quotidienne comme dans ses structures sociales et économiques. Influencé par son désir d'indulgence, peut-être par une certaine méconnaissance du monde industriel, notre interlocuteur fait entendre ici une voix qui reste très isolée. « Aujourd'hui la France est devenue difficile à distinguer de l'Angleterre, de la RFA ou de l'Italie. Mais la spécificité s'est réfugiée dans le rôle de l'État. Dans tout ce qui découle de la tradition jacobine et napoléonienne. Cette spécificité se retrouve aussi dans cette volonté d'avoir une voix propre dans le conseil international. Pourtant on peut se demander si cette volonté de spécificité sert à long terme les intérêts de la France ? »

Qui croire ? Ceux qui parlent de changement ou tous ceux qui dénoncent la persistance un peu partout de la « spécificité française » ? De toute façon, amélioration ou non, les clichés ont la vie dure et l'entreprise France aura à mettre en œuvre une longue et importante politique de communication pour les faire disparaître.

L'appartenance au peuple élu

Un certain nombre d'étrangers ont été frappés par ce sentiment de fierté, de supériorité qu'aujourd'hui encore les Français de toute catégorie sociale laissent transparaître même dans les actes et les situations les plus banals.

105

Bien entendu, la référence à la période révolutionnaire comme fait fondateur de ce sentiment d'appartenance à un peuple d'exception, un peuple qui a osé décapiter son roi pour se libérer de ses chaînes, s'impose d'emblée à certains observateurs.

Le plus curieux est que, deux siècles plus tard, des étrangers retrouvent des traces de cet événement dans le comportement de l'homme de la rue au même titre que chez nos élites.

Le témoignage de Norberto Bottani est particulièrement intéressant sur ce point. Alors que je lui demande ce que signifie pour lui le concept de « spécificité française », il hésite à répondre, la question renvoyant selon lui à un schématisme qui l'énerve. En effet la France, comme tous les pays, est un ensemble de régions très hétérogènes malgré une histoire commune qui en fait l'un des plus vieux États-nations du monde :

« Par rapport aux autres pays européens que je connais bien, la Suisse, l'Italie, l'Autriche, je touche concrètement, physiquement, dans la vie de tous les jours comme dans la mentalité des gens, qu'ici eut lieu une Révolution achevée par la décapitation d'un roi que le peuple a condamné. Le peuple, avec ses différentes composantes sociales, a intégré ce symbole en prenant conscience de ses droits. En arrivant en France, j'ai été frappé par l'orgueil des gens, l'orgueil d'avoir acquis des droits, et le droit de les faire valoir dans la vie de tous les jours. Par exemple, l'absence de complexe dans les milieux populaires, l'insistance avec laquelle les gens font valoir leurs droits... Lorsque je me présente à des guichets des services publics, les employés ne sont pas au service de l'usager (ce que beaucoup d'autres étrangers constatent pour le déplorer, n'y voyant pas la même signification), mais sont les représentants de l'État et se sentent en droit d'imposer leurs volontés aux clients... En Suisse je n'ai jamais éprouvé cette impression, que ce soit dans une poste ou à la banque, car la personne derrière son guichet a une attitude à la fois servile et teintée d'infériorité que je n'ai jamais rencontrée ici.

« Quant au système scolaire français, basé sur une sélection rigoureuse instaurée dès l'école primaire, il contribue lui aussi à entretenir ce sens de l'exception. Ainsi, les " élites " françaises ont la certitude inébranlable d'être réellement les meilleures. Ceux qui ont atteint le sommet de la pyramide par la voie des concours sont persuadés de devoir leur situation privilégiée au seul mérite de leur intelligence. S'ils sont là c'est parce qu'ils sont les meilleurs, et parce qu'aucun système au monde n'est supérieur ou comparable aux grandes écoles françaises. Dès lors, tout ce qu'ils font, conçoivent, produisent est nécessairement bien, si ce n'est mieux. » Je sais pour l'avoir vérifié que, contrairement à ce qu'imagine Bottani, le sentiment d'infériorité existe en France et que ceux qui ont échoué à entrer dans la voie royale en sont marqués pour la vie.

Les Français ayant longtemps gardé un comportement très hexagonal, l'habitude d'établir des comparaisons ou de subir des critiques, des confrontations, ne s'est pas répandue. C'est ce qui explique en partie le maintien de ces certitudes jusqu'à ce jour, du moins si l'on se fie aux impressions ressenties par les étrangers.

Si certains d'entre eux sont exaspérés – le terme n'est pas excessif – par cette volonté des Français de se singulariser en diverses circonstances, d'autres, une minorité il faut bien le dire, l'admettent plus volontiers. Ainsi John MacBrian qui pourtant a souvent eu maille à partir avec nos excès en ce domaine :

« Ce qui distingue les Français, c'est leur certitude d'appartenir à un pays qui sort de l'ordinaire, d'être une race à part. C'est une attitude beaucoup plus marquée en France qu'en Angleterre. Même si ce qu'ils font n'est pas le meilleur possible, ils en éprouvent cependant une très grande fierté. Si vous prenez l'exemple du Concorde, qui est un avion franco-britannique, je constate que les Français sont plus fiers de leur contribution que les Anglais de la leur. Je ne sais pas lequel des deux a apporté le plus, mais en France beaucoup de gens croient que c'est un avion français. Le développement de l'industrie aéronautique française s'est servi de ce partenariat comme tremplin et a réussi à prendre de l'avance, alors que les Anglais, me semble-t-il, sont un peu restés en arrière. Aujourd'hui les Français sont devenus les maîtres d'œuvre de l'Airbus alors que les Anglais ont une participation de moindre envergure. »

Des spécialistes de la dissension

Dans les instances internationales, comme dans les négociations commerciales où se retrouvent des partenaires de différentes nationalités, les Français ont la réputation de toujours se singulariser par leur incapacité à parvenir au consensus. Consensus entre eux d'abord, consensus avec les autres ultérieurement s'ils parviennent à venir à bout du premier obstacle. En effet cette volonté de se singulariser à tout prix et dans tous les cas de figure en font des partenaires insupportables. On leur reproche, entre autres, de ne jamais prendre en compte le bien-fondé des opinions communes mais de n'avoir comme seule préoccupation que de faire triompher le « point de vue français » ne serait-ce qu'en terme de formulation.

D'aucuns attribuent le renforcement de ce trait de caractère à l'autoritarisme ombrageux du général de Gaulle et à son influence néfaste. En effet, en maintes circonstances, n'usait-il pas volontiers d'expressions mettant en avant la « singularité » de son peuple ? D'autres, qui ont eu l'opportunité de voir les Français à l'œuvre dans le cadre de négociations où le zèle du Général ne peut en aucun cas être incriminé, sont bien persuadés qu'il s'agit là d'un trait de caractère spécifiquement français dont l'origine, éminemment culturelle, est bien plus ancienne.

John MacBrian, en tant que fonctionnaire de l'OTAN, a eu l'occasion d'assister à de nombreuses sessions regroupant les délégations et les chefs d'État des quinze pays membres. Il était présent lors de la fameuse séance durant laquelle la France a quitté l'OTAN. Autour de lui on attribuait la responsabilité de cette sortie fracassante au général de Gaulle, comme si les véritables problèmes d'entente avec les Français dataient de 1958.

Pour en avoir le cœur net, il eut alors la curiosité de relire très attentivement et dans leur intégralité les minutes des séances plénières depuis l'origine de l'OTAN. Il constata alors que, depuis le début, les Français se démarquaient des autres par une incapacité à déjà se mettre d'accord entre eux, attitude qui avait comme effet premier de ralentir considérablement le vote du moindre amendement.

« J'étais là quand de Gaulle a imposé le retrait de la France de l'organisation militaire unifiée de l'OTAN. Cela a donné lieu a une grande bagarre diplomatique entre les Français, qui en sortaient, et les quatorze autres pays membres, qui y restaient. Je devais servir les deux côtés. Les quatorze pays quand il s'agissait de régler un désaccord avec la France, et les quinze quand il s'agissait de faire quelque chose où les Français étaient d'accord. Pour vérifier le bien-fondé de la position française, j'ai relu l'intégralité des débats depuis les débuts de l'OTAN. J'ai alors pu constater que les Français avaient toujours créé des problèmes par leur incapacité à trouver un point d'équilibre entre les intérêts à court terme de la nation et l'intérêt général, l'entente internationale... Si une décision était proposée, quatorze pays étaient d'accord mais les Français ne l'étaient pas et il fallait renégocier. C'était ainsi depuis toujours, y compris sous les gouvernements faibles de la IVe République dont chacun se moquait... Je me souviens d'une discussion où le président du comité, absolument exaspéré, a levé la séance en disant : " Nous sommes obligés d'attendre que MM. les Français se mettent d'accord entre eux. " C'était un exemple de la volonté française de bien examiner la question sous tous les angles, de ne pas simplement accepter ce qui était proposé par le secrétariat ou les Américains. »

Ce même comportement est aujourd'hui dénoncé avec une belle unanimité irritée par des officiels qui siègent dans les différentes instances européennes et qui sont à leur tour confrontés avec le noyau dur de cette spécificité française chronique, empruntant parfois les formes les plus inattendues.

Travers de fonctionnaires qui cherchent à se valoriser, direz-vous pour atténuer l'impact de ces critiques. Que nenni ! Qu'il s'agisse de joint-ventures, qu'il s'agisse de sociétés industrielles fondées sur le partenariat international, la volonté des Français de marquer partout leur spécificité se révèle toujours aussi immuable et toujours aussi dérangeante pour les autres partenaires. Les plus choqués par ce comportement sont incontestablement les Britanniques, habitués par leur éducation à se montrer plutôt accommodants et courtois dans les discussions, même si Mme Thatcher donne l'impression de vouloir rompre avec cette coutume.

Une incapacité congénitale à accepter la règle commune

Actuellement directeur financier dans la société de l'Eurotunnel, Mr. Corbett occupait précédemment une fonction importante dans une société fiduciaire dont la société mère, d'origine

109

britannique, était devenue avec les années une sorte de holding composé de cent quatre-vingts partenaires associés, originaires des différents pays de l'Europe continentale. Sa mission était d'amener ce groupe hétérogène à collaborer de façon efficace en partageant des objectifs communs.

Déjà à l'époque Mr. Corbett constate que « les Français éprouvent de bien plus grandes difficultés que les autres à comprendre ce concept. Depuis toujours notre antenne française s'est montrée la plus contestataire, provoquant constamment des débats personnalisés même autour de questions secondaires, relatives à la manière d'effectuer les différentes tâches administratives. Pourtant lorsque nous avions créé notre filière mondiale il fallait résoudre des problèmes très compliqués avec nos partenaires d'Europe continentale, chacun ayant une forte implantation dans son propre pays, chacun ayant des approches très différentes. Cependant, dès le départ, tous étaient conscients de la nécessité d'abandonner certains concepts trop spécifiques. Nous avons rencontré des problèmes avec chacun de ces pays, mais rien de comparable avec la France où c'était bien pis que partout ailleurs, les Français se révélant incapables de trouver une voie commune. Psychologiquement, culturellement, c'est très difficile pour eux de *supporter* une voie conçue pour le meilleur intérêt de tous mais qui ne permet pas à quelques-uns de maximaliser leurs propres intérêts.

« En conséquence, chaque Français discutait d'abord pour avoir des avantages individuels alors que *tous les autres groupes étrangers* qui avaient réussi à s'entendre entre eux avaient suivi la voie commune sans difficulté particulière. J'ai pu constater une fois de plus qu'en France il est impossible de trouver une voie commune qui convienne à chacun. Cette histoire m'a rendu très très triste, mais elle nous a montré très clairement les difficultés qu'éprouvaient les Français à s'ouvrir vers l'extérieur, et surtout à *s'adapter au travail en groupe.* »

Dans le cadre du projet de l'Eurotunnel, malgré le nombre restreint de partenaires, Mr. Corbett a eu tout loisir d'approfondir les avatars de ce parti pris de spécificité. Ainsi dans cette société binationale, dont le siège est à Londres et qui pour équilibrer a choisi un président français, les principales difficultés rencontrées sont d'ordre administratif et non pas technique, contrairement à ce que l'on pouvait présupposer. En effet le siège étant à Londres, les documents sont d'abord rédigés en anglais, ce qui implique des difficultés considérables lorsqu'ils doivent être transmis à la direction parisienne, comme nous l'explique Mr. Corbett :

« Notre président, un ancien directeur de la Shell, ne supporte pas les traductions. Quand il en reçoit il se met colère et dit : " Je ne veux pas la traduction française de textes anglais ; *je veux des textes français.* "

« Il est vrai qu'en Angleterre on ne nous a pas enseigné la même rhétorique, la même présentation académique qu'en France. Les textes anglais sont donc conçus différemment. En ce sens il a raison de dire qu'un Français n'écrira jamais ainsi. Maintenant la question est de savoir si malgré tout la traduction est ou non utilisable par les Français et si les deux cent mille actionnaires français exigent systématiquement des textes rédigés par des Français. »

Le coût de l'opération, le retard pris dans la transmission des informations, l'archaïsme inhérent à cette démarche administrative n'ont semble-t-il pas été pris en compte par ce monsieur, qui en l'occurrence donne effectivement l'impression de vouloir surtout renforcer cette fameuse image de la « spécificité française » à travers la prédominance des Français sur les Britanniques. Mr. Corbett, très admiratif devant la compétence des ingénieurs français et même leur supériorité sur leurs collègues anglais, est cependant dérouté par ces exigences bureaucratiques.

« Cette spécificité française complique beaucoup les choses. C'est très irritant d'avoir à effectuer ces travaux supplémentaires. Mais au fond je suis certain que de son point de vue M. B. a raison dans sa volonté de présenter Eurotunnel aux actionnaires français, aux banquiers français, comme une société cent pour cent française. Cependant, dans un cas similaire, les Anglais réagiraient autrement, l'enseignement anglais étant loin d'être aussi rigide et académique, ce qui donne aux Anglais plus de souplesse vis-à-vis de tout ça. »

Cette manière d'évincer ou de minimiser le rôle des partenaires étrangers, dans un domaine où la collaboration est pourtant le principe unificateur de base, est une attitude française très caractéristique. Nombreux sont les étrangers qui y ont fait expressément allusion, et en particulier à propos de l'Airbus.

Les Allemands, également partenaires importants de cette opération, sont eux aussi indignés et exaspérés par la prétention des Français à tirer la couverture à eux, comme le fait remarquer Lothar Baier : « A chaque fois qu'Airbus Industries réussit à vendre quelques appareils aux États-Unis ou ailleurs, cela fait la une des journaux français qui titrent en première page " Grande victoire de l'aviation française ! " Comme de bien entendu, on oublie de spécifier la plupart du temps qu'il s'agit d'une réalisation européenne. »

Il y a quelques jours une société autrichienne a acheté sept ou huit Airbus 320. Le jour même j'entends sur France Inter : « Grand succès pour l'industrie aéronautique française. » C'est complètement ridicule :

● Ce n'est pas un avion national puisqu'il est fabriqué par un holding composé de quatre pays différents, dans lequel on retrouve à la fois des actionnaires privés et des actionnaires publics. Les moteurs d'Airbus sont fabriqués en Angleterre, la coque à Hambourg, d'autres pièces en Italie, quelques-unes en France et c'est effectivement à Toulouse qu'a lieu l'assemblage définitif. C'est un très bon exemple de coopération écologique et économique réussie à l'échelle ouest-européenne et c'est dommage que les Français l'oublient si facilement.

● Cela étant, il y a actuellement en RFA un débat très important autour de l'arrêt ou du maintien de la fabrication des Airbus. En effet, toutes les études de rentabilité réalisées depuis 1986 montrent qu'à cause de la chute du dollar la vente de chaque Airbus représente actuellement un déficit très important.

Le débat qui se poursuit depuis plusieurs mois dans le *Spiegel* porte sur le bien-fondé de poursuivre ou non cette fabrication. Dans la mesure où une firme privée est associée avec l'État allemand mais que les termes du contrat prévoient que si la fabrication d'Airbus est poursuivie, ce sera à l'État de débourser les sommes les plus importantes. En revanche, en cas de bénéfices, ceux-ci iront d'abord à la firme Tiristène devenue, à la suite de divers regroupements, le numéro un allemand de l'industrie d'aviation. Dans une telle optique on dit désormais un peu partout : « Puisqu'il existe des avions américains moins chers, pourquoi ne pas les acheter ? »

Par ailleurs, j'ai entendu des ingénieurs en organisation appartenant à de grandes sociétés américaines (comme MacKinsey, George Andersen, etc.), qui ont eu l'occasion d'effectuer des audits dans le cadre des sociétés européennes ou internationales constituées à partir de joint-ventures, mettre l'accent sur « la manière quasi inconsciente dont les Français tirent sytématiquement la couverture à eux, que ce soit à titre individuel ou collectif ». Dans certains cas ces comportements provoquent des dissensions telles que le divorce vient rapidement mettre un terme à ces mariages d'intérêt dont la réussite dépend de la bonne entente des partenaires.

Les avatars de la spécificité dans le secteur économique

Obsédée par ses idées de grandeur, la France a choisi dans divers domaines industriels la voie de la spécificité, avec l'espoir que l'originalité de son approche permettrait à ces produits de se démarquer rapidement des autres et de s'imposer par leur originalité. Cette stratégie téméraire, qui aurait dû avoir pour conséquence logique l'acquisition de positions de monopole dans les secteurs convoités, s'est plus d'une fois soldée par des échecs spectaculaires qui ternissent l'aura des performances réussies.

A la longue, il semblerait que ce parti pris systématique oblitère non seulement le rayonnement et la crédibilité de la France au lieu de les renforcer, mais surtout qu'il contribue à dévaloriser le label France. En effet, pour les étrangers, il ne fait aucun doute que les Français conçoivent des produits en ne pensant qu'aux consommateurs français, omettant trop souvent la nécessité de les adapter aux besoins et aux attentes des marchés étrangers.

Sans oublier les retards cumulés dans plusieurs secteurs techniques à la suite de cette stratégie qui procède à la fois de la mégalomanie et d'un protectionnisme à rebours. Cette attitude, très manifeste du temps de De Gaulle, ne s'est que partiellement relâchée depuis. Elle a contribué à isoler à maintes reprises l'industrie française et à lui fermer divers marchés étrangers.

Les étrangers citent à titre d'exemples négatifs : l'informatique avec le Plan calcul, la télévision avec le procédé Secam, les magnétoscopes avec le procédé VHS, les normes industrielles Afnor, le Minitel, déjà évoqué, et dont l'échec hors de l'Hexagone a suscité de nombreux quolibets dans la presse étrangère.

Qui a payé la note de l'informatique française ?

Si la France est l'un des pays développés où l'informatique a eu la pénétration la plus lente, c'est en particulier à cause du « Plan calcul pour une informatique française ». Le Plan calcul, en plus de lancer une industrie, avait comme objectif secret de créer une norme informatique nationale avec l'espoir que celle-ci deviendrait la norme européenne et pourrait, de ce fait, opposer un rempart efficace aux géants américains.

Les directives protectionnistes du ministère de l'Industrie ont surtout pénalisé le secteur public et en particulier le monde scientifique et universitaire qui s'est vu imposer du matériel français, sans que cette dotation résulte d'une étude des besoins réels.

A ce propos j'ai eu l'occasion de mettre en regard les témoignages de scientifiques étrangers avec ceux d'une population de scientifiques et d'universitaires français, interviewés longuement, dans le cadre d'une recherche que j'ai réalisée en 1986 pour le compte d'un grand nom de l'informatique mondiale. La plupart se plaignaient amèrement que l'équipement des centres de calcul résulte de décrets ministériels.

Dans certaines universités comme Grenoble où un matériel Bull avait été imposé d'office, les protestations ont été telles que les chercheurs ont été sanctionnés puis évincés de la décision.

Pour échapper au contrôle de l'État et à l'attribution de matériel Bull, la plupart des universités ont été contraintes de se « débrouiller ». Quelques-unes en ayant recours à des crédits régionaux. D'autres ont profité d'une opportunité imprévue pour obtenir du matériel américain en prétextant qu'il fallait d'urgence créer un centre de calcul non prévu dans les plans nationaux. Grâce à un vide de la tutelle, Orsay a ainsi réussi à être entièrement équipé en matériel américain, échappant ainsi à Bull dont à l'époque les chercheurs ne voulaient en aucun cas.

Mais c'est surtout à propos des ordinateurs personnels que l'administration fut la plus stricte et les doléances à l'égard du matériel français les plus nombreuses. Les utilisateurs jugeaient le matériel Logabax ou Goupil, issus du Plan calcul, lent, peu fiable, souvent défectueux et surtout avec des services de maintenance plus que défaillants. Bull, repris par Thomson et devenu le chef de file de l'informatique française, a aussi longtemps piétiné avant de donner satisfaction.

Si le Plan « informatique pour tous » est loin d'avoir suscité d'emblée l'enthousiasme escompté, c'est probablement en partie à cause de la qualité du matériel distribué à foison dans les universités et les établissements scolaires. Comme me l'a expliqué en rigolant un chercheur en mathématiques, Français celui-là et par ailleurs responsable du département informatique d'une grande université périphérique : « Il n'y avait vraiment pas de quoi pavoiser en recevant du jour au lendemain vingt ordinateurs d'un coup. Très vite on s'est aperçu que ce matériel était nul et que leur générosité cachait une triste réalité. A savoir qu'il fallait dix Goupils pour en avoir au moins un en état de marche. Ce qui veut dire qu'on n'en avait jamais plus de deux pour faire travailler cinquante étudiants. »

Pour toutes ces raisons et bien d'autres encore, le monde de la recherche mais aussi bon nombre d'utilisateurs privés ont toujours considéré le Plan calcul comme une aberration. Partir de décisions politiques pour développer autoritairement une industrie, même en lui injectant de gros crédits, donne rarement de bons résultats. La preuve en est que l'informatique française n'a pas tenu son pari, même si Thomson a effectué une remontée appréciable en termes de produits et de service commercial. Mais à quel prix disent les gens malintentionnés ?

Pour les scientifiques, cet argument est douteux, car la science est internationale et ce type de protectionnisme est incompatible avec l'idéal de la science et les progrès des scientifiques.

Donc sur ce point-là, les critiques formulées par les étrangers rencontrent une adhésion totale de la part des milieux scientifiques nationaux, ce qui montre bien qu'il y a des Français hostiles à cette politique de spécificité.

A propos du langage informatique cette fois-ci, je me contenterai de rapporter la déclaration du célèbre écrivain et humaniste italien Umberto Ecco interviewé en mai 1988 sur FR3, qui, lui aussi, ne pouvait s'empêcher d'ironiser sur cette fameuse spécificité[1] :

---

1. « Océaniques », mai 1988.

« Les Français ont créé un langage informatique spécifique, qui, paraît-il, est génial. Mais comme il est spécifique, ni les livres, ni les programmes d'informatique français ne sont compatibles avec les normes standard. Donc il est impossible de les utiliser hors de France. »

N'étant pas une spécialiste, j'ignore à quoi fait exactement allusion Umberto Ecco, mais j'ai relevé son propos simplement à cause de l'impact forcément négatif d'une telle remarque sur l'image de la technologie et des produits français. Car même si l'on démontre que la France a eu aussi raison dans certains de ses paris technologiques, il est cependant dommage que leur prestige soit entaché par cette image réductrice qu'est la référence à une spécificité hexagonale.

Halte aux dégâts !

L'opinion selon laquelle cette volonté de spécificité est de plus en plus préjudiciable aux intérêts de la France se retrouve également dans des propos d'experts scientifiques. Ainsi, dans le cadre d'une mission d'étude confiée à l'OCDE par le ministère de la Recherche portant sur la politique d'innovation en France, des experts étrangers ont insisté sur la nécessité impérative pour la recherche française d'abandonner ce parti pris de spécificité. Lors du débat de clôture, un intervenant belge a dit devant le ministre Hubert Curien : « Il faut accepter que la référence centrale d'une politique d'innovation soit européenne et non plus nationale [1]. »

En revanche, un expert allemand, directeur de recherche dans une société privée, s'est montré beaucoup plus prudent dans ses analyses, car lui n'imagine pas que des discours volontaristes puissent influer sur les mentalités : « Les caractéristiques des performances technologiques françaises correspondent à des traits typiquement nationaux, c'est sur ces points forts qu'il conviendra de s'appuyer si l'on veut modifier quelque peu le paysage de l'innovation en France. »

Autrement dit, l'innovation en France est si majoritairement dépendante de l'État qu'il paraît inconcevable, pour certains

------

1. OCDE, *la Politique d'innovation en France,* Economica, 1986.

étrangers, d'envisager que le privé réussisse à prendre le relais, même si le carcan étatique se relâche. Ainsi, ce mal de la France, « société par décret », dénoncé par nos éminents sociologues, est pour les étrangers un mal incurable qui doit être utilisé comme un moindre mal.

Jusqu'où iront-ils dans cet entêtement suicidaire ?

A côté de ces exemples connus de tous, il en est d'autres, plus ignorés du grand public, mais dont la presse étrangère s'est quelquefois fait l'écho lorsqu'il s'agissait une fois de plus de mettre à l'index la trop fameuse spécificité française.

Dans la mesure où plusieurs de ces exemples concernent l'industrie automobile qui, mis à part l'exploit de la 205 Peugeot, est un secteur qui s'exporte assez mal à l'étranger et en particulier en RFA, l'incident provoqué par Jacques Calvet[1] est d'autant plus regrettable pour l'image de la France.

Écoutons André Moog, Alsacien par son père et Allemand par sa mère, qui a choisi Strasbourg comme plaque tournante de son activité de conseil en recrutement.

Dans le domaine de la coopération franco-allemande, il aide les entreprises allemandes qui veulent créer des filières en France à trouver des cadres français, au même titre qu'il conseille les patrons français qui veulent développer des filières en République fédérale et les aide à sélectionner des collaborateurs allemands.

Avant même de noter le profil du collaborateur recherché par les entreprises françaises qui le sollicitent, André Moog tient au préalable à les informer d'un certain nombre de règles indispensables à connaître au préalable. Mais c'est souvent en pure perte, puisque ensuite il reçoit les doléances de sociétés qui se plaignent du mauvais rendement d'un directeur de filiale dont les performances, dans le cadre d'entreprises allemandes, passaient pour remarquables.

Le cadre allemand attire généralement l'attention de la société française sur la nécessité impérative d'introduire divers amé-

---

1. Refusant la réglementation européenne concernant les pots catalytiques, il avait demandé à son ministre d'intervenir.

nagements dans la présentation des produits afin de les rendre plus adaptés aux attentes du marché allemand. Malheureusement ces conseils sont le plus souvent rejetés d'office, et l'association tourne à la catastrophe.

« Les Français ont trop d'idées préconçues pour aborder les marchés étrangers. Ils partent du principe que leurs produits, que ce soit des chaussures, du fromage, ou des voitures, sont les meilleurs du monde. Ils ne peuvent pas imaginer que les étrangers les rejettent.

« C'est en partant de ce principe que Renault a échoué dans sa tentative d'imposer la R 25 en RFA (et deux décennies plus tôt dans sa tentative d'implantation aux États-Unis).

« De leur point de vue il s'agissait d'une excellente voiture : grande, spacieuse, techniquement évoluée, une sécurité active extraordinaire et, par-dessus le marché, hyper-équipée. Les commerciaux de Renault étaient persuadés qu'en terme de rapport qualité-prix, pas un modèle allemand n'arrivait à la cheville de la R 25.

« Ils ont donc jugé superflu de faire une étude de contrôle préalable auprès des consommateurs allemands. Pourtant ils auraient dû savoir que les mentalités sont différentes et les besoins également. Ils ont aussi oublié que les Allemands sont un peuple grégaire qui n'aime que les choses solides et durables.

« Les voitures qui se vendent en RFA sont des modèles costauds, étudiés pour résister à un climat rude : tôle galvanisée recouverte de dix couches de peinture pour supporter le gel et la neige plusieurs mois d'affilée. En contrepartie, les Allemands n'attendent pas qu'une voiture soit équipée de vitres électriques, toit ouvrant, compteurs électroniques et autres gadgets exclusivement vendus en option même sur des modèles de luxe.

« BMW fait un malheur en France parce que tous ses modèles d'exportation sont vendus équipés de différents gadgets électriques et électroniques qui ici sont indissociables des modèles haut de gamme.

« De la même façon, Siemens fabrique une gamme d'électroménager spécialement adaptée au goût et au style des cuisines françaises. Cela va bien au-delà du respect des normes, puisqu'ils acceptent même de modifier les chaînes de fabrication pour sortir des produits conformes aux attentes du marché, ce à quoi le

Français se refuse par principe au même titre qu'à la perspective de modifier une chaîne de production.

« En d'autres termes, les entreprises françaises qui réussissent à l'étranger sont uniquement celles qui ont accepté d'adapter complètement leurs produits en terme de packaging, mode d'emploi, etc., aux caractéristiques du marché étranger. En revanche, ceux qui pensent qu'ils peuvent imposer leurs produits tels quels échouent immanquablement. A l'exception des produits de luxe type Dupont, Hermès ou Vuitton.

« Je dois à chaque fois expliquer cette démarche aux Français qui me demandent de leur recruter des collaborateurs en Allemagne. Je leur précise que, s'ils ne respectent pas ces règles, même le meilleur directeur commercial du monde ne pourra rien pour eux. »

La réussite mondiale d'un groupe alimentaire comme BSN ou d'un groupe cosmétique comme L'Oréal confirme tout à fait cette analyse. En effet, selon les pays, les produits commercialisés changent sensiblement. Pour les yaourts on modifiera les contenances ou les dosages en sucre, au même titre que la publicité qui s'adapte chaque fois aux mœurs du pays.

Si certaines grandes sociétés françaises ont depuis longtemps compris la nécessité de faire preuve de souplesse commerciale, d'autres font encore preuve d'une rigidité consternante, comme le démontre l'exemple suivant cité par un informateur qui préfère rester anonyme.

La société X, spécialisée dans les accessoires auto, fait partie d'un grand groupe français. Récemment elle a essayé de commercialiser en RFA des essuie-glaces. Elle choisit donc un distributeur allemand qui lui conseille aussitôt de modifier son packaging. En effet, alors qu'en France les essuie-glaces sont vendus à l'unité, ils le sont toujours par paire, de l'autre côté du Rhin, les automobilistes allemands moins économes que les français préférant, par mesure de sécurité, changer les deux à la fois. La direction française envoie le distributeur allemand sur les roses en lui disant qu'il s'agit là d'un détail sans importance. Ces essuie-glaces se vendant très mal, ils recherchent aujourd'hui un autre distributeur mais ne veulent toujours pas modifier leur packaging...

De tels exemples, on m'en a raconté des dizaines ! Parfois

l'histoire se déroule aux États-Unis où l'importateur français s'en va présenter son produit en omettant délibérément, par souci d'économie, d'ajouter un mode d'emploi en anglais ou de proposer un tableau de conversion entre normes françaises et américaines. Les mauvais résultats des PME et PMI françaises à l'exportation n'ont, selon les observateurs étrangers, pas d'autres causes que l'entêtement d'industriels qui refusent de prendre en compte les règles du jeu de l'export. Échaudés par un insuccès dont ils refusent d'assumer la responsabilité, ils font le serment à leur retour en France de ne plus jamais s'aventurer en dehors de l'Hexagone.

Il serait bon de leur faire méditer cette phrase de François Michelin en réponse à un journaliste étranger qui le complimentait de posséder la « meilleure image d'entreprise française » et qui a aussitôt interrompu le journaliste en lui disant : « Il y a un mot de trop dans votre phrase, c'est le mot " français ". »

On peut se demander comment un homme de la trempe de François Michelin a réagi à l'affaire Calvet-Peugeot, qui a défrayé la chronique hors de nos frontières à propos d'un pot d'échappement catalytique, accepté par tous les fabricants européens à l'exception de la France.

En effet, en septembre 1988, la Commission européenne avait voté un décret relatif à l'obligation d'adopter le principe du pot catalytique pour tous les véhicules fabriqués en Europe. Ceci dans le cadre de mesures anti-pollution. Le refus du P-DG de Peugeot a suscité beaucoup de commentaires indignés parmi les observateurs étrangers. La plupart furent extrêmement choqués, d'une part en voyant un industriel faire plier un ministre écologiste, solidaire par son vote de cette mesure, d'autre part de constater que par cette dérogation exceptionnelle, la France, une fois de plus, se démarquait des autres. Jacques Calvet a eu beau prétendre lors de l'émission « L'Heure de vérité » que ce « détail » serait rapidement oublié et n'interférerait que de façon infinitésimale sur les ventes de Peugeot à l'exportation (ce qui reste à vérifier), il n'en demeure pas moins qu'une telle attitude contribue à rendre l'image des Français impopulaire. Surtout, elle confirme aux yeux des étrangers combien cette fameuse spécificité française demeure irréductible.

A chaque fois la France croit que grâce à la qualité technique de ses produits elle saura imposer ses standards et ses matériels sur les marchés étrangers, malheureusement l'expérience répétée montre qu'elle s'est toujours trompée dans cette sorte d'analyse.

Critiques malintentionnées ou vérités dures à entendre ?

On peut s'interroger bien sûr, et des lecteurs irrités ne manqueront pas de le faire, sur le bien-fondé de toutes ces attaques et surtout sur ce qui se cache derrière.

Dans quelle mesure ne dissimulent-elles pas de l'envie, de la jalousie, à l'égard d'une nation qui effectivement n'est plus qu'une moyenne puissance mais dispose cependant d'une haute technologie performante qui, en dépit des critiques, suscite une admiration indéniable ?

Admettons que la France vive sur une image périmée de son rôle dans le monde, il n'en demeure pas moins que c'est grâce à sa technologie qu'elle a pu changer d'image, et que les sempiternels clichés sur le *Gay Paris,* les parfums, la haute couture et la gastronomie ont été relégués au second plan pour donner place à une image d'une autre stature.

C'est vrai qu'une France qui produit des ingénieurs dont tous les pays reconnaissent le haut niveau de compétence est une nation qui se démarque du cliché relatif au Français, brillant touche-à-tout superficiel, qu'on imaginait jadis complètement étranger à l'univers austère de la technique.

Curieux également qu'une seule personne seulement ait cru bon de mentionner que l'erreur commerciale du Concorde a été contrebalancée par la progression indéniable de toute l'aéronautique française, tant civile que militaire. Encore que les étrangers, Américains en tête, ont rendu hommage à notre aéronautique. Aucun d'entre eux n'ignore que les garde-côtes américains sont équipés d'avions Dassault.

Les Européens apprécient aussi qu'en unissant leurs compétences et leurs moyens ils ont pu mettre au point un avion assez performant pour concurrencer efficacement le monopole de Boeing.

Dommage que tous nos censeurs si occupés à critiquer n'aient pas songé au fait que certains des grands projets étaient également source d'emplois. Et qu'un pays peut avoir d'autres ambitions que des rêves d'épicier. Étant donné le style de certaines remarques, on pourrait également conclure que les étrangers ne nous aiment guère, ou tout au moins que notre suffisance les irrite au point de les rendre injustes.

En essayant d'être objective, je dirai qu'il y a un peu de tout cela, assaisonné indéniablement de beaucoup d'irritation suscitée par trop de cocoricos triomphants. De plus les réactions d'agressivité sont parfois accentuées par cette manie si spécifiquement française de s'approprier ce qui est la création d'une équipe. En l'occurrence l'Airbus ou Ariane présentés systématiquement comme des succès français alors qu'il s'agit de réalisations cent pour cent européennes.

La conclusion de tout cela c'est que les journalistes étrangers n'éprouvent guère l'envie de nous ménager, comme le prouve cet article d'un Suisse, Claude Müller, qui après avoir quitté son poste de correspondant à Paris a commis un long article pour faire en quelque sorte le bilan d'une expérience française qui s'est prolongée sur plusieurs années. On pouvait *a priori* imaginer qu'un regard suisse se devait d'être plus distancié et partant de là serait plus aimable, car moins impliqué que ceux de nos partenaires rivaux européens. Manque de chance, il est très représentatif, dans sa sévérité, de ce qui s'écrit sur nous un peu partout dans le monde.

Quant à l'argument de la jalousie que j'évoquais plus haut comme l'une des causes possibles de l'agressivité des étrangers à notre égard, voilà qu'un Suisse nous le renvoie sans le moindre ménagement.

Ainsi, ce serait la France qui, envieuse et dépitée des succès de ses voisins, profiterait de sa position privilégiée en Afrique pour s'attribuer prestige et puissance, face à ses partenaires européens et en particulier la RFA dont elle ressent le succès économique comme une irritante provocation.

« L'existence d'une zone francophone et le statut de puissance nucléaire ne sont que poudre aux yeux masquant les symptômes du déclin, malgré le sursaut gaulliste. [...] Mis à part quelques prouesses technologiques ou autres, la baisse de compétitivité générale se confirme. Dans des périodes marquées par un certain immobilisme, la société française, encore très agricole [...],

122

accumule les déficits commerciaux. Une autosuffisance bourgeoise aux allures monarchiques, associée à l'arrogance sans borne d'une énarchie repliée sur elle-même condamnent le pays au recul économique. Quant à ses objectifs militaires de moyenne *grande puissance,* la France voit ses ambitions s'effriter progressivement devant les difficultés croissantes à maintenir à la fois un armement nucléaire moderne et une défense conventionnelle suffisante [1]. »

_____

1. *Neue Zürcher Zeitung* du 5 novembre 1988.

Chapitre IV

LE SYNDROME DE L'HEXAGONE

Un monde en vase clos

Au départ, j'imagine que le terme « Hexagone » servait surtout à faire référence à la forme de la carte de France qu'on peut inscrire dans un hexagone. Il est vrai que la France ressemble au moins autant à une figure géométrique à six côtés que l'Italie ressemble à une botte. Progressivement le sens de ce mot s'est à l'usage transformé.

Désormais il désigne surtout une caractéristique essentielle de la mentalité française. A savoir un comportement casanier, frileux, qui se manifeste essentiellement par un rejet de l'exogamie, sous toutes ses formes. Si l'on considère le terme « exogamie », qui à l'origine désigne une coutume selon laquelle les mariages se font entre les membres de clans différents, ce qui implique une démarche vers le dehors, l'extérieur, il est évident qu'en le prenant dans une signification élargie il ne caractérise absolument pas la mentalité française.

En effet, nos concitoyens présentent presque tous ce même travers : refus d'aller au-dehors et d'accueillir facilement ce qui vient du dehors.

Par extension, on perçoit, à travers ce refus, une sorte d'allergie à ce qui est étranger. Du moins est-ce ainsi que les étrangers perçoivent dans maintes occasions nos concitoyens.

Cet idéal de vie en vase clos, ce manque de curiosité et de tolérance se traduit, d'abord, dans l'attitude des Français à l'égard de ceux qui ne maîtrisent pas totalement leur langue.

Lorsqu'on voyage à l'étranger et que l'on fait l'effort minimum d'apprendre quelques mots usuels pour se débrouiller dans le pays visité, on est toujours surpris par la gentillesse dont font preuve les étrangers vis-à-vis de ceux qui s'essaient tant bien que mal de s'exprimer dans leur langue. Tout effort, aussi maladroit soit-il, est immédiatement gratifié par des encouragements souriants. Très vite, les étrangers nous complimentent sur notre aisance à parler leur langue alors qu'en réalité nous n'en connaissons que les rudiments prononcés de façon approximative. Au point qu'il nous arrive parfois d'être gênés par leurs louanges et d'assimiler leur gentillesse à de l'hypocrisie calculée. En réalité, il ne s'agit que de tolérance et de curiosité à l'égard de ceux qui viennent du dehors.

L'altérité n'est pas une caractéristique qui les effraie.

C'est la raison pour laquelle les mêmes étrangers qui débarquent en France sont d'emblée si surpris et déroutés par l'accueil qui leur est fait et mettent parfois si longtemps à en comprendre les tenants et les aboutissants.

Leur étonnement ne ferait que croître s'ils apprenaient que le français vient seulement au septième rang des langues les plus parlées dans le monde, autrement dit loin derrière l'anglais, l'espagnol et même l'allemand. Néanmoins les Français, sans reléguer l'apprentissage des langues étrangères dans le domaine des matières facultatives, ne leur accordent encore aujourd'hui qu'une importance mineure. Alors que la plupart de nos partenaires européens, à l'exception des Anglais, sont trilingues, les Français qui parlent et écrivent couramment l'anglais ou une autre langue étrangère sont encore rares. Il est vrai que nos méthodes en ce domaine sont jugées déplorables.

Même parmi ceux qui ont une assez bonne connaissance livresque d'une autre langue, nombreux sont ceux qui par honte de leur prononciation n'osent pas parler. Sans compter tous ces Français qui se font un point d'honneur de franciser à outrance tous les mots étrangers, comme l'écrivain Pierre Combescot, interviewé sur France Culture et qui mentionna un opéra de Wagner, en prononçant « L'eau en grain » ou bien « Lo en grin » qui est la traduction phonétique de *Lohengrin*. Et quand la journaliste, interloquée, lui demanda de répéter, sûr de son bon droit, Combescot repartit « Lo en grin ! »

Forme d'humour qui n'a pas eu l'heur de séduire les étrangers qui ont mentionné cette anecdote exemplaire.

1. AU NOM DE LA LANGUE !

A chaque pays son code d'intégration

Combien de fois, débarquant à Kennedy Airport, j'ai été frappée par un détail qui a pu passer inaperçu de certains ou leur apparaître trop anodin pour les faire réfléchir plus avant, mais qui, pour moi, a pris une importance singulière : une file d'attente bigarrée, composée d'une multitude d'individus silencieux, alignés dans un ordre impeccable, alors qu'il n'y a ni chicane, ni barrière d'aucune sorte pour canaliser la foule et qu'aucun adjudant n'est présent pour imposer cette discipline. En se rapprochant, on s'aperçoit que ces individus sont ainsi pétrifiés devant fort peu de chose : un simple marquage sur le sol. Il s'agit, en tout et pour tout, d'un trait continu blanc ou jaune qui semble délimiter une zone vide, une sorte de no man's land.

Dans cette symbolique universelle, où l'image d'un homme derrière des barreaux signifie la même chose dans tous les pays du monde, cet espace vide a quelque chose d'impressionnant. Il s'étend sur quelques mètres et sépare les box vitrés où officient les agents de l'immigration de la masse des voyageurs qui attendent d'être admis à pénétrer officiellement sur le sol américain. Mais avant d'avoir été autorisés à le faire, il leur est formellement interdit de transgresser cette ligne. Celui qui s'y risque par un mouvement d'impatience machinale du pied est aussitôt brutalement rappelé à l'ordre par l'un des policiers postés près de chaque guérite. On ne sera enfin autorisé à la franchir que lorsque l'officier d'immigration en uniforme en aura terminé avec le voyageur qui vous précède.

Dès mon premier séjour, j'ai perçu d'une manière fulgurante l'importance de ce signe, bien qu'il m'ait fallu réfléchir un certain temps pour percevoir l'intégralité du message dissimulé derrière cette expression symbolique. D'emblée, je pressentais que cette espèce de clé posée à cet endroit frontière fonctionnait comme un signal, un avertissement destiné à faire comprendre aux nouveaux arrivants les grands principes de la nation américaine. Manière de les avertir que ce pays était prêt à les accueillir et à leur donner une chance, à condition qu'ils en respectent les règles et les lois.

Pays neuf, pays constitué d'émigrants, souvent d'origine très humble, donc pays obligé de recourir à des symboles forts car immédiatement perceptibles par des gens de toutes origines, de toutes cultures, l'Amérique pragmatique sait qu'un symbole, pour être compris et intériorisé instantanément, doit fonctionner comme une espèce de moule qui s'imprimerait automatiquement dans la chair et l'esprit de tout voyageur. Elle se devait donc d'inventer un symbole accessible à la fois par une compréhension de l'esprit et une mise en situation du corps dans l'espace, c'est-à-dire un artifice qui ne se limite pas à un message visuel mémorisé par l'esprit.

Ce rituel autour d'un trait sur le sol représente pour moi le sésame qui résume le mieux ce code dont chaque pays possède probablement sa variante. C'est ce code qu'il faut découvrir et apprendre à maîtriser pour s'intégrer quelque part. Parfois le code est complexe, parfois il est d'une simplicité enfantine.

De mon point de vue le message de l'Amérique est simple, direct et se caractérise par une relative brutalité. Mais un pays démocratique n'a pas besoin d'être un pays mou où la loi vous prend en traître.

A l'inverse des États-Unis, la France est un vieux pays, qui malgré sa tradition d'accueil n'a été confronté que tardivement à des arrivées de population massives que la nation se devait d'intégrer rapidement. Donc la France n'a jamais eu à réfléchir sur l'utilité de ce type de symbolique et a maintenu, à l'égard des étrangers, une espèce de code implicite fondé sur le lent apprentissage des divers us et coutumes. Par ailleurs, l'hospitalité escomptée de la France, durant des siècles, avait plutôt un caractère temporaire et individuel. Même si la France a reçu des Polonais, des Italiens, des Espagnols en nombre, il y eut rarement, jusqu'à ces dernières années, des cohortes d'émigrants qui se bousculaient aux frontières. Pendant longtemps, le gros de nos visiteurs se composait de la *jet set* cosmopolite de l'époque, population composée d'aristocrates, de bourgeois, d'intellectuels, de réfugiés politiques, bref une population haut de gamme qui n'avait pas à se sentir dépaysée.

En effet, ces catégories sociales disposaient souvent, sans le savoir, de cette clé indispensable pour pénétrer la société française, à savoir une bonne connaissance de la langue.

Un sésame réservé aux seuls initiés

Il est vrai qu'à l'époque notre langue avait un tout autre statut qu'aujourd'hui. Le français était la langue la plus parlée d'Europe, la langue de la diplomatie et d'une certaine élite. Comme me le fait remarquer Me Morera, avocat milanais, la soixantaine énergique, partenaire d'un cabinet international dont le siège est à Paris, et qui conseille des hommes d'affaires italiens désireux d'investir en France : « D'après moi le français représente aujourd'hui ce que le grec ancien représentait jadis. De même l'anglais remplace le latin. Jadis tous les échanges se faisaient en latin et seuls les gens cultivés connaissaient le grec. Maintenant tous les échanges commerciaux, diplomatiques, scientifiques ont lieu en anglais et le français reste réservé aux gens cultivés. »

Me Morera a mille fois raison par le biais de cette métaphore de souffler aux Français que leur combat pour le maintien du français comme langue officielle, au même titre que leur combat contre l'hégémonie de l'anglais, est un combat perdu d'avance, dont ils sont, d'ailleurs, les seuls à pâtir. Un journaliste danois[1] a consacré un article long et très pertinent à ce thème dont voici quelques extraits révélateurs :

« Jadis au Danemark il n'était pas rare que les familles fortunées envoient leurs enfants en France pendant une année pour acquérir une teinture de culture et de langue françaises. De même le français a été aux XVIIe, XVIIIe et XIXe siècles la langue de culture, et les écrivains danois étaient particulièrement imprégnés de culture française. Un poète danois, Christian Wilster, a d'ailleurs précisé avec humour, dans un texte daté de 1827, la meilleure manière d'utiliser chaque langue.

« Tout homme qui avec intelligence approfondissait sa culture ne pouvait écrire qu'en latin. Il parlait français avec les femmes, allemand avec son chien, danois avec ses serviteurs. Le français

---

1. Niels Levinsen, correspondant du *Jyllands Posten,* 2 mars 1987, in *les Français à la une,* La Découverte.

est une langue pour diplomates parce qu'il permet, tout à la fois, d'exprimer les choses clairement et de rester en dehors de la question... »

Que cela nous plaise ou non, dans le cadre du tourisme de masse et des grands mouvements de transhumance, comme dans les colloques scientifiques, une seule langue représente un sésame universel : l'anglais. Le français a cessé, depuis longtemps, d'être un *must,* ce que nos concitoyens semblent encore ignorer. Sinon comment expliquer une telle intolérance à l'égard de tous ceux qui ne parlent pas notre langue à la perfection. C'est pour cela, et rien d'autre, que les touristes de passage trouvent les Français si peu serviables et ne veulent plus revenir. En revanche, les résidents qui ont réussi à franchir les différents obstacles de la langue s'y sentent de mieux en mieux.

Ainsi, chaque étranger, à travers son expérience, a pu constater qu'en France la maîtrise de la langue représentait un principe fondamental d'exclusion ou d'intégration et que cette même dimension linguistique est non seulement une composante indéniable de la xénophobie française, mais aussi son expression inconsciente la plus patente.

On peut vivre aux États-Unis, y travailler, faire fortune, enseigner et devenir célèbre même en publiant des livres dans une langue étrangère (comme Isaac Bashevis Singer qui a toujours écrit en yiddish), et, comble du comble, se revendiquer américain sans jamais parler l'anglais ou à peine alors qu'en France un tel cas de figure est rigoureusement impensable ou tient de l'exception.

Les étrangers naturalisés qui conservent un fort accent ne sont pas reconnus comme français par l'homme de la rue.

Du bon usage de la langue

Ici, et cela fait partie de notre spécificité, le respect de la langue, l'amour de la langue et du beau langage, le goût de la rhétorique imprègnent toute la culture française classique, celle qui figure dans les grands auteurs et continue à être enseignée dans les écoles.

Ainsi les étrangers sont fort surpris de constater que dès l'école primaire l'apprentissage de poèmes par cœur demeure encore une pratique courante. Pays profondément marqué par la culture latine, la France a conservé la tradition des grands orateurs et des textes bien balancés, déclamés avec emphase, dans la grande tradition de l'éloquence classique.

Les étrangers sont toujours fort étonnés par le style très académique et pompeux qui caractérise le discours de nos hommes politiques.

Ce style, émaillé de citations littéraires et de grandes métaphores lyriques, surprend d'autant plus qu'il est peu pratiqué par les hommes politiques des pays de l'Europe du Nord ou des pays anglo-saxons. Au même titre que notre goût prononcé pour le faste et les dorures, il relève, pour nos observateurs, de l'univers un peu poussiéreux de nos spécificités culturelles. De ce fait, ils traitent nos « élites » chez qui ce travers est le plus développé de « beaux parleurs », discourant souvent pour ne rien dire, si ce n'est le simple plaisir de « s'écouter parler », travers très répandu chez nous.

Ainsi, nos présidents de la République et même nos ministres font étalage de culture littéraire et surtout se vantent d'une vocation d'écrivain, malheureusement contrariée par leur engagement politique. Un certain nombre ont d'ailleurs publié des ouvrages à prétention littéraire. Comme si mentionner ce talent devait contribuer à les rendre à la fois plus populaires, plus sympathiques, plus dignes de la haute fonction qu'ils occupent ou rêvent de conquérir.

Le journaliste Ulrich Wickert, dans son livre sur la France[1], développe longuement ce thème qu'il a aussi évoqué dans notre entretien. Selon lui, cette dictature du beau langage policé est partie intégrante du mal français, dans la mesure où elle va de pair avec un formalisme qui sclérose la créativité dans différents domaines, et en particulier dans la culture. Il déplore ce culte imposé par la dictature des professeurs et des intellectuels enfermés dans une vision dépassée de la culture et de la vie : « En Allemagne, les différents dialectes subsistent, en plus de l'allemand. Les gens parlent aussi une ou deux langues étrangères... Mais ils s'expriment avec sobriété. Même s'ils font des fautes de syntaxe, ce n'est pas dramatique ; les journalistes allemands

---

1. *Frankreich, Die Wunderbare Illusion*, Hoffmann und Campe.

s'amusent seulement à relever les fautes commises par le chancelier Kohl.

« Ici, ce qui compte, c'est le langage policé parce que la maîtrise parfaite de la langue confère l'autorité suprême. Pendant les deux ans de la cohabitation, Mitterrand a exprimé l'exercice du pouvoir par le verbe. En France, tous les présidents ont été des hommes de discours dont on admirait le style, le langage... »

Bref, nous parlons tous un langage si châtié, nous sommes à ce point amoureux de notre langue que quelques étrangers y verraient presque des circonstances atténuantes à notre intolérance à l'égard de ces ignorants qui nous font l'affront de ne pas la parler comme il se doit. D'une façon générale, la plupart des observateurs étrangers ont fort bien compris à quel point la maîtrise de la langue jouait ici un rôle capital dans le processus d'intégration des étrangers. Ce qui ne les empêche pas de juger l'intolérance qui se cache sous l'alibi de la langue comme un reflet de l'hexagonalité dans sa forme la plus archaïque.

De l'hexagonalité à la xénophobie, il n'y a qu'un pas

C'est du moins le constat qui s'impose lorsqu'on débarque sans bien parler la langue. Pas besoin pour s'en convaincre de ressembler à un Maghrébin ou à tout autre spécimen de travailleur émigré. D'une certaine façon, toute personne qui parle mal est presque inconsciemment assimilée à un sous-spécimen d'humanité, un métèque, dont la présence suscite la suspicion. Peut-être est-ce la raison pour laquelle les Français mettent si longtemps avant d'inviter des étrangers chez eux. Une période probatoire étant indispensable pour les rassurer quant au statut exact de l'étranger.

A vrai dire, la méfiance est vraiment partie intégrante de la mentalité locale. Japonais, Américains, Allemands, Italiens débarquant pour la première fois à Paris ont presque tous vécu la même expérience. A savoir un accueil distant, compassé, accompagné d'une espèce de mise à l'écart qui persiste aussi longtemps qu'il parlent un langage tâtonnant et rudimentaire. Dans la rue, les magasins, des gens agressifs qui ne veulent pas faire d'effort pour les comprendre. Curieusement, ceci est surtout flagrant à Paris. Les provinciaux, même s'ils sont tout aussi méfiants, si ce n'est davantage, sont cependant plus aimables, plus disponibles pour donner un renseignement, dans la mesure où ils sont moins stressés.

Néanmoins, à l'usage, les Français se révèlent parfois charmants, hospitaliers et conviviaux, fidèles et dévoués en amitié, surtout lorsque l'étranger s'exprime avec plus d'aisance. Dès l'instant où celui-ci commence à perdre sa spécificité, donnant l'impression d'avoir assimilé la culture, le code social local, presque tout entier circonscrit par la langue, les barrières disparaissent enfin.

Les étrangers interprètent cette attitude comme révélatrice d'un manque de curiosité teinté d'intolérance à l'égard des autres cultures et des autres nationalités. C'est aussi la preuve d'une mentalité restée très hexagonale.

D'une façon générale, ils considèrent que les Français n'appartiennent pas à la race des grands voyageurs, qu'ils s'expatrient peu et mal. Si, depuis quelques années, le pourcentage de Français qui se risquent à partir en vacances hors de l'Hexagone augmente, c'est aussi, le plus souvent, pour se blottir dans une oasis française à l'étranger (type Club Méditerranée), formule qui réduit au minimum le stress lié au dépaysement et où l'obligation de parler une autre langue est abolie. Bref, rien ne prépare mentalement les Français à s'imaginer dans la peau d'un Japonais, d'un Américain et même d'un Italien qui a étudié le français dans son pays, mais manque encore de pratique et utilise un langage maladroit.

Pourtant les Français, qui ont la réputation de ne pas être doués pour les langues étrangères, d'être particulièrement réfractaires à l'apprentissage des prononciations, devraient faire preuve d'indulgence. On pouvait imaginer que leur handicap personnel les inciterait à plus de tolérance et patience avec les étrangers qui ne parlent encore qu'imparfaitement notre langue mais font preuve d'une évidente bonne volonté. Apparemment, la cohérence des témoignages recueillis montre que c'est loin d'être toujours le cas, et que, fort de sa supériorité langagière à l'intérieur de ses frontières, le Français en profite plutôt pour en faire un critère de discrimination.

C'est en effet à travers leur intolérance à l'égard de ceux qui « baragouinent » mal la langue que se manifeste le premier stade de la xénophobie des Français. La discrimination introduite par la barrière de la langue frappe tous les étrangers, sans exception, qu'ils viennent de pays riches comme l'Amérique ou le Japon, ou de pays en voie de développement comme le Maghreb ou les États africains.

En conséquence, cette xénophobie, qui est plutôt culturelle, est rarement assimilée au véritable racisme, même si parfois la presse fait état de discrimination voire de bavures policières à l'égard de Maghrébins ou autres basanés. Les quinze pour cent de Jean-Marie Le Pen à l'élection présidentielle de 1988 ont pour les interviewés d'autres causes que le racisme français, même si celui-ci n'est pas à négliger. En effet, beaucoup d'entre eux admirent le côté cosmopolite de la France, en particulier Paris et ses foules bigarrées, en même temps que l'absence de ghettos.

De ce point de vue, l'égalitarisme, principe fondateur, paraît ne pas trop mal fonctionner. Il n'empêche, la France restant un pays hiérarchisé, élitiste, une méconnaissance de la langue est toujours synonyme de position d'infériorité et fonctionne sur un principe d'exclusion, alors qu'une bonne maîtrise du même instrument représente un véritable passeport pour pénétrer dans la société française et, en ce qui concerne les autochtones, pour accéder aux hautes sphères.

En tout cas, c'est ce qui découle de nombreux témoignages, tel celui de Hideko Tsubota, une très charmante Japonaise de trente-neuf ans, directrice artistique dans une grande agence de packaging, vivant en France depuis bientôt dix ans, et qui parle un français remarquable. Bien qu'elle ait étudié la littérature française au Japon, Hideko a pourtant connu bien des déboires lors de son arrivée en France. « Au début les gens étaient vraiment agressifs, dès que je demandais un renseignement. Un jour, j'avais perdu mes clés et j'ai appelé SOS, mais comme j'étais paniquée, j'ai dû mal m'exprimer ou mal prononcer certains mots, et la standardiste devenue impatiente m'a carrément raccroché au nez. »

Un rite d'initiation d'une subtilité machiavélique

Les étrangers découvrent aussi, après coup, qu'une bonne syntaxe et un bon vocabulaire de base ne suffisent pas pour établir des relations de connivence et d'intimité avec les Français. Le code d'initiation est beaucoup plus subtil qu'il n'y paraît au départ, et passe obligatoirement par l'apprentissage d'une langue bien plus ésotérique que celle codifiée par l'Académie française. En réalité, on ne devient vraiment copain et complice avec des Français que lorsqu'on accède enfin à une langue qui est, en partie, le reflet d'une sur-culture, et où gravitent une constellation d'abréviations et de tournures grammaticales peu orthodoxes.

Isoumi Sassano, la trentaine jeune, chef de produit vidéo chez Sony-France, possédait, lui aussi, de sérieux rudiments quand il est entré à l'Essec pour compléter, par une formation française, des études commerciales effectuées à l'université de Tokyo. Il se souvient avoir eu très peu de contacts au début de l'année scolaire. Seul un petit groupe lui a témoigné sympathie et intérêt, mais sans faire beaucoup d'efforts pour l'intégrer dans ses discussions. Leurs relations se sont vraiment améliorées le jour où Isoumi assis avec quelques copains à une terrasse de café a tout compris de cette phrase énigmatique : « Vise la super-nana dans la bagnole décapotable, mais le mec il casse pas des briques. »

« Maintenant, après cinq ans je n'ai plus aucun mal à avoir de bonnes relations avec les Français, parce que je parle argot, j'emploie les mêmes gros mots. Mais spontanément les Français ne sont pas ouverts, et sont d'un abord difficile. A l'Essec, sur cent étudiants, il n'y en a eu que cinq ou six qui ont été assez ouverts pour m'approcher et accepter de répondre aux questions que je posais dans un mauvais français, ou m'aider quand, dans un cours, j'étais perdu. Au Japon, tout le monde essaie d'aider les étudiants américains. Aux États-Unis, on s'en fout, il y a beaucoup d'Américains qui parlent mal l'anglais et ça n'a pas l'air de déranger les gens. »

Un combat d'arrière-garde contre le franglais

A travers ce purisme excessif, la France révèle son manque d'ouverture et la rigidité de ses mentalités. C'est comme si les Français, à quelques mois de l'Europe, restaient figés sur des principes d'une autre époque, d'où leur résistance à l'égard des anglicismes. Allemands, Italiens ou Américains font remarquer qu'ils ont depuis longtemps intégré des termes français ou d'une autre origine, et que leur langue n'a pas pour autant disparu, et ne s'est pas bâtardisée au point de devenir une langue en perdition. Au contraire, chacune s'est renouvelée et enrichie à travers ces emprunts divers. Même les Anglais, inféodés à l'hégémonie de l'américain, acceptent ce métissage inévitable sans protester.

Pour les étrangers, ces combats frénétiques pour la préservation du français, pour lesquels même des ministres montent au créneau en légiférant contre l'emploi d'une terminologie anglaise dans la langue écrite, au même titre que le parti pris systématique de l'Académie française de trouver des équivalents français à des termes techniques mondialement connus et utilisés dans tous les colloques internationaux, sont ressentis comme une attitude de protectionnisme complètement désuète, dépassée et néfaste.

De même, l'activisme déployé tous azimuts pour conserver au français un rôle à part dans les négociations officielles apparaît également comme un combat d'arrière-garde perdu d'avance.

Par ailleurs, et ceci est plus grave, le parti pris de maintenir le français à l'écart d'influences linguistiques impures en l'empêchant d'absorber le vocabulaire scientifique américain a des conséquences fâcheuses pour ne pas dire désastreuses pour le monde scientifique français. D'une façon générale, cela renforce la marginalisation de notre communauté scientifique qui, déjà très handicapée par sa mauvaise connaissance de l'anglais, ne peut ni lire ni publier facilement des articles dans un certain nombre de parutions fondamentales, la plupart rédigées en anglais. De même, nos chercheurs sont souvent isolés dans les grands colloques internationaux.

Par ailleurs, une langue qui n'évolue pas, se fige, est une langue qui s'appauvrit et qui risque à la longue de devenir une langue « morte ». C'est du moins l'opinion de bon nombre de journalistes étrangers qui consacrent régulièrement des articles à ce thème. C'est aussi l'avis de Simon Thorpe, trente-deux ans, psychophysiologiste et chercheur au CNRS, dépassé par les prises de position officielles :

« J'ai eu beaucoup de mal à apprendre le français, car il y a deux pays au monde où les gens sont vraiment nuls en langues : c'est la France et l'Angleterre. Les gens autour de moi ont vraiment apprécié mes efforts, et je comprends qu'ils exigent cet effort. Mais, ce qui est énorme pour moi, c'est de voir l'Académie française contrôler chaque nouveau mot pour éviter des anglicismes. C'est important que les gens utilisent le français, mais de là à inventer exprès un terme français pour ne pas reprendre le mot anglais *octet* utilisé par l'ensemble de la communauté scientifique, c'est vraiment débile. En anglais nous utilisons tout le temps des mots français quand il n'y a pas d'équivalent anglais, c'est même chic de le faire. Par exemple on dit *tête-à-tête, détente, film noir.* »

Une anecdote lourde de sens

Cette xénophobie française sur le plan de la langue peut être très facilement tournée en dérision. Un ami du *Monde* me racontait une anecdote très piquante à cet égard. A la fin d'un déjeuner réunissant des responsables de la presse internationale, on lança la devinette suivante entre la poire et le fromage : « Comment appelle-t-on quelqu'un qui parle trois langues ? Un trilingue. Et quelqu'un qui en parle deux ? Un bilingue. Et une seule ? Un Français ! »

2. UN PROVINCIALISME CULTUREL

Au pays de la claustrophilie

La phobie des espaces clos, ou claustrophobie, est un symptôme névrotique connu et répertorié dans toutes les nosographies psychiatriques. De même on connaît bien l'agoraphobie qui est la phobie des espaces libres et des lieux publics.

En revanche, les annales psychiatriques ne mentionnent pas la claustrophilie, qui est, en quelque sorte, l'amour des espaces clos, bien protégés. Pourtant, lorsqu'on entend les étrangers s'attarder sur l'hexagonalité des Français, on en vient à se demander s'ils n'ont pas identifié un nouveau symptôme clinique, digne d'être répertorié et qui mériterait une nosographie approfondie.

Le repli sur l'Hexagone trouve aussi sa traduction dans le style de vie des Français qui témoigne d'une prédisposition assez générale à vivre dans un monde clos, bien délimité, chauvin. D'une certaine façon, en considérant l'urbanisation de l'environnement rural, le fonctionnement des cellules familiales de l'université, on croit voir des reproductions d'hexagones de différents formats qui s'emboîtent les uns dans les autres à la façon de poupées russes. Par exemple, en se promenant dans les campagnes ou les banlieues pavillonnaires, on ne peut qu'être frappé par cet alignement de maisons isolées les unes des autres par des clôtures faites de maçonnerie ou de haies vives, sans aucune unité de taille ou de matériaux, car choisies en fonction des goûts, obsessions et moyens de chacun. Le but manifeste de ces clôtures est de protéger, de dissimuler. Dans les pays anglo-saxons, le concept de clôture façon française n'existe pas, ou seulement pour les très grandes propriétés. Partout ailleurs, l'espace est ouvert. Toujours dans le même ordre d'idées, les étrangers constatent que la famille française est une cellule relativement fermée, où l'on vit beaucoup replié sur soi, et surtout d'où les enfants adultes partent nettement plus tard que dans des pays comme l'Angleterre, l'Allemagne, les États-Unis, les pays scandinaves ou les Pays-Bas.

De même, les Français n'ont jamais réussi à s'adapter de façon durable à des cellules familiales élargies du style des communautés. Les tentatives de ce genre dans la mouvance de Mai 68 n'ont duré qu'à peine un printemps, alors que, dans les pays anglo-saxons et du Nord, c'est une transition normale pour la plupart des jeunes depuis passablement longtemps.

Au contraire, les jeunes Français quittent leur famille pour vivre en couple ou seuls. Bien que le prix des loyers soit très élevé à Paris intra-muros, on y remarque plus rarement que dans d'autres pays des gens choisissant de partager un grand appartement par commodité, et parce qu'ils préfèrent un grand espace à plusieurs qu'un studio microscopique seul.

Là aussi, chacun préfère demeurer à l'étroit s'il le faut, mais replié sur son propre territoire. Hexagonalité dans la tête, une fois de plus ? Au même titre que dans l'étonnante sédentarité des Français qui, en terme de logement et même de lieu de résidence, déménagent infiniment moins que les Américains, les Allemands et même les Anglais. Le Britannique Simon Thorpe, un grand barbu de trente-deux ans à l'allure décontractée, marié à une Française, a transité par les États-Unis et le Canada avant d'obtenir un poste en France. Grâce à sa formation de chercheur en psychophysiologie, il jette sur les mœurs des Français un regard très perspicace. Il a particulièrement cogité sur le thème de l'hexagonalité mentale de nos chers compatriotes, thème qui se manifeste dans différents domaines.

« En France, il y a une tendance à rester dans des groupes restreints, familles et amis proches que l'on connaît depuis longtemps. Dans une soirée, il y a rarement des gens nouveaux. En Angleterre, on fait passer le mot qu'il y a une fête chez quelqu'un de la rue et l'on voit débarquer des visages inconnus. De même, la répugnance des Français à partager un appartement doit avoir comme conséquence le grand nombre de studios à Paris. En Angleterre ou au Canada il y a beaucoup moins de studios. Ainsi, avant d'être marié, j'ai toujours vécu dans des maisons à cinq ou six personnes. Les Français, eux, ne le supportent pas longtemps, car ils ne sont pas très tolérants. De même, les Français évitent d'avoir des activités avec des inconnus ; il y a donc très peu de vie associative. Par contre, aux États-Unis, au Canada, il y a beaucoup d'associations de volontaires pour organiser des choses pour les enfants, des activités culturelles ou sportives. Ici, cela ne leur vient pas à l'idée. Ils font plutôt des pétitions pour réclamer à la mairie de s'en charger. »

Certains de nos amis étrangers, surpris par ces détails de la vie quotidienne, se sont interrogés sur leur signification et considèrent en dernière analyse que cela fait partie du comportement claustrophile du Français archétypal. Ce dernier reproduit dans sa vie, sous une forme symbolique, un style de comportement inconsciemment conditionné par l'hexagonalité.

Qu'ils soient américains, anglais, italiens ou scandinaves, mathématiciens, biologistes, physiciens ou sociologues, les universitaires et scientifiques étrangers rencontrés au fil de cette étude sont aussi fort stupéfaits de constater à quel point leurs homologues français sont sédentarisés dans leur vie professionnelle, au même titre qu'ils sont peu polyvalents en terme de discipline intellectuelle.

Simon Thorpe, apparemment très intrigué par ce phénomène

qui lui a inspiré de longues digressions, constate aussi que les universitaires et les chercheurs français restent parfois pendant toute leur carrière dans le même laboratoire, la même université où ils furent étudiants. Là aussi, les Français se montrent peu « échangistes », peu mobiles, peu ouverts sur l'extérieur.

« En France, beaucoup de chercheurs ont un poste à vie. En Angleterre, seuls les professeurs d'université ont des postes permanents. Mais pour les chercheurs, cela n'existe pas. On est donc obligé de passer plusieurs années en *post doc,* ce qui veut dire changer plusieurs fois de labo. On est donc très mobile, ce qui favorise les échanges très fructueux. En France, l'un des problèmes de la recherche, c'est le manque de mobilité des chercheurs, causé en grande partie par le clivage entre université et recherche. En effet, les gens étudient à l'université, puis entrent dans un laboratoire, d'abord en qualité d'étudiants puis ensuite ils restent jusqu'à ce qu'on les y intègre parce qu'ils ne connaissent personne ailleurs. Si on est recruté par l'Inserm ou le CNRS, il y a donc une obligation morale de rester dans le labo au moins un certain temps. Ce serait un avantage s'il y avait ensuite plus de mobilité. Malheureusement, ce n'est pas le cas en France. Aller travailler dans d'autres laboratoires, dans son pays comme à l'étranger, est pourtant indispensable. Mais les Français, n'étant pas mobiles, ne profitent pas de tous les avantages que leur offre le système. En effet, ils ont des possibilités incomparables pour aller à l'étranger, puisqu'on les autorise à partir un an en gardant leur salaire et en étant assurés de retrouver leur poste au retour. Ils ont même droit à une année sabbatique à l'étranger. Pourtant, rares sont ceux qui en profitent. La bouffe ailleurs est si mauvaise ! Il y a des choses qu'on ne trouve qu'en France ! Et puis les Français aiment la France... Ils sont indéracinables... »

Les remarques de Simon Thorpe rejoignent celles de Stanley Hoffmann qui déplore que les Français restent trop rares dans les universités américaines. A Harvard, ils ne remplissent même pas les quotas qui leur sont alloués alors que les autres nationalités se battent pour obtenir des dérogations. Du moins dans le département de sciences humaines qu'il connaît. D'autres universitaires américains font le même constat. Ainsi, dans le cadre du MIT (Massachusetts' Institute of Technology), il existe un laboratoire expérimental pluridisciplinaire composé de chercheurs de différentes nationalités et dont le patron est un Italien, le Pr Massimo Piatelli, à la fois philosophe, linguiste et spécialiste des sciences cognitives. Est-ce un hasard si dans cette équipe prestigieuse il manque un Français ?

En tout état de cause, il faut accepter le constat des étrangers qui déplorent souvent que les Français se sentent trop bien chez eux pour être motivés à voir ailleurs si l'herbe est plus verte.

Mais les étrangers ne sont pas que critiques avec nous. Parfois, ils aperçoivent l'aspect positif de certains de nos petits travers liés au défaut d'hexagonalité. Par exemple, les Français, très jaloux de leur vie privée, respectent aussi davantage celle des autres. Privilège inestimable pour la classe politique française qui ignore les désagréments rencontrés par les Anglo-Saxons, infiniment plus puritains dans ce domaine.

W.R. Schonfeld, le plus francophile des interviewés, rend hommage à l'éthique de la presse française, tout en déplorant l'indiscrétion exagérée de la presse américaine qui accorde trop d'importance à la vie privée des personnalités publiques : « Le meilleur exemple, c'est la maladie de Pompidou, les journalistes français n'en ont parlé que très tard. Alors que si le président des États-Unis attrape un rhume tous les journaux américains le mentionnent. S'il a une liaison et que la presse l'apprend, cela peut lui coûter sa carrière. En France, les journalistes savent tout mais n'écrivent rien, ce qui est préférable. »

Une incapacité à assimiler les potentialités venues d'ailleurs

La France « terre d'asile » n'a pas complètement renié sa vocation. Mais elle s'est faite sélective avec les universitaires et les intellectuels qui veulent intégrer le sérail. On lui reproche de soigner son image en favorisant systématiquement les intellectuels qui sont des refuzniks venant de l'Est au détriment d'autres nationalités, comme me l'ont expliqué des collaborateurs de la revue *Lettres internationales*.

Cela étant, c'est probablement une façon de se dédouaner par rapport aux souvenirs peu glorieux d'avant la dernière guerre où la France ne s'est pas couverte d'honneur en refusant d'intégrer, parmi d'autres indésirables, le physicien Albert Einstein.

La France semble avoir oublié qu'elle a refusé une chaire de professeur et des crédits de recherche au célèbre physicien, fuyant l'Allemagne nazie et qui avait d'abord fait halte ici. Il séjourna cependant en France pendant deux ans, et donna des cours au Collège de France. Mais sa demande de titularisation à la tête d'un laboratoire fut refusée. Après d'autres pérégrinations en Europe, Einstein arriva enfin aux États-Unis. On lui proposa une chaire de professeur à l'université de Princeton qui mit aussitôt à sa disposition les moyens nécessaires à la poursuite de ses recherches.

Lorsqu'on s'étonne devant des scientifiques américains du très grand nombre de prix Nobel totalisé par les États-Unis[1], ils évoquent souvent, avec un sourire narquois, l'anecdote d'Einstein, avant de préciser que chaque fournée de Nobel américains compte bon nombre d'étrangers venus là parce qu'ils ne trouvaient pas chez eux d'aussi bonnes conditions de travail.

Parmi ces Américains naturalisés, on rencontre parfois des Français, tel Gérard Debreu, prix Nobel d'économie contraint de quitter la France dans les années soixante, car il n'existait pas alors de créneau correspondant à ses recherches centrées sur l'économie mathématique. Gérard Debreu n'a demandé à être naturalisé que tard, après la destitution de Nixon, pour rendre hommage à la démocratie américaine.

Il est vrai qu'à quelques exceptions près la France exige que les étrangers, même de très haut niveau, repassent des équivalences en France. Depuis quelques années, les règlements s'assouplissent pour les membres de la Communauté. Mais les Nord-Américains sont confrontés aux pires difficultés s'ils demandent plus qu'un statut de professeur conférencier invité pour une durée restreinte.

Diana Pinto[2], PHD en histoire de la culture, en a fait l'amère

---

1. A titre d'indication, les États-Unis comptabilisent un total de cent vingt-trois prix Nobel, suivis par le Royaume-Uni avec trente, la RFA avec vingt, la Suède neuf et la France seulement cinq.

2. Diana Pinto, qui a collaboré au dernier ouvrage publié sous la direction de Stanley Hoffmann et George Ross, *l'Expérience Mitterrand,* publie régulièrement des articles dans différentes revues dont *le Débat* et *Lettres internationales.*

expérience. Pourtant la qualité et l'originalité de ses travaux méritaient qu'on lui ouvre grand les portes de l'université ou du CNRS. Mais sa discipline n'étant pas homologuée en France, elle aurait dû refaire une partie du cursus universitaire français ; ce à quoi par orgueil et indisponibilité (des enfants en bas âge) elle s'est refusée.

« J'avais trente ans et pas envie de retourner à l'école. Je pensais qu'avec un PHD traitant de la culture européenne et française d'après-guerre je pouvais me faire un petit trou dans le monde universitaire. Après dix ans d'efforts, je n'y suis toujours pas parvenue. Je suis un symptôme d'un symptôme plus vaste que j'analyse dans mes travaux scientifiques et que je vis sur ma propre personne. Je l'analyse par rapport à l'ouverture du modèle américain. Les structures françaises ne sont pas assez ouvertes pour comprendre l'intérêt d'un autre regard. Plutôt que de me voir comme quelque chose de potentiellement enrichissant, on a seulement vu que je n'entrais pas dans les créneaux existants. Le génie américain, c'est de prendre ce qui arrive et qui présente de l'intérêt sans poser de questions. Si l'on a quelque chose d'intéressant à dire, on peut avoir un poste dans une université, même sans diplôme... »

Globalement, les étrangers partagent les critiques de Diana Pinto, même si la plupart d'entre eux, parce qu'ils n'ont pas vécu une expérience semblable, les axent plutôt sur le refus de la France de s'ouvrir aux autres cultures, et sur sa tendance à favoriser une vie culturelle trop franco-française, d'un provincialisme décevant surtout par rapport à l'image du Paris d'avant 1940. Comme le prouvent les prises de position de Jack Lang contre l'envahissement de la France par la culture américaine, commentées par Victor Lobrano, correspondant de la RAI :

« La France est un peu strabique, elle se plaint d'être envahie par les États-Unis, alors que c'est le pays européen le moins influencé par la culture américaine. En même temps, elle ne fait rien pour sortir de ses frontières, même du point de vue culturel, donc la vie culturelle tourne en rond. Surtout, la culture française perd de son influence dans le monde. »

3. IMAGE DU FRANÇAIS HORS HEXAGONE

Un maniaque de la comparaison

Enfin, hors de chez lui, comment est perçu le Français qui fait si mauvais accueil à ses visiteurs ? Se sent-il heureux de découvrir d'autres mondes, d'autres cultures ? Peut-être faut-il d'abord établir une distinction entre le Français en vacances et le Français qui part en mission à l'étranger avec l'objectif de gagner de dures batailles économiques. En terme de villégiature, le Français se déguste à l'étranger sous deux formes : en individuel ou en groupe.

Un(e) Français(e) qui part seul(e) à l'autre bout du monde, cela existe, mais c'est une denrée quantitativement assez rare. La plupart de ceux que l'on rencontre sont d'autant plus téméraires que, n'ayant bien souvent qu'une langue à leur arc, ils ne communiquent pas aisément avec les autochtones ou les aventuriers d'autres nationalités (pour la plupart anglophones). Le Français est donc maintenu un peu à l'écart malgré lui. Ce qui ne l'empêche pas d'apprécier le dépaysement et la découverte.

Pour avoir rencontré les uns et les autres, je considère qu'à quelques variantes près le comportement des Français qui ont opté pour le voyage organisé est identique à celui des autres nationalités dès l'instant où ils se retrouvent en groupe. Le Français est aussi bruyant, grégaire, mal fagoté ; au lieu de regarder avec ses yeux, il sélectionne ce qui mérite d'être revu à travers l'œilleton de la caméra, ce qui est la meilleure manière de ne voir qu'à moitié. Les uns et les autres ont les mêmes phobies à l'égard des coutumes locales. Cette catégorie uniforme de voyageurs constitue la cible privilégiée des *tour operators* spécialisés dans les produits de *mass market,* qui commercialisent des forfaits conçus en fonction du goût standard de toutes ces nationalités confondues. Sachant qu'aucun de ces groupes ne supporte le dépaysement absolu, surtout en matière alimentaire, la nourriture locale est toujours adaptée à ceux de la clientèle. D'Ibiza à

143

Mykonos, sortes de Babels du tourisme de masse international, bon nombre de restaurants affichent des pancartes dans différentes langues qui disent toutes :

« Ici, cuisine allemande », « On mange français » ou « American breakfast », ce qui montre bien qu'il n'y a pas que le Français pour avoir la nostalgie du steak-frites ou de son équivalent.

Cela étant, le Français, en tant que spécimen singulier, se distingue cependant par son insatisfaction chronique, comme nous l'explique M. Tourné, directeur pour la France de Melia Voyages : « Je connais deux peuples au monde dont les réactions sont similaires : les Français et les Argentins qui sont aussi des rouspéteurs-nés. On dirait qu'ils ne voyagent que pour comparer, critiquer et conclure en disant que chez eux tout est mieux. En voyage, ils sont malheureux comme tout. Curieusement, ces deux populations nous envoient des réclamations identiques. »

La correspondante du *New York Times,* Flora Lewis, insiste, elle aussi (mais elle n'est pas la seule), sur la propension quasi congénitale des Français à la rouspétance, tendance qui s'aggrave encore dès l'instant qu'ils quittent le sol natal. Mais elle reconnaît aussi que parfois ces réclamations ont du bon en obligeant un certain nombre de services publics, en particulier Air France ou la SNCF, à veiller tout particulièrement à la qualité de leurs prestations, en termes de ponctualité, de service, de restauration. « Les Anglais ne râlent jamais ; en conséquence, ils ont droit sur British Airways aux pires conditions. Les Français, qui réclament à tout propos, ont fait d'Air France une des compagnies sur lesquelles il est le plus agréable de voyager. »

Parlons maintenant de l'attitude hors Hexagone de ceux qui constituent véritablement la matière première de notre observation : les Français qui s'en vont représenter leur pays à l'étranger et qui sont le fer de lance de notre économie.

Qu'on est mal loin du sol natal !

On pouvait imaginer que ceux qui sont des habitués des aéroports internationaux et qui voyagent pour raisons professionnelles auraient acquis un comportement radicalement différent. Qu'ils témoigneraient à l'étranger d'une aisance née d'un style de vie plus cosmopolite qui nivelle l'attachement aux particularismes locaux. En réalité, il semble que, là aussi, les Français aient du mal à réussir le pari de la modernité qui suppose une culture et un commerce sans frontières.

En tout état de cause, si l'on en juge par les critiques qui émanent d'observateurs tant étrangers que français, nos petits camarades semblent encore loin de l'idéal de l'homme d'affaires international. Même aujourd'hui, où les sollicitations sont nombreuses, on leur reproche de manifester une répugnance extrême à quitter l'Hexagone ; mis à part les chefs d'État qui, depuis de Gaulle, multiplient les prétextes pour partir à l'étranger.

Parmi les nombreuses causes mises en avant par les experts étrangers pour expliquer notre retard économique et nos médiocres performances à l'exportation, le syndrome d'hexagonalité arrive de loin en tête. Cette opinion est partagée par de nombreux spécialistes français, en particulier par les responsables du Centre du commerce extérieur.

La connaissance de ce problème ne date pas d'hier, et diverses mesures ont été prises par des organisations paragouvernementales pour inciter nos industriels à chercher des débouchés commerciaux à l'étranger. Des ministres ont payé de leur personne pour emmener des groupes de patrons à l'étranger en leur tenant littéralement la main. La mission Cresson en 1983 avait fait découvrir les États-Unis à une centaine de chefs d'entreprise (surtout des patrons de PME et de PMI, les grands groupes étant introduits depuis longtemps sur les marchés étrangers) dont quelques-uns ont particulièrement bien su tirer profit de cette expérience.

Si l'on en croit M. de Montvallon, directeur de la communication au Centre français du commerce extérieur (CFCE), qui a eu maintes fois l'occasion d'accompagner des groupes d'hommes d'affaires, « il reste encore fort à faire de ce côté-là. Ce à quoi s'emploie énergiquement le CFCE depuis quelques années. Mais il est encore trop tôt pour constater les progrès. Un groupe de Français, dans un aéroport international, Londres, Milan, Moscou, un vendredi soir, est un spectacle qui mérite d'être vu. A travers les mimiques de joie, on croirait une colonie de vacances qui quitte la Barbarie. Ils manifestent un tel soulagement de rentrer dans cette France qui représente la mère patrie et la sécurité où ils vont enfin pouvoir manger et parler français, et tout ça seulement après un exil de cinq jours [...] ; le Français à l'étranger, au lieu d'avaler un grand bol de différence, se ratatine. J'ai remarqué que la première chose qu'ils font en débarquant le lundi matin (impossible de les faire partir le dimanche soir), c'est de se précipiter dans l'agence Air France pour confirmer leur retour quoi qu'il arrive, alors qu'une négociation peut parfois contraindre à rester davantage. [...] Maintenant les étrangers sont au courant et en profitent. Par exemple, les Russes qui connaissent bien cette manie prolongent systématiquement les discussions financières jusqu'au vendredi matin, sachant que le Français, prêt à tout pour repartir, préférera céder un point plutôt que de passer le week-end à Moscou. [...] Ils savent aussi qu'avec un Allemand ou un Italien ce petit jeu ne prendra jamais. »

Les étrangers qui ont rencontré des groupes d'industriels français partis en commando officiel prospecter des marchés porteurs dans divers pays du globe ont été frappés par leur manque de professionnalisme. La plupart racontent des anecdotes révélatrices du comportement timoré et hexagonal des Français. Ils déploient d'ailleurs une ironie supérieure aux propos déjà fort sarcastiques de M. de Montvallon.

Les principales « têtes de Turc » des étrangers sont les patrons de PME ou de PMI, qui en plus de leur provincialisme sont souvent des autodidactes peu habitués à des contacts à haut niveau, peu familiarisés avec des coutumes et des langues étrangères, et donc de surcroît très intimidés.

Dès l'instant où ils sont en groupe, ces Français sont décrits comme restant agglutinés entre eux. Rares sont ceux qui prennent l'initiative de quitter le groupe pour essayer de prendre des contacts avec les industriels du pays qui les reçoit. Le fait d'être emmenés en délégation semble leur ôter tout esprit d'initiative si l'on en croit certains observateurs étrangers. Ainsi Janninck Van B., ce Hollandais spécialiste des joint-ventures et intermédiaire international, a eu maintes et maintes fois l'occasion de rencontrer dans différents points du globe des délégations françaises, venues sous la houlette d'un des ministres de l'Industrie ou du Commerce extérieur qui se sont succédé depuis douze ans. Mais Janninck n'est guère plus tendre pour nos attachés commerciaux – opinion qu'il partage, d'ailleurs, avec de nombreux intervenants. Il semblerait en effet que la malédiction hexagonale poursuive même les diplomates envoyés en poste à l'étranger pour soutenir et faciliter la tâche de leurs compatriotes. Concernant cette profession et son manque de compétence et de professionnalisme, j'ai recueilli de nombreux témoignages parfaitement homogènes et exprimés tant par des journalistes que par des hommes d'affaires ou des juristes internationaux. Dès lors, difficile de penser qu'il s'agit là d'une opinion isolée. En conséquence, le Quai d'Orsay aurait peut-être intérêt à s'interroger plus avant sur la formation que doit avoir un conseiller commercial pour que son action ne se limite pas seulement à un rôle de représentation, comme il semble que ce soit trop souvent le cas aux États-Unis, en RFA ou au Japon.

Mais je laisse la parole à Janninck qui, une fois de plus, ne ménage guère nos compatriotes. « Il y a trois ans, alors que j'allais en Arabie Saoudite [1], j'ai accompagné un cheik saoudien à une réception à l'ambassade de France où étaient présents Édith Cresson et une délégation d'industriels français spécialisés dans les matériels d'agriculture et d'irrigation. Nous sommes arrivés en retard. Je me suis donc présenté à l'attaché commercial pour lui demander de m'expliquer le but de cette manifestation. Il s'agissait, semblait-il, de favoriser les contacts entre industriels français ayant tous des techniques très intéressantes à proposer et des importateurs saoudiens. J'ai donc attiré l'attention de l'attaché commercial sur la personnalité du monsieur que j'accompagnais, en lui précisant qu'il s'agissait du plus grand importateur de matériel d'irrigation de toute l'Arabie Saoudite et même du Golfe.

« Son nom ne lui disait apparemment rien, ce qui m'a déjà beaucoup surpris. J'ai donc mis l'accent sur l'intérêt de notre double présence, dont moi en tant que fondé de pouvoir de cette société, autorisé à traiter officiellement en son nom et capable de servir d'intermédiaire avec les industriels français ne parlant ni arabe ni anglais.

« Je lui ai donc suggéré de faire circuler l'information et de nous envoyer les industriels intéressés. Nous avons attendu trois heures sans qu'aucun ne se présente. Pendant tout ce temps-là,

---

1. Interview réalisée en octobre 1988.

147

les Français sont restés entre eux à discuter de choses et d'autres ; probablement de bouffe et de femmes comme c'est souvent le cas ; mais en aucun cas de business. Une telle attitude, alliée à la méconnaissance totale des antennes d'ambassade de ce qui se passe réellement dans les pays où ils résident, me surprend toujours.

« Depuis douze ans que je voyage à l'étranger, je n'ai rencontré qu'une fois un attaché commercial français véritablement formé et efficace. Tous les autres font acte de présence ; ils ne donnent pas l'impression de vouloir aider mais plutôt d'être là contre leur gré. Que voulez-vous, pour un énarque ou même un ancien élève de Sciences-Po, le commerce, ce n'est ni très propre ni très glorifiant. C'est beaucoup mieux de parler politique ou stratégie de pénétration que d'aider des patrons de province à vendre des chaussures ou du matériel d'irrigation. »

Une incapacité à s'expatrier

Depuis toujours, rares sont les Français qui s'expatrient. La méfiance des Français à l'égard de l'international se vérifie surtout à travers le très faible taux de population expatriée qui, selon le Centre du commerce extérieur, représente en tout et pour tout un et demi pour cent de la population. Alors que pour des pays comme l'Allemagne, l'Angleterre ou l'Italie les chiffres avoisinent les cinq, six et même sept pour cent.

Il n'en faut pas davantage pour expliquer en partie l'extraordinaire percée de l'exportation italienne aux États-Unis, où les Italiens disposent d'une importante base d'accueil. Sans oublier leur mobilité, leur frénésie de voyage, de découverte qui s'étaient magnifiquement illustrées à l'époque de la Renaissance.

Mᵉ Morera parle avec enthousiasme de ses compatriotes et en particulier des patrons de PME et de PMI, responsables à cent pour cent du redressement économique de l'Italie. « Ces gens que vous imaginez appartenir à la basse classe parce qu'ils n'ont pas la tête raffinée de l'intellectuel ou du bourgeois représentent des milliers de personnes qui sont à la base du miracle italien. Ce qu'ils éprouvent ressemble à une énergie pionnière. C'est le plaisir de la conquête, de l'argent gagné en travaillant durement, en partant vendre à l'étranger. Aller dans le monde en se disant " mon père est venu ici comme immigré et moi je viens comme patron pour vendre mes réalisations ", quel défi ! »

En comparaison de cet enthousiasme, la frilosité des Français semble appartenir à une autre époque, à une autre planète.

En effet, même si l'on constate en France un éveil à l'international, hier encore, beaucoup de ceux qui étaient appelés à partir en mission à titre temporaire s'y résignaient de mauvaise grâce ou pour de mauvaises raisons.

Même aujourd'hui, pour leur faire accepter le traumatisme du déplacement lointain, il faut encore leur octroyer des contrats de courte durée (trois ans en moyenne), ainsi que de très bonnes conditions financières et des avantages en nature.

Mais, là aussi, la composante hexagonale joue contre la performance optimale des succursales françaises à l'étranger. En effet, bien souvent les sociétés françaises délèguent à l'étranger des collaborateurs compétents dans leur branche mais dont la formation linguistique est parfois très insuffisante. Contrairement aux Anglais et aux Américains qui disposent d'un important vivier de japonisants et n'envoient jamais de gens sans leur faire suivre des cours intensifs, les Français se satisfont, pour choisir leurs représentants au Japon, d'une connaissance relative de l'anglais.

Ne disposant que d'une période de trois ans pour se mettre au courant et se familiariser avec la langue, les Français repartent au moment même où ils commencent enfin à devenir opérationnels, comme me l'explique ce Japonais de trente-huit ans, responsable depuis quatre ans du service international d'un grand établissement bancaire récemment privatisé :

« La plupart des gens qu'on nous envoie au Japon sont compétents dans leur profession. Ils apprennent vite l'économie du pays, ce qui se passe au niveau bancaire ; ce qui est une chose. Par contre, ceux qui sont capables de s'adapter à la vie locale, aux mentalités locales, c'est tout autre chose. Cela n'a rien d'intellectuel ; c'est le reflet d'une certaine ouverture d'esprit, d'un parti pris de disponibilité, associé à la volonté de comprendre.

« Les expatriés qui viennent à Tokyo s'habituent en général, mais on ne leur donne pas le temps d'apprendre un petit peu la langue. Il n'est pas nécessaire de la maîtriser complètement, mais

149

il faut en connaître le minimum pour comprendre ce qui se passe dans l'agence, ce que les Japonais se racontent entre eux, sinon cela crée des fossés insurmontables. Le drame, c'est que les gens sont nommés à la dernière minute et n'ont pas le temps de faire un stage linguistique.

« En général ils parlent anglais, mais encore faut-il que le directeur local, un Japonais, parle lui aussi l'anglais, ce qui n'est pas toujours le cas. Donc il faut passer par des traductions plus ou moins approximatives. Résultat, les Français n'interviennent pas dans les négociations quotidiennes. Donc, s'il y a un problème, ils sont toujours informés *a posteriori*. Cela complique autant les relations humaines que les relations d'affaires. Je n'ai connu qu'un Français capable de maîtriser le japonais car il était là depuis sept ans. Il était donc en mesure de négocier les contrats et avait d'excellents contacts avec la clientèle japonaise.

« De mon point de vue, il est impensable de ne pas obliger les expatriés à signer des contrats de cinq ans dans le cadre de pays culturellement si différents, et de limiter les contrats de trois ans aux pays francophones. La première année sert à découvrir et à apprendre des rudiments, la seconde à se dire qu'on a encore tout le temps d'apprendre, et à la troisième il faut partir alors que l'initiation s'achève tout juste, ce qui est un gaspillage complet. »

La question qui se pose est de savoir à partir de quels critères a été définie la durée de ces contrats et si celle-ci a été calculée en fonction de la faible capacité de résistance des Français. Craint-on qu'au-delà de trois ans ils s'étiolent de langueur, ou bien s'agit-il d'une décision ancienne jamais reconsidérée à partir de paramètres récents, tirés de l'expérience.

Chasseur de têtes, à cheval sur la France et l'Allemagne, André Moog est lui aussi constamment confronté aux problèmes que pose la « transplantation » de cadres français en Allemagne et, à un degré moindre, de cadres allemands en France.

L'Allemand par principe s'installe bien volontiers en France, quel que soit le lieu proposé et son éloignement de la RFA, à condition, cependant, qu'il s'agisse d'une filiale allemande. En revanche il est nettement moins motivé par la perspective de travailler pour une entreprise française, peu importe la localisation, que ce soit le siège français ou une filiale en Allemagne, les entreprises françaises ayant, selon André Moog, une image très dévalorisée.

« Pour attirer un Allemand à travailler pour une firme française, il faut d'abord rédiger une annonce ne se résumant pas à un flash séduisant comme il en paraît dans *l'Express,* mais un descriptif exhaustif du poste et de la société. Ensuite il faut mettre en avant l'intérêt du produit. Même avec tout cela, un cadre allemand est difficile à trouver et à motiver car, à poste et salaire égaux, il optera de préférence pour une société allemande tant par nationalisme que sentiment de supériorité et besoin de sécurité, etc.

« Leurs premières réactions sont souvent de dire : " Pour ce prix-là, je ne travaillerais pas pour les Portugais. " »

En ce qui concerne le recrutement des Français, les problèmes se compliquent avec la barrière linguistique qui représente souvent un obstacle insurmontable. En effet, la plupart des Français, bien qu'ayant étudié deux langues durant leurs études secondaires, à la sortie n'en connaissent aucune suffisamment bien pour une utilisation professionnelle.

« En outre, ajoute André Moog, le Français a énormément de mal à s'adapter. Je reçois plus de candidatures de Français que d'Allemands, mais parmi les Français il y en a peu dont le profil indique qu'ils s'intégreront durablement à un pays dont la culture et le mode de vie sont si différents. Le cadre marié doit convaincre son épouse de déménager en Allemagne et ce n'est pas facile. Le cadre célibataire, lui, choisit le poste en fonction de la proximité d'un aéroport international, car pas question pour lui de ne pas rentrer en France un ou deux week-ends par mois. Sinon, au bout de six mois, il déprime et démissionne, même si son salaire est deux fois plus élevé qu'en France. »

Il ne s'agit pas là d'observations isolées mais d'une opinion assez consensuelle tant du côté des étrangers que des Français qui ont été confrontés à ce problème.

Parmi les Français, seuls ceux qui se sentent trop à l'étroit dans cette mentalité claustrophile, imperméable tant aux étrangers qu'aux idées nouvelles, quittent volontiers l'Hexagone et éprouvent ensuite beaucoup de réticence à y retourner.

Cela dit, les responsables du personnel de sociétés disposant de filiales à l'étranger font état de changement d'attitude chez les diplômés d'écoles de commerce de moins de trente ans.

En effet, cette catégorie sollicite en priorité les missions à l'étranger tant pour le dépaysement que pour s'améliorer en terme de technicité.

Les postes en Asie et aux États-Unis sont particulièrement prisés par les plus carriéristes qui en escomptent une promotion rapide au retour. Les plus matérialistes partent, eux, dans des pays où le salaire est payé en CFA et où l'on bénéficie de nombreux avantages en espèces, domestiques, villas luxueuses, train de vie qui leur serait inaccessible en métropole. Dans les deux cas de figure, me précise un responsable du secteur ressources humaines de la Société Générale, « il est aussi difficile de convaincre de partir que de revenir. Depuis quelques années les jeunes diplômés demandent de plus en plus à partir et choisissent des postes dans des sociétés qui ont des filiales à l'étranger de préférence à des sociétés franco-françaises ».

En d'autres termes, cet exemple montre bien que les mentalités changent progressivement dans certaines professions et dans certaines tranches d'âge, mais il est encore trop tôt pour que l'effet s'en fasse sentir aux observateurs étrangers qui dans leurs critiques font état d'une attitude qui caractérise d'autres tranches d'âge.

Une méfiance déplacée

Nos commerciaux qui partent à l'étranger évaluent mal les dangers qui les menacent. Plutôt que d'essayer de s'entourer des garanties indispensables et, une fois rassérénés, faire preuve d'ouverture d'esprit et de disponibilité, ils ont bien souvent tendance à inverser la démarche. Autrement dit à manifester de la méfiance là où il eût mieux valu s'entourer de précautions d'usage.

Deux raisons à ce comportement : d'une part, bien entendu, l'inexpérience liée au refus d'investir dans une forme d'apprentissage quelconque des coutumes étrangères, d'autre part, un héritage catholique difficile à porter. A savoir un peuple qui est venu plus tard au commerce et qui a toujours dévalorisé toute forme d'activité mercantile.

Cet héritage affleure clairement lors de négociations commerciales. L'argent est, comme nos étrangers l'ont souligné précédemment, un tabou bien français. Alain Peyrefitte dans *le Mal français* a déjà analysé cette prégnance du catholicisme dans l'infériorité des Français en matière commerciale. Mais l'impréparation dont font preuve nos représentants autour des tables de négociation peut aussi être interprétée comme un signe révélateur du provincialisme français.

Par provincialisme, nos censeurs entendent une manière à la fois empirique et archaïque d'aborder les *terra incognita*. Bref, un comportement de gagne-petit, qui occasionne des désagréments notables. Un thème revient très souvent, celui des erreurs dramatiques commises à cause d'une méfiance qui découle en droite ligne de ce provincialisme. En effet, il est souvent reproché à nos entreprises, encore très néophytes en matière d'exportation, de minimiser le rôle des avocats dans les négociations commerciales et de partir à l'étranger sans le soutien d'un juriste, sans l'avis d'un avocat international, et avec une méconnaissance parfaite du système juridique des pays prospectés.

Une fois sur place, toujours par souci d'économie, mais aussi par ignorance de la langue, ils refusent de consulter des juristes locaux, comme le confirme M. de Montvallon, qui met à l'index notre fameux « système D » responsable de bien des catastrophes.

« Les Français à l'étranger sont extrêmement méfiants, car ils pensent que dans les affaires il y en a toujours un qui roule l'autre. A force d'être méfiants ils en oublient de prendre les précautions élémentaires qui s'imposent et se font effectivement rouler. Aux États-Unis, j'ai constaté que les Français n'ont pas encore compris qu'il ne fallait pas lever le petit doigt sans être appuyé par un avocat et un conseiller juridique. Or la réaction classique du Français qui débarque, c'est d'aller voir le conseiller commercial de l'ambassade de France et de lui dire : " Expliquez-moi en gros les règles, les pièges. " Car comme c'est un petit malin, système D toujours, il se dit : " Je ne vais pas être assez bête pour verser des honoraires à un avocat américain alors que je peux très bien me débrouiller tout seul. " Et il se fait avoir parce que le conseiller, dont ce n'est pas le métier, ne lui est d'aucune aide et n'ose pas le mettre en garde. »

Me Wenner déplore que, vingt ans après, les Français n'aient toujours pas su tirer une leçon salutaire de leurs échecs en Allemagne.

Lorsque je l'ai rencontré, il venait d'organiser pour la Chambre de commerce une conférence à l'intention des industriels français désireux d'exporter en Allemagne.

Las de les voir commettre tant de bêtises, il était allé leur proposer ses services ainsi que ceux de ses partenaires européens, afin d'aider les Français à mieux se défendre à l'étranger.

Partisan convaincu de l'Europe, il fait partie de ceux qui redoutent l'échéance de 1993 pour la France. « Les Français ne sont pas combatifs. Ce sont des Latins, ils sont polis, font du charme, mais devant les Allemands ils ne font pas le poids. Les Allemands sont lourds, appliqués, travailleurs et, avec eux, le charme ne joue pas. Les patrons de PME sont des types costauds, sans grande culture, qui vont à l'étranger sans complexes, sans se préoccuper de la culture du pays, mais ils vendent. Les Français vont au préalable suivre des séminaires sur les différences culturelles, mais ne vendent pas parce qu'ils n'aiment pas vendre... Dans les négociations d'affaires les Allemands se défendent bien parce qu'ils savent bluffer. Ils savent ce qu'est une position de force. Alors que les Français ne savent rien de cela... Ils ne pensent même pas à prendre un avocat allemand pour étudier les contrats mais viennent avec une secrétaire ou un collaborateur ayant des rudiments d'allemand ; mais cela ne suffit pas. Et ils se font avoir parce que les contrats allemands sont extrêmement retors... Cela fait vingt ans que je souffre de voir les Français se défendre si mal. »

Une approche inappropriée des marchés extérieurs

Janninck Van B. va encore plus loin dans la critique de « l'amateurisme » français : manque de professionnalisme d'une part, manque d'efficacité dans les négociations de l'autre. Moins indulgent que Me Wenner, il sélectionne de très près ses clients français afin d'éviter des ennuis et des pertes de temps. Dans la mesure du possible, il ne propose plus de fournisseurs français aux sociétés étrangères qui font appel à lui pour trouver des prestataires de services dans différents domaines.

154

Sa liste de griefs est longue et ressemble à un vrai réquisitoire ; je n'en ai conservé cependant que les principaux points, ceux qui se croisent avec des remarques émanant d'interviewés aux professions analogues.

● Les Français mettent deux, si ce n'est trois fois plus de temps à répondre aux appels d'offres que les autres nationalités.

● Ils ne lisent jamais assez attentivement le cahier des charges et envoient donc une proposition qui ne respecte pas scrupuleusement les contraintes imposées.

● Les discussions d'affaires avec les Français durent parce qu'ils ne savent jamais exactement ce qu'ils veulent, ni ce qu'ils proposent.

● Même lorsque la décision est enfin prise, et que les différentes parties sont d'accord entre elles sur les différents points, il s'écoule encore un temps considérable avant que le contrat ne soit rédigé ou retourné signé.

● Ils proposent très souvent des solutions plus sophistiquées que les autres, ou trop hexagonales, et de ce fait plus difficiles à faire accepter aux sociétés étrangères qui craignent de toute façon la défaillance des entreprises françaises en terme de service après-vente.

● De plus, les solutions techniques sophistiquées sont souvent trop chères et excédent les limites fixées par le cahier des charges. (« Je connais une société française qui a inventé des balles de fusil super-performantes, mais trop chères donc invendables à l'étranger. Leur principal client est donc le ministère de la Défense. »)

● Les Français ont toujours trop tendance à exporter des produits dans des configurations conçues pour le marché français, dans l'esprit de bien montrer que la France se démarque des autres pays et a des solutions originales. (Nous revoilà à la fameuse spécificité française.)

● Fiers de leur supériorité, ils jugent superflu de présenter des notices techniques traduites en différentes langues étrangères comme se sont accoutumés à le faire tous les autres pays exportateurs. Ils oublient d'y adjoindre un système permettant de convertir les fameuses normes françaises et de donner des équivalences à celles du pays où ils prétendent vendre.

Derrière tous ces facteurs qui conditionnent l'image peu professionnelle et caricaturale des industriels français, les étrangers croient retrouver les survivances d'un vieux réflexe protectionniste qui persiste par manque de vigilance. De toute évidence, le CFCE a encore fort à faire pour les conditionner à être plus performants.

Une méconnaissance dangereuse des autres cultures

Conscient des défaillances des industriels français, le CFCE organise depuis peu des séminaires pour sensibiliser nos exportateurs à l'impact des variables culturelles à prendre en compte dans les négociations commerciales.

Cette expérience vieille d'environ deux ans rencontre un intérêt croissant. En effet, le nombre de participants ne cesse d'augmenter d'un séminaire à l'autre. Le premier séminaire, centré sur le Japon, avait drainé soixante-dix participants payants pour une session d'une matinée vendue huit cents francs. Le deuxième, centré sur la Chine, a été suivi par quatre-vingt-dix participants, le troisième, consacré aux États-Unis, a recueilli plus de cent cinquante inscriptions. Les participants sont souvent des responsables de marketing, de relations et de contrats internationaux envoyés là par leurs entreprises. Parmi elles figurent des sociétés de l'importance de BSN, Saint-Gobain, Alcatel, Bongrain, Bouygues, quelques très grands établissements bancaires, mais aussi des PME ou des PMI représentées par leurs patrons puisque, dans ces sociétés, c'est le plus souvent le patron en personne qui part à l'assaut des marchés étrangers. Si les cadres supérieurs des grandes entreprises, généralement des diplômés des grandes écoles de commerce ou des titulaires de diplômes de l'enseignement supérieur, sont favorisés, entre autres au niveau linguistique, les patrons de PME, PMI sont nettement infériorisés sur ce plan. D'où, selon M. de Montvallon, l'utilité de ces séminaires qui ont à la fois pour fonction :

– d'éviter aux Français transportés pour la première fois dans des pays dont les cultures sont très différentes de la nôtre de commettre des impairs irréparables capables de compromettre brutalement une négociation déjà bien engagée ;

– de diminuer un fort coefficient d'ignorance et de naïveté qui

156

se traduit souvent par des accords de dupes au détriment des Français.

Combien de fois, en effet, ne s'est-on pas interrogé pour comprendre les raisons mystérieuses qui faisaient perdre à la France d'importants marchés pour lesquels nos entreprises semblaient cependant très bien placées en termes de compétence technique, d'adéquation du prix et de propositions aux attentes ?

Souvent la négociation échoue faute de vigilance, et parce que les Français ne tiennent pas assez compte du versant négatif de l'image de leur service après-vente, de leur lenteur à envoyer des pièces de rechange ou des techniciens en temps voulu, de leur incapacité à respecter les délais de livraison, mais aussi de leur maladresse à négocier le montant des commissions à verser aux différents intermédiaires. Des gaffes monstrueuses sont commises dans ce domaine par des émissaires qui manquent de compétence pour négocier et sont totalement démunis de souplesse.

Harold B., Américain d'origine tunisienne, a participé à d'importantes négociations internationales où il a pu juger de la balourdise des négociateurs choisis par le gouvernement français. « Les Français sont si fiers de leurs grands corps qu'ils les envoient partout en pensant que leur intelligence va susciter l'admiration et l'acquiescement des autres à toutes les propositions françaises. Mais ces gens sont tellement arrogants, tellement cassants qu'ils font échouer une affaire presque gagnée d'avance. »

M. de Montvallon, dans l'élaboration des séminaires organisés par le CFCE, a essayé de cerner les dangers dus à cette méconnaissance des autres cultures. « Depuis peu, nous constatons qu'il y a une raison plus profonde qui fait échouer des marchés alors que toutes les conditions semblent remplies. Il s'agit de l'échec personnel du chef d'entreprise qui, dans son dialogue avec les partenaires étrangers, part sur des malentendus tellement énormes que, nonobstant beaucoup de bonne volonté de part et d'autre, la négociation avorte. C'est parce que avec chaque nationalité il y a d'autres usages à connaître et à respecter. Les Américains eux-mêmes ont mis au point ces séminaires pour leurs exportateurs. Ils leur projettent des cassettes vidéo où sont recensés tous les impairs à ne pas commettre selon les différents pays. »

M. de Montvallon est bien optimiste s'il s'imagine qu'un séminaire d'une matinée peut changer les mentalités. Tout au plus ce séminaire peut-il apporter quelques ficelles. En espérant encore qu'elles seront utilisées à bon escient.

4. Des raisons historiques et culturelles évidentes

Ce manque de curiosité à l'égard du dehors, de l'ailleurs, les étrangers l'expliquent par des raisons tant historiques que culturelles.

Des avantages hier, des handicaps aujourd'hui ?

Grâce à une importante superficie et à une densité de population relativement faible, grâce aussi à une situation géographique privilégiée, la France qui ouvre sur quatre mers n'a jamais souffert de claustrophobie et, curieusement, n'a pas davantage suscité de vocation d'explorateurs ou de grands voyageurs comme l'Italie, l'Espagne, le Portugal, l'Angleterre ou les Pays-Bas.

Pays agricole riche en terres fertiles comme en diverses matières premières, la France a longtemps pu vivre en autarcie. Ses habitants n'ont jamais été poussés à partir par la misère ou la famine. Tout au plus, à l'époque des conquêtes coloniales, quelques téméraires accompagnés d'une armée sont partis au loin soumettre d'immenses territoires, découverts par d'autres, qui permirent à la métropole de s'agrandir d'un grand empire d'outre-mer.

A époque exceptionnelle, hommes exceptionnels, dirait le moraliste ; malheureusement les temps ont changé et, depuis lors, le Français a toujours montré une répugnance extrême à quitter l'Hexagone et, par extension, la francophonie. Même si nos observateurs étrangers sourient de l'empressement du président Mitterrand, grand globe-trotter à l'instar de tous nos autres présidents, à se saisir de tous les prétextes pour voyager, y compris assister à l'enterrement d'Hiro-Hito, l'empereur fantoche.

Au fil des siècles les autres nations développèrent une mentalité de « grands voyageurs de commerce », attirés par les continents lointains. Tout ceci à l'inverse des Français qui, lorsqu'ils quittaient enfin la mère patrie pour vendre leurs marchandises, évitaient le dépaysement absolu, en choisissant de préférence des pays qui avaient acquis rapidement des rudiments de culture francophone.

A la tête d'un vaste marché captif, la France connut le privilège de traverser un siècle d'euphorie économique. Ceux qui acceptaient de s'expatrier participaient au développement de contrées où flottait le drapeau français.

Pour toutes ces raisons, la France n'a jamais été confrontée aux problèmes de l'émigration comme l'Italie, l'Allemagne, la Hollande, le Japon, pays dont les ressources étaient fondamentalement insuffisantes par rapport au surcroît de population.

Très tôt ces nations créèrent des enclaves culturelles et économiques dans des pays lointains, aux États-Unis, en Asie, par exemple, ce qui facilita de beaucoup l'accueil de leurs exportateurs dès la fin des années cinquante. Même ceux qui avaient des colonies ne subirent pas la décolonisation avec la même intensité dramatique que la France.

La France n'a donc véritablement découvert l'exportation qu'à la fin de la guerre d'Algérie. Autrement dit quinze ans plus tard que les grands pays exportateurs si l'on prend comme référence l'immédiat après-guerre. En effet, de 1945 à 1960, l'industrie française a travaillé essentiellement pour un marché intérieur sous-équipé et donc très demandeur, ainsi que pour les marchés captifs de l'Afrique noire et du Maghreb. Jusqu'à l'ultime moment, la France continua de fonctionner comme si ces pays devaient la conserver *ad vitam aeternam* comme fournisseur privilégié. Quand finalement l'exportation apparut comme une nécessité inéluctable, les Français, faute d'expérience suffisante, mirent longtemps à réagir avec efficacité. Apparemment, deux ou trois décennies ne suffisent pas pour changer les mentalités du tout au tout, et transformer un peuple chauvin et casanier en un peuple de voyageurs ouvert à une culture cosmopolite et à l'expérience du commerce international.

Du moins est-ce à cet arrière-fond historique que nos observateurs étrangers rattachent les principales causes de notre retard en matière d'exportation.

159

Sur ce *background* se greffent des épiphénomènes d'ordre culturel qui, aujourd'hui encore, structurent les mentalités françaises et contre lesquels il est particulièrement ardu de lutter.

Même si nos étrangers ne manquent pas de reprocher aux Français leur comportement étriqué et inadapté à un monde qui privilégie les valeurs économiques au détriment des autres, ils nous accordent pourtant quelques circonstances atténuantes.

Comme l'explique avec pertinence Mᵉ Wenner, il faut relativiser et adoucir le mordant des critiques précédemment exprimées en tenant compte de la réalité constitutive de la France.

« La douce France, voilà le mal... On est si bien en France, on vit bien, on est protégé... Un ami me faisait remarquer que la différence se voit à la manière dont les Français font leur lit. En Allemagne, on dort avec un édredon, sans être bordé. Quand on bouge, l'édredon glisse et le froid pénètre, alors qu'en France les lits sont bordés et les Français restent bien au chaud, toute la nuit... La France est grande et la densité de population plus faible qu'en Allemagne. Donc l'Allemand a toujours été obligé de se battre, de sortir pour vendre sur les marchés extérieurs et pas dans les colonies. L'Allemagne a été détruite par la guerre. Et il a fallu tout reconstruire, tout repenser, et sortir pour vendre. Pour les Japonais c'est exactement pareil. La France, elle, a un peu souffert, mais rien de comparable. Et après la guerre elle est restée passive parce qu'elle avait encore ses colonies. »

Pour justifier le malaise des Français à quitter de façon prolongée l'Hexagone, les Japonais, mais aussi les Italiens et bien d'autres nationalités, mettent en avant le bien-être de la vie quotidienne comme frein rédhibitoire à tout projet de départ prolongé.

En d'autres termes, ils se demandent au nom de quoi, de quelles valeurs supérieures les Français devraient changer radicalement et calquer leur comportement et leur système de référence sur celui de rivaux dont la supériorité s'exprime essentiellement par des performances économiques.

Les Français vivraient-ils un dilemme ? Nos étrangers avancent quelques alibis pour montrer que dans une situation analogue ils seraient eux aussi tentés de réagir de la sorte.

Comme dit Isoumi Sassano, la trentaine, chef de produit chez Sony-France qui regretterait infiniment de quitter la France pour un autre pays européen et qui se surprend parfois à réagir avec une nonchalance qui n'a plus rien de commun avec la rigueur japonaise, qu'il ne faut pas considérer comme un idéal en soi :

« J'aime tout en France, la nourriture, le mode de vie, l'esthétique des villes, le métro, l'autobus, le marché du dimanche matin. La France m'apparaît comme un pays très équilibré, le plus équilibré du monde. Elle a toujours disposé d'assez de terres pour que la population ne se sente pas à l'étroit ou trop proche des voisins. Le climat est agréable. Pour les vacances on a le choix entre la mer et la montagne, des endroits où il fait très chaud et d'autres moins chaud. L'hiver c'est pareil. Grâce à la richesse de son sol et à ses ressources agricoles, la France n'a jamais eu besoin de l'aide des autres pour se nourrir, ou pour lutter contre la pauvreté. Les Français n'ont jamais eu besoin de partir parce que leur terre natale était trop petite, comme c'est le cas en Allemagne ou au Japon. Regardez les Japonais, ils ont toujours voulu conquérir les autres pays asiatiques car ils se sentaient trop à l'étroit dans leur île... Maintenant que ce rêve est terminé, ils sortent de chez eux pour conquérir les marchés économiques d'Europe... Même la conquête des États-Unis ne les effraie pas, alors que les Français sont protectionnistes parce qu'ils ont toujours été bien protégés chez eux et ont eu peur de sortir. C'est vrai que la France connaît des difficultés économiques, mais, si j'étais français, je me demanderais vraiment : pourquoi changer puisque de toute façon le rôle de la France dans le monde est terminé mais qu'elle bénéficiera toujours d'une aura exceptionnelle ? »

5. Petits travers et grandes catastrophes ?

D'importants retards à l'exportation

Selon nos observateurs étrangers, la France, bien qu'elle se prétende le quatrième exportateur du monde, présente des faiblesses importantes et chroniques en matière d'exportation. De toute manière le déséquilibre du commerce extérieur est très

161

révélateur des difficultés qui depuis longtemps compromettent l'économie française.

Depuis pas mal d'années, on remarque néanmoins que les très grands groupes manifestent en réalité une véritable fringale d'acquisition et d'implantation lointaine et ne cessent de faire parler d'eux à ce propos. En 1959, Renault était parti à la conquête du marché américain avec la Dauphine qui avait connu un certain succès. Mais il est vrai que celui-ci ne dura qu'un printemps, les ventes étant en chute libre dans les années suivantes à cause de la défaillance catastrophique du service après-vente. Puis Renault remonta un peu la pente avec la R 9 et la R 11, et bénéficia du soutien d'un meilleur réseau de revendeurs. Ce qui ne l'empêcha pas de réaliser ensuite une série d'investissements malheureux, avant d'abandonner définitivement le marché américain avec pertes et fracas.

Certains grands groupes privés, L'Oréal, BSN, Pernod-Ricard, Michelin, ont pris le relais. Suivirent des sociétés nationalisées particulièrement performantes ayant les moyens et la mentalité nécessaires pour investir : Thomson, Saint-Gobain, Pechiney, ainsi que la brigade des banques nationalisées...

Ces sociétés ont réussi avec plus ou moins de succès leur parachutage à l'étranger. Si L'Oréal, BSN ou Michelin sont quasiment devenus des leaders mondiaux dans leurs marchés respectifs, combien d'autres se sont vulgairement « plantées » par manque d'expérience et excès de confiance pour ne pas dire de crédulité. Les Français ont, en effet, payé plus d'une fois beaucoup trop cher des entreprises qui se sont révélées ensuite nettement moins rentables que prévu.

Le scandale financier autour de l'acquisition d'American Can, sur lequel se polarisent toute la presse et l'opinion publique en France, dissimule aux yeux des étrangers tout autre chose, à savoir une affaire où le P-DG de Pechiney, M. Gandois, se serait fait avoir dans les grandes largeurs, payant le prix fort pour une industrie en perte de vitesse. Ce qui est autrement plus grave pour l'économie française.

D'une façon générale, nos tentatives internationales n'ont pas été couronnées d'un succès assez spectaculaire pour redorer le blason de la France à l'étranger et surtout modifier son image d'hexagonalité. En définitive, à côté de ces grands groupes phares, chacun flanqué de nombreuses filiales, combien de PME ou de PMI ont été assez performantes pour s'implanter durablement à l'étranger ?

Les chiffres qui m'ont été communiqués par le Commerce extérieur montrent bien que si nous sommes encore, aux dernières nouvelles, le quatrième exportateur du monde, la moitié de nos exportations sont réalisées par un nombre limité de très grandes sociétés, sur les cent cinquante mille entreprises « supposées » exportatrices.

Je dis bien « supposées » puisque vingt-trois mille entreprises couvrent à elles seules quatre-vingt-dix-huit pour cent de nos exportations. Parmi elles, mille huit cents font quatre-vingts pour cent des exportations et deux cent cinquante la moitié, ce qui signifie donc que les deux pour cent restants sont répartis entre cent vingt-sept mille entreprises. Ces chiffres montrent bien à quel point les performances accomplies par chacune sont microscopiques et rarissimes.

Ce phénomène n'est pas spécifique à la France. Les Anglais connaissent une situation assez proche grâce au volume de leurs exportations de pétrole. Mais au moins eux sont-ils conscients de ce déséquilibre et ne pavoisent-ils pas à tout propos sur leurs performances, contrairement aux Français. En effet, selon les observateurs étrangers, lorsque la presse française s'inquiète en première page du déficit du commerce extérieur, on rencontre un peu partout des optimistes pour s'indigner de ces propos alarmistes et les relativiser en citant le fameux classement selon lequel la France arrive au quatrième rang mondial des pays exportateurs. A juste titre, les observateurs étrangers qui en sont toujours à rechercher la petite bête font aussi remarquer que, même là où la France réalise ses meilleures performances, elle est loin de faire aussi bien qu'elle le pourrait. Par exemple dans l'agro-alimentaire, la masse des exportations est réalisée sur des produits de base sans valeur ajoutée comme les céréales, la farine, etc. En revanche, dans le domaine des produits à valeur ajoutée, nous n'avons pas réussi à très bien commercialiser nos traditions et notre savoir-faire. Malgré nos quelque trois cent soixante fromages, le volume de nos ventes vient loin derrière les Hollandais qui eux ne commercialisent pourtant que trois ou quatre variétés.

163

En matière d'industries de luxe (cosmétiques, haute couture et prêt-à-porter de luxe), les Italiens et même les Allemands (pour le prêt-à-porter masculin) nous devancent.

En matière de transports civils aériens dans lesquels Airbus occupe une grande place, ainsi que dans les transports terrestres (train, métro), nous nous défendons bien.

Néanmoins, là aussi la concurrence se fait rude. Les Allemands, devenus notre principal concurrent, conçoivent désormais des trains à grande vitesse qui sont préférés aux nôtres pour des raisons de souplesse commerciale. En d'autres termes, les Allemands sont prêts à consentir des sacrifices et même à vendre quasiment à perte pour s'implanter sur de nouveaux marchés, ce qui n'est pas le cas des Français.

De même, sur le marché de l'armement, où nous possédions auparavant une position de quasi-monopole, nous rencontrons une concurrence accrue de la part d'Israël, du Brésil et même du Pakistan.

En revanche, dans le domaine de l'énergie (nucléaire civile et transport d'énergie) mais aussi dans celui des logiciels et des sociétés de service informatique (par opposition aux ordinateurs), les étrangers informés reconnaissent notre compétence.

Ces différentes données prouvent qu'il existe en France une minorité de très gros ténors qui, dans l'ensemble, dominent bien les problèmes internationaux, savent s'entourer et osent investir dans la durée. Selon M. de Montvallon, ces entreprises ont atteint la taille critique qui leur permet de maîtriser leur destin, ce qui ne veut pas dire qu'elles n'aient plus rien à apprendre. En revanche, les PME et PMI qui sont encore souvent des petites sociétés familiales ont à leur tête des patrons timorés, réticents à la perspective d'emprunter pour investir ; c'est pourquoi bon nombre de ces sociétés en sont encore à l'âge de pierre de l'exportation.

« Ce qui me frappe », ajoute M. de Montvallon qui de par ses fonctions rencontre des patrons de tout acabit, « c'est que plus on rencontre des types expérimentés et plus on est frappé par leur modestie. En revanche, les patrons de PME et PMI sont d'une prétention à toute épreuve. Avant même que vous n'ouvriez la bouche pour leur expliquer quelque chose, ils vous interrompent, car ils savent d'avance de quoi vous allez leur parler...

C'est bien la preuve que leur arrogance sert à dissimuler leur faiblesse ! »

Circonstance aggravante : outre le fait que l'économie française se bat pour essayer difficilement de conserver cinq à six pour cent de parts du marché mondial, il faut souligner que le pourcentage en matière d'investissements à l'étranger est beaucoup plus faible, de l'ordre de trois et demi pour cent. Cela signifie clairement que nos entreprises n'ont absolument pas intégré la notion de pérennité dans le développement international et que, d'une certaine manière, nous en sommes restés au stade de « l'exportation de papa » avec un produit fabriqué en France pour le marché français puis exporté. Bref, tout se passe encore comme si nos entrepreneurs n'avaient toujours pas compris le rôle crucial de l'exportation et qu'il leur fallait désormais investir à l'étranger. Je sais en revanche, pour l'avoir beaucoup entendu répéter par des interviewés de différentes nationalités, que la France est en train de se « babeliser » à l'extrême, malgré la vigilance récente du gouvernement qui commence enfin à s'opposer au rachat, par des groupes japonais, de sociétés françaises renommées. De même, suite à certains avatars récents, l'État commence à étudier d'un peu plus près les projets d'implantation américaine.

Par contre, en ce qui concerne l'implantation des Allemands, bien plus ancienne mais moins spectaculaire, il semblerait, selon des chiffres officieux, que l'on n'aime guère voir circuler, qu'elle concernerait le rachat de deux mille deux cents entreprises relativement importantes. En contrepartie les chiffres divergent sur le nombre de sociétés françaises établies en Allemagne. Dans certains cas on parle de six cents, soit moitié moins que les chiffres officiels qui font état de mille sociétés françaises implantées en Allemagne. D'une façon générale, chacun admet cependant qu'il y a parmi elles bon nombre de filiales ainsi qu'un certain nombre d'établissements aux performances minuscules.

Mais les Allemands ne sont pas les seuls prédateurs européens que nous devons redouter. Les Anglais, bien que plus tardifs, envahissent eux aussi sournoisement la France en rachetant à tour de bras ses industries, ainsi que des terrains où implanter de nouvelles entreprises[1], la France comportant encore d'immenses

---

1. Sans oublier des résidences secondaires dans les régions ensoleillées.

possibilités dans ce domaine alors que des pays comme l'Allemagne fédérale ou la Grande-Bretagne manquent cruellement de terres non exploitées.

Selon le magazine *Tertiel,* le département londonien du Commerce et de l'Industrie aurait recensé à ce jour plus de mille huit cents sociétés britanniques ayant établi des filiales ou pris des participations en France. A Paris, les services de la Datar font état de 6,2 milliards de francs de nouveaux investissements britanniques en France en 1987, soit une progression de quarante-huit pour cent sur l'année précédente. En février 1989, les chiffres relatifs à 1988 n'avaient pas encore été communiqués, mais les raids tentés et réussis dans divers secteurs, en particulier l'agro-alimentaire, l'électronique, et surtout la finance, font penser que cette invasion a dû se poursuivre allègrement.

Ainsi la National Westminster Bank, installée en France depuis 1913 et considérée comme la banque la plus rentable du monde, vient de racheter coup sur coup les cinq succursales de la Banque de l'Union européenne ainsi que l'une des dix plus importantes charges d'agents de change. Bien entendu, quelques très grandes sociétés françaises ont également franchi le Channel avec succès. En 1987, les investissements français en Grande-Bretagne représentaient un chiffre qui avait quasiment triplé par rapport à celui de 1986, et qui surtout dépassait la somme des investissements britanniques en France.

En dépit de ce résultat encourageant, la France reste terriblement en danger, puisque, en plus des Allemands, des Anglais, des Japonais, des Américains, c'est maintenant au tour des Italiens de lorgner sur la France avec envie et d'annoncer des succès de plus en plus nombreux.

Selon un sondage de la Sofrés, réalisé à la demande de *Tertiel*[1], ce sont les dirigeants d'entreprise de trois pays européens précédemment cités (Italie, RFA, Royaume-Uni) qui sont les plus désireux de s'implanter en France en rachetant à bas prix les entreprises françaises. En effet, la France s'avère le pays d'Europe qui offre le plus d'opportunités juteuses en matière de rachat d'entreprises, puisque nos entreprises pèsent aussi peu en termes de chiffre d'affaires (la moyenne du chiffre d'affaires des dix premières entreprises françaises est de quatre-vingt-trois mil-

---

1. *Tertiel* n° 45, février 1989.

liards et demi de francs, contre cent cinquante milliards en RFA) que de rentabilité (le résultat net moyen des cinquante premières entreprises françaises atteint un milliard cent millions de francs contre quatre milliards de francs en Grande-Bretagne) et de capitalisation boursière. Sur ce dernier indicateur, *Tertiel* cite les calculs du *Financial Times* qui montrent que seulement deux entreprises françaises figurent parmi les cinquante premières capitalisations boursières européennes. A savoir Elf-Aquitaine et Peugeot qui se classent respectivement à la quarante-deuxième et à la quarante-quatrième place !

De plus, et cela est le plus grave, il semblerait que des sociétés françaises puissent passer contre leur gré sous le contrôle de sociétés européennes, à cause de la déficience du droit commercial français. Quant à cela s'ajoutent, petits détails anecdotiques mentionnés pour faire bonne mesure, les villages du Sud-Est et Sud-Ouest rachetés en masse par des colonies d'Anglais, de Hollandais et d'Allemands, et qu'*a contrario* les Français, eux, ne colonisent aucun de ces pays sous forme de résidences secondaires, on se demande avec un petit pincement au cœur à quoi ressemblera la France de 1993, même si, entre-temps, les Français auront enfin admis la nécessité de quitter l'Hexagone.

Par boutade, les étrangers nous conseillent de jeter l'éponge et de nous contenter de cultiver nos particularismes. Propos difficiles à supporter pour nous, qui sommes ivres de grandeur et n'avons d'autre issue que l'exportation.

Une babelisation croissante à notre insu

En attendant, non seulement la France se positionne de façon médiocre à l'exportation mais pis encore, elle se laisse envahir par des groupes étrangers. Pour plusieurs de nos interviewés, Paris est en effet devenu une sorte de Babel européenne pour de nombreuses sociétés étrangères qui, de la capitale, quadrillent l'Europe.

1993 risque de tourner effectivement au psychodrame lorsque les Français se tourneront vers des banques ou des compagnies d'assurances étrangères et que les nôtres se retrouveront en difficulté ; mais surtout lorsque l'opinion publique découvrira que

167

des entreprises locales ont été bradées à bas prix ou pour un franc symbolique à des groupes étrangers puissants qui ont refusé des participations françaises dans le capital. Vérité d'autant plus difficile à admettre lorsqu'on sait que dans le domaine des acquisitions à l'étranger les Français passent, eux, pour rechercher très souvent des formes de partenariat.

A titre d'exemple, je rappellerai brièvement l'affaire du « Dysneyland français » qui est l'illustration parfaite de la naïveté dont font preuve les Français en matière de négociations internationales. Dans un chapitre suivant je développerai l'exemple d'un industriel allemand qui a racheté pour une broutille une vieille société française, jadis leader dans son secteur, et qui a littéralement décédé par méconnaissance des marchés extérieurs.

Quand Mickey nous prend pour des poires [1]

Cet exemple concerne un des derniers grands projets mis en chantier sous le gouvernement de Laurent Fabius, et repris à son compte par celui de Jacques Chirac : la création du parc d'attractions de Disneyland et de la cité d'affaires alentour, dont l'inauguration, si tout va bien, devrait coïncider avec la date fatidique de la construction européenne. Ce projet a fait couler beaucoup d'encre et suscité à juste titre de nombreuses polémiques.

Dans le cadre de mon enquête, j'ai rencontré des juristes américains très au fait de la rédaction des contrats pour le compte de la société américaine WDP, qui commercialise et gère l'affaire des parcs d'attractions.

Ces juristes ont fait discrètement allusion à Disneyland, exemple le plus flagrant, à leur sens, de la naïveté des Français face à des hommes d'affaires sans scrupules, déterminés et prêts à recourir à toutes les ruses pour parvenir au but fixé, à savoir ramasser des millions de dollars de bénéfices sans aucun investissement à la clé.

---

1. Ces informations sont extraites d'un dossier dont il m'est, pour des raisons évidentes, impossible de citer la source.

Les journalistes du *Zeit* semblent avoir eu accès aux mêmes sources, comme le montre un article très bien informé, paru le 16 octobre 1989 et faisant état des mêmes informations.

Deuxième hasard, j'ai eu la chance d'avoir entre les mains des documents confidentiels qui démontrent avec une grande précision la mécanique machiavélique effectivement mise au point par les Américains pour nous faire souscrire à un projet dont la France, déjà à la tête de plusieurs parcs d'attractions, aurait largement pu faire l'économie.

En 1984, quand commencent les premières négociations, l'entourage de Laurent Fabius et celui d'Édith Cresson savent, par un audit que leurs services ont commandé à un groupe bancaire français présent aux États-Unis, que les profits du groupe Walt Disney sont en chute libre depuis quatre années consécutives par suite d'une baisse de fréquentation régulière des parcs de Californie et de Floride. Dans les conclusions, les auteurs du rapport insistent tout particulièrement sur le fait que le projet d'Euro-Disneyland n'est qu'un leurre, destiné à relancer à la hausse les actions du groupe WDP (sigle du groupe Walt Disney) qui cherche à investir en Europe pour essayer d'échapper à la faillite. Le rapport déconseille formellement de poursuivre plus avant les négociations avec cette firme. C'est donc en toute connaissance de cause que le gouvernement français signe avec les Américains le 18 décembre 1985 le protocole d'intention.

Qui plus est, les signataires français savent parfaitement que l'opération est uniquement commandée, du côté américain, par des impératifs boursiers, WDP ne faisant ainsi qu'exporter son déficit et sa crise interne, stratégie en accord parfait avec les principes de Keynes. Ainsi l'un des deux cosignataires français, non pas Laurent Fabius, mais Michel Giraud, président du conseil régional d'Île-de-France, déclare le jour de la signature : « Le parc en soi ne peut être rentable, il faudra donc faire en sorte de rendre crédible sa viabilité économique », constat en forme d'aveu, l'Europarc n'est donc que le prétexte à tout autre chose. Oui, mais quoi ? Une superbe arnaque que deux gouvernements français successifs, qui ont porté le projet sur les fonts baptismaux, se sont refusés à voir, délibérément semble-t-il, malgré les mises en garde et les protestations.

En réalité, la France espère que, en contrepartie des accords français, WDP confiera à l'entreprise Matra l'installation d'une liaison ferroviaire de vingt kilomètres et d'une capacité de trente-cinq mille personnes par jour, entre la ville d'Orlando et

Epcot (Experimental Prototype Community of Tomorrow), la cité de l'avenir du Disneyworld. Ceci pour un coût global de trois cent quatre-vingt-quatorze millions de dollars, comme le précise le cahier des charges. Matra espère aussi qu'on lui confiera la réalisation de la desserte prévue entre le RER et le parc de Marne-la-Vallée.

Pour des raisons de concurrence entre divers parcs américains situés dans la même zone géographique, WDP renonce secrètement au projet de liaison ferroviaire aux États-Unis, qui avantagerait les concurrents. Mais, pour ne pas faire capoter les négociations relatives au parc français, ils continuent à encourager Lagardère, le P-DG de Matra, en promettant de lui donner la préférence pour ce chantier, dont ils prétendent que la réalisation est imminente, alors qu'ils savent pertinemment bien que l'abandon est définitif.

Et le gouvernement français, qui n'a pas envie de faire capoter une affaire capable de rapporter trois cent quatre-vingt-quatorze millions de dollars à une société étatique, appâté par la perspective de relancer le secteur du bâtiment, séduit par la perspective de création d'emplois, grisé par l'insigne faveur qui lui est faite de transformer une partie de son territoire en petite enclave américaine, ne sourcille pas devant la lenteur des accords entre Matra et WDP.

Mais la stratégie d'intimidation des Américains ne s'arrête pas là. Ils font semblant d'hésiter à s'engager avec les Français, en les mettant en concurrence avec l'Espagne. La menace d'être détrônés par les Espagnols sur la dernière ligne droite incite les Français à consentir à toutes les conditions exigées par WDP, y compris avaler avec des courbettes toutes les couleuvres que les Américains veulent bien leur faire ingurgiter, avant d'annoncer, une fois que les Français ne peuvent plus reculer, que finalement le projet de liaison ferroviaire américain est supprimé.

En contrepartie de l'honneur insigne de voir transformer de riches terres agricoles en lieu d'abêtissement yankee, la France mit dans la corbeille de noce de la mariée des cadeaux dignes d'un prince des Mille et Une Nuits. En effet, Disney obtint que les Français apportent la majorité des investissements, soit vingt-deux milliards sur dix ans, bornant son apport de capital à quatre pour cent, soit quatre cent quarante millions de francs, ce qui est une répartition inadmissible si l'on considère que la majorité des bénéfices repartiront aux États-Unis.

Pourtant l'exemple d'autres parcs, en particulier celui construit à Tokoy, montre que Disney ne finance pas, ne sous-traite pas, il loue des concessions, il vend une image pour ne pas dire une « aura [1] ». Cela est si vrai que sa mise en fonds propres de quatre cent quarante-deux millions de francs le sera, en réalité, sous forme de transferts de techniques, soit l'équivalent fiduciaire d'une valeur incorporelle, le savoir-faire.

En contrepartie, l'État a en outre accordé un rabais de deux tiers de la TVA sur les billets d'entrée, une exonération totale de la taxe professionnelle et partielle de la taxe foncière, enfin une subvention directe à Disney de deux cents millions, sans compter les équipements lourds pris en charge par la région (dont une autoroute spéciale) et un prêt de quatre milliards à taux préférentiel consenti par la Caisse des dépôts.

Cette décision complètement irrationnelle est entourée de mensonges. Un exemple : l'emploi. Les Français espéraient globalement la création d'environ trente mille emplois répartis sur plusieurs années, sans parler de nombreux débouchés annexes liés à la création du site hôtelier.

En ce qui concerne le parc lui-même, Disney ne s'est engagé qu'à nous « accorder une priorité ». De même une priorité sera-t-elle accordée aux entreprises *européennes* (on ne parle pas d'entreprises françaises) à *conditions équivalentes*, en sorte que les entreprises françaises n'ont pas droit à la majorité des contrats d'ingénierie et d'architecture. Parle-t-on des effets bénéfiques sur notre balance des paiements ? C'est oublier que la construction entraîne cinq milliards d'importations, soit quarante-cinq pour cent du coût total...

Les postes clés liés au fonctionnement du parc seront confiés à des Américains. Ainsi, il ne restera vraisemblablement pour les Français que des travaux subalternes dont certains saisonniers. En outre, les trente mille emplois dont il était question dans l'hypothèse haute se réduiront tout au plus dans un premier temps à sept mille cinq cents avec quatre cent soixante-dix mille francs d'aide publique pour chacun.

---

1. Sans parler du bradage culturel, comme en témoignent les accords passés avec FR3 et A2 pour diffuser les vieux stocks de dessins animés.

Par ailleurs, mais il est trop long d'entrer dans tous les détails relatifs au tour de passe-passe immobilier (tout le secret de l'opération est derrière), Disney City constituera, sans l'ombre d'un doute, un foyer de concurrence opposé à la ville nouvelle de Marne-la-Vallée. En effet, grâce à des accords juridiques extrêmement subtils, élaborés par des juristes américains, WDP devrait disposer, entre autres avantages, d'une zone de protection commerciale d'un rayon de dix kilomètres autour du Magic Kingdom ! Or, non seulement le principe d'une zone d'exclusivité est étranger au droit français, mais il constitue dans notre juridiction une atteinte à la liberté du commerce et de l'industrie.

Il faut ajouter à tous ces avantages :

— la « préférence » accordée à WDP et garantie par l'État sur le quart des logements construits hors emprise sur une surface de huit cents hectares ;

— le fait que le groupe Disney détiendra aussi un droit de préférence, cela va presque de soi, sur les hôtels, parcs de loisirs, campements, activités sportives (golfs, etc.) de l'ensemble des secteurs annexes ;

— un manque à gagner indéterminé sur les futures plus-values foncières.

En effet, la société propriétaire de Disney dispose de onze cents hectares payés au prix des terres agricoles, qu'elle a le droit de revendre avec profit à tous les autres utilisateurs de l'opération. En outre, il semblerait que certaines négociations gardées dans l'ombre lui accorderaient un droit sur mille autres hectares. Telles sont d'ailleurs les principales sources de profits des Disneyland américains.

Quand, par-dessus le marché, on sait que juridiquement WDP a les moyens d'exclure tout rival dans son voisinage immédiat, ce qui implique que la ville nouvelle de Marne-la-Vallée n'a qu'à « bien se tenir » et à se plier à la rationalité économique dominante, on se dit que, comme histoire de dupes, ce n'est pas mal !

Bref, si on récapitule, le projet Euro-Disneyland apparaît clairement comme une fabuleuse opération de promotion foncière et immobilière au profit quasi exclusif d'une société transnationale américaine...

Encore que certains ont bien dû se remplir les poches avec les

172

commissionnements versés par les Américains à leurs intermédiaires si zélés et si peu scrupuleux (on parle de trois cent cinquante millions transférés secrètement dans les caisses d'un parti
politique).

Si l'État s'est fait avoir comme un bleu par des hommes d'affaires américains, beaucoup trop requins pour que nos énarques
leur résistent, rien d'étonnant à ce que les patrons de PME rencontrent des Bérézinas sanglantes dès qu'ils mettent le bout du
nez hors de l'Hexagone, ou se mêlent de négocier avec des étrangers autrement plus retors.

Rien de surprenant qu'à l'orée de 1993 certains de nos amis
étrangers s'inquiètent sincèrement pour nous, nous mettant gen-
timent en garde contre le colonialisme économique qui nous
menace et dont ils pourraient citer bien d'autres exemples. Normal qu'en conséquence ils nous incitent à la vigilance, comme le
répète avec insistance Me Wenner : « 1993 sera un psychodrame
pour la France, mais cela la fera-t-elle bouger ? La France a
accumulé d'énormes retards dans le domaine du droit civil et
commercial. Il faut complètement réformer le droit à la vente
français, car sous sa forme actuelle il est complètement insuffisant pour protéger les Français dans la bataille internationale. Ils
devraient s'aligner sur le droit allemand qui est à la fois très
proche du droit américain mais aussi du droit japonais, malgré
quelques petites différences... 1993 changera peut-être l'attitude
de dépendance des chefs d'entreprise par rapport à l'État. Les
patrons allemands se foutent de l'État... Dans les ambassades ou
consulats allemands, il y a en tout et pour tout deux conseillers
économiques alors qu'au consulat de France à Cologne ils sont
au moins une quarantaine, mais pas un seul n'est compétent ! »

Chapitre V

LA CLEF DE VOÛTE DU MAL FRANÇAIS :
SON SYSTÈME DE FORMATION

> *Autant je suis contente de vivre dans ce pays,*
> *autant je suis heureuse d'avoir été éduquée aux*
> *États-Unis et en Angleterre car l'enseignement en*
> *France est trop figé, trop rigide. Toute la struc-*
> *ture est si malade qu'il faudrait tout reprendre à*
> *zéro et disposer de cinq cents ans pour y parvenir.*
>
> Laura T., trente-sept ans,
> chercheuse et enseignante en biologie à Orsay.

Accusé numéro un : l'école

S'il fallait désigner un coupable, et un seul, des difficultés insurmontables rencontrées par la France, la plupart des étrangers interrogés dans cette enquête au long cours désigneraient notre système de formation pris dans son intégralité. Cette quasi-unanimité mérite que l'on s'y attarde plus longtemps que sur d'autres aspects du mal français et justifie la longueur de ce chapitre. Seule l'école maternelle échappe à l'anathème qui sinon englobe tout l'édifice, du primaire au supérieur via le secondaire. La filière des grandes écoles, l'une des dernières fiertés de la France et son talon d'Achille d'ici peu, n'est pas davantage épargnée.

Pourquoi cette attaque à boulets rouges contre l'école, souci prioritaire de nos gouvernants depuis Napoléon ?

Pourquoi, quand ils se mêlent d'analyser et de critiquer les défaillances des Français dans différents domaines, que ce soit l'industrie, la recherche, les performances économiques, les

174

étrangers en viennent-ils, à un moment ou à un autre de leur réflexion, à mettre notre système de formation au banc des accusés ?

A quel titre, pour quelles raisons apparaît-il comme la clef de voûte du mal français ou, tout au moins, l'une des causes fondamentales des difficultés de la France et des Français à affronter le monde moderne ? Pourquoi l'école est-elle prise systématiquement comme bouc émissaire de nos maux actuels et à venir ?

Serait-ce parce que les étrangers, conditionnés par leur propre système d'éducation, sont incapables de jeter un regard objectif sur une approche différente de la leur ? Portent-ils de telles œillères, ou sont-ils à ce point inféodés au système américain, souvent pris comme référence, pour rejeter tout ce qui s'en écarte ou en diffère ?

Pourquoi ce système, dont se sont inspirés les Allemands après la guerre pour repenser et reconstruire leurs écoles, mais qui présente des similitudes certaines avec les méthodes d'enseignement pratiquées aussi en Suisse, aux Pays-Bas et dans les pays scandinaves, suscite-t-il l'admiration de tous ceux qui ont eu l'occasion d'étudier et d'enseigner aux États-Unis, qu'ils soient anglais, latins, israéliens, arabes, asiatiques ? En quoi le système américain est-il à ce point supérieur au nôtre que bon nombre d'étrangers ont également approché de très près, que ce soit à titre d'étudiants, d'enseignants ou de parents ?

Le système américain ne produit-il pas autant d'illettrés ; les jeunes qui sortent des *high schools* publiques ne passent-ils pas pour être d'une inculture crasse alors que tout le monde admet qu'un bachelier français dispose d'une bonne culture générale et possède un niveau de connaissances suffisant pour être parfois autorisé à sauter les deux premières années de certaines universités américaines [1] ? Surtout n'existe-t-il pas une discrimination criante entre les prestigieuses universités payantes de la côte est, réservées, elles aussi, à des élites, et les universités d'État supposés gratuites, mais d'un standing moins reluisant ?

On pourrait essayer de désamorcer d'emblée une partie des critiques en accusant les étrangers d'être influencés par le climat

---

1. Il semblerait que cela soit de moins en moins vrai. A Harvard on n'accorderait dorénavant qu'un an de dispense, pour des raisons indépendantes du savoir à proprement parler.

de contestation qui agite enseignants et enseignés autour de ce thème. Mais ce serait injuste, car, à supposer qu'ils aient lu tous les ouvrages traitant de la question ou suivi attentivement les débats dans les médias autour des différents projets de réforme, cela ne signifierait pas pour autant qu'ils se contentent de les restituer tels quels, en étant incapables de la moindre opinion personnelle.

De plus, c'est un thème abordé spontanément, dans une période de grande accalmie sociale. En effet, les interviews se sont déroulées bien avant les conflits qui ont opposé les enseignants au ministre de l'Éducation nationale, Lionel Jospin. Les remous provoqués par les projets de loi Savary et Devaquet sont eux aussi déjà trop loin pour susciter une polarisation contingente autour de ce thème.

Par ailleurs, la plupart des critiques formulées par les étrangers sont d'une autre nature que les critiques locales et, surtout, sont beaucoup plus radicales que ce qui figure dans les différents projets de réforme, où il n'est question que d'amélioration partielle mais jamais de restructuration radicale de l'institution.

D'une façon générale, le principal intérêt de ce réquisitoire contre l'école, c'est de s'articuler autour d'autres valeurs que celles mises en avant en France, tant pour critiquer ce qui existe que pour proposer des solutions nouvelles. Plusieurs causes, que nous allons analyser en détail dans ce chapitre, sont mises en avant. Mais d'abord, voyons les principaux griefs recensés.

1. Le système de formation symbolise tous les *archaïsmes* dont la France ne parvient pas à se débarrasser. Si les choses ne changent pas ou ne donnent pas l'impression de pouvoir changer, en dépit des prises de conscience et des efforts des uns et des autres, c'est que les mentalités sont structurées de telle façon qu'elles ne peuvent que s'opposer aux situations nouvelles et non les affronter, les accepter ou les dépasser. En effet, le système de formation qui a pris en charge nos concitoyens tout au long de leur scolarité, que celle-ci s'arrête avant la fin du secondaire ou se termine à la fin du troisième cycle universitaire, ne leur a pas donné les moyens d'y parvenir tant il les a tenus enfermés dans un carcan rigide, des schémas périmés et perpétués par des méthodes pédagogiques dépassées.

2. Ce système est aussi ressenti comme profondément *démobi-*

lisant et castrateur. En effet, le système français repose selon les étrangers sur une sélection par l'échec. L'hécatombe en richesse humaine est d'autant plus regrettable qu'elle est considérable. Surtout lorsqu'on sait que cette sélection impitoyable qui se poursuit du primaire au supérieur laisse sur le carreau des masses de jeunes traumatisés sur le plan psychologique et désemparés au plan professionnel. Un aussi fort déchet n'existe dans aucun des pays auxquels appartiennent les interviewés, car la sélection y est beaucoup plus tardive et, surtout, s'opère selon d'autres critères.

Le principe français de la sélection à outrance dès le primaire déplaît particulièrement parce que, sous couvert d'un enseignement démocratique, ouvert à tous, il ne vise en réalité qu'un objectif : la sélection des élèves d'élite qui deviendront *ad vitam aeternam* les futurs cadres de la nation. Ce mode de sélection implique une forme de promotion sociale qui, selon certains étrangers, se révèle aujourd'hui aussi pernicieuse que malsaine.

3. Ce système est profondément *injuste et antidémocratique,* même s'il affiche gratuité et égalité des chances pour tous. Rappelons seulement ce que nous avons mentionné de l'inégalité qui différencie grandes écoles luxueuses destinées à l'élite et universités indigentes ouvertes au tout-venant. D'ailleurs, celui qui doute ou minimise l'importance de ces détails matériels se laissera plus facilement convaincre par les chiffres. Surtout s'il apprend que le coût global d'un polytechnicien est de trois cent mille francs et celui d'un étudiant en droit de troisième cycle de trente mille francs seulement, soit dix fois moins [1].

4. Ce système est aussi jugé profondément *absurde et pervers* par ceux qui en connaissent les plus fins rouages et les finalités ultimes. En effet, la France qui valorise tant ses cerveaux utilise la fine fleur de ses intelligences, sélectionnées et cultivées avec un soin jaloux, pour en faire des généralistes, des fonctionnaires, des politiques ou des gestionnaires. Pourtant elle manque terriblement d'experts de haut niveau dans des sphères comme la finance, l'industrie, les assurances, et, à un autre niveau, de chercheurs, d'ingénieurs, d'inventeurs, de créateurs, de professeurs, d'entrepreneurs courageux qui ne soient pas seulement des repreneurs véreux.

---

1. Gérard Mermet, *Francoscopie.*

Avec sa politique de promotion des élites, et les divers avantages en nature que confèrent certaines positions, on se demande au nom de quoi tous ces gens prendraient des risques, se découvriraient des vocations alors que leurs études ne leur ont enseigné que des rêves de puissance, de pouvoir, d'appartenance et qu'il est, de leur point de vue, bien plus avantageux de négocier des talents contre des prébendes que contre des espèces sonnantes et trébuchantes qu'il aurait fallu obtenir en mettant quelquefois les mains dans la merde.

Avant de poursuivre et d'entrer dans le vif du sujet, peut-être faut-il malgré tout nuancer les opinions en fonction de l'origine des interviewés. En effet, notre système de formation conserve quelques défenseurs. Parmi les plus critiques : Allemands, Hollandais, Suisses, Scandinaves et Américains dont les conceptions en matière d'enseignement se situent aux antipodes des nôtres.

Ainsi, une simple comparaison peut persuader les Allemands des insuffisances du système français. En effet, leurs jeunes diplômés s'intègrent rapidement au monde du travail grâce à des méthodes éducatives performantes. Les jeunes Français, par contre, rencontrent, à niveau équivalent, des difficultés souvent insurmontables. Cette réalité amère est prouvée par deux faits : le refus de certaines entreprises allemandes frontalières, installées en Alsace, d'embaucher autant des ingénieurs français que de la main-d'œuvre moins qualifiée et surtout le chiffre de chômage des jeunes.

Le taux de chômage des jeunes est en effet beaucoup plus élevé en France qu'en Allemagne, pays qui pourtant souffre aussi d'une crise de l'emploi aiguë. Ceci s'explique essentiellement aux yeux des étrangers par une sélection draconienne qui rejette dans la nature des tombereaux de jeunes dont le niveau d'instruction est médiocre, et qui quittent l'école dépourvus de formation professionnelle. De plus, depuis l'après-guerre, l'Allemagne, comme la Suisse et même l'Angleterre ont été progressivement sensibilisées à des approches pédagogiques modernes, alors que celles pratiquées chez nous sont restées beaucoup plus traditionnelles dans l'esprit et dans la forme.

En revanche, Anglais, Italiens, Espagnols, conscients de leurs propres manques, témoignent d'une admiration relative pour notre système scolaire. Longtemps secouée par la crise, l'Angleterre a encore moins investi que la France dans l'éducation. Malgré la reprise économique, le gouvernement de Mme Thatcher passe pour manquer de générosité à l'égard des écoles, des universités et propose des expédients pour s'en tirer au moindre coût, tels qu'attribuer aux étudiants des « bourses à crédit » pour les aider à financer leurs études dans des universités payantes. L'Angleterre, qui manque aussi cruellement d'ingénieurs, de techniciens parce que pendant longtemps ces professions étaient méprisées par les fils de l'aristocratie et de la grande bourgeoisie, nous envie nos grandes écoles, nos ingénieurs. Il est vrai qu'elle subit depuis quelques années une hémorragie de ses cerveaux en direction des États-Unis où les salaires offerts sont supérieurs et les conditions de travail bien meilleures. Certains Anglais qui se montrent relativement pessimistes sur l'avenir de la Grande-Bretagne estiment que la France, malgré des difficultés passagères, est en bien meilleure posture que l'Angleterre pour affronter le long terme.

Le gouvernement de Mme Thatcher, qui n'inonde pas le secteur éducatif en crédits, néglige aussi de doter le pays d'infrastructures solides, privatise à tour de bras le service public et les sociétés nationalisées, pour obtenir à tout prix le cash-flow qui, selon certains adversaires de la Dame de fer, sert à résoudre artificiellement la crise, et non à réinvestir pour préparer l'avenir. Ce qui n'empêche pas les Anglais, revenant d'un séjour aux États-Unis ou en RFA, de formuler des critiques virulentes à l'encontre de nos méthodes pédagogiques.

Quant aux Italiens ou aux Espagnols, à part les exceptions « américanisées », ils sont carrément laudatifs quand ils comparent notre système de formation au leur. Même si l'influence française en Italie a quelque peu diminué, beaucoup d'Italiens demeurent globalement très attachés au système français. Il ne faut pas oublier que Napoléon a fortement contribué à créer en Italie des écoles normales, dont quelques-unes fonctionnent toujours. Ainsi le lycée français de Rome, au même titre que les autres institutions étrangères, reste bien plus coté que les écoles italiennes ; de même certains Italiens, non universitaires, admirent sans réserve nos grandes écoles, considérant comme un grand honneur que certains de leurs hauts fonctionnaires soient invités à passer une année à l'ENA.

Par contre, l'opinion des universitaires et intellectuels italiens devient négative lorsque leurs enfants fréquentent l'école française et surtout après un contact approfondi avec le système universitaire américain, suisse ou allemand, puisque les Italiens sont de plus en plus nombreux à vouloir compléter leurs études par des séjours dans des universités étrangères.

Les seuls dans la population interrogée à ne pas avoir évoqué ce thème sont les Japonais. Peut-être parce que, parmi eux, ne figurent ni enseignants, ni chercheurs, ni « intellectuels » à proprement parler, mais essentiellement des gens qui travaillent dans l'industrie, la banque, le marketing, la mode, mais aussi parce que aucun d'entre eux n'avait d'enfant scolarisé dans des établissements français. Étant donné la réputation de difficulté des écoles japonaises qui passent pour encore plus stressantes et encore plus sélectives que les nôtres, la critique du système français aurait pu les gêner quelque peu.

I. L'ÉTAT DES LIEUX

1. UN CONTEXTE DÉSASTREUX

Pour les faire bénéficier d'une expérience aussi salutaire qu'édifiante, nous devrions suggérer aux grands pontes du ministère de l'Éducation nationale d'organiser, à l'intention de quelques étrangers, une sorte de tournée d'inspection à travers nos différents types d'établissements scolaires : écoles primaires, lycées, collèges et universités. A la fin de la visite, les étrangers seraient priés de communiquer leurs impressions en évitant toute forme d'autocensure. J'imagine qu'à la suite de cet exposé nos officiels, atterrés par l'ampleur des critiques et la sévérité des jugements, n'auraient comme alternative qu'un hara-kiri collectif ou la décision de prendre enfin le problème de l'enseignement à bras-le-corps.

180

Cette expérience leur donnerait peut-être le courage de se colleter avec un problème qu'aucun gouvernement, jusque-là, n'a osé affronter dans toute son ampleur. Mais un tel acte de bravoure impliquant de faire table rase de pratiquement tout l'existant, établissements, méthodes pédagogiques et enseignants (qui selon les étrangers gagneraient beaucoup à se recycler), il y a peu de chances que le gouvernement Rocard, qui ose annoncer qu'il va s'attaquer à l'administration, se risque à affronter l'enseignement et ses corporations ; ou alors il lui faudrait l'assurance de disposer d'un temps illimité, voire de l'éternité !

Pour les étrangers, même s'il s'agit là d'une plaisanterie, celle-ci signifie que la gravité du mal est telle que, malgré le recours à des mesures extrêmes, la situation est quasiment désespérée.

Bien sûr, les commentaires recueillis peuvent être considérés comme biaisés, dans la mesure où ils concernent essentiellement les établissements de Paris et de la banlieue proche, zone géographique que nos interviewés connaissent le mieux pour y être domiciliés, y avoir travaillé ou étudié.

Il est dommage qu'à cause du centralisme parisien ils ignorent certaines des innovations qui doivent quand même exister dans d'autres coins de France, où ont été construits des établissements scolaires pilotes, des universités d'une conception plus ludique que celles de Jussieu, Nanterre et autres facultés poubelles construites à la va-vite dans les années soixante pour accueillir des vagues d'étudiants issues du baby-boom. Mais encore aurait-il fallu les chercher soigneusement car, en province comme à Paris, la création de bon nombre d'établissements scolaires remonte à la IIIe République ou est juste postérieure à la guerre 1914-1918.

Les constructions récentes ne sont guère plus luxueuses même si, de l'extérieur, elles paraissent plus gaies, plus soignées et surtout inspirées d'une architecture qui rappelle moins directement celle des casernes, usines, hôpitaux ou autres bâtiments carcéraux dont le style austère influença les anciens bâtisseurs d'écoles. Néanmoins, on demeure bien loin, faute d'espace, des campus paysagés, y compris en banlieue.

Cela dit, dans les établissements de banlieue comme de Paris, l'État rapiat a vu petit. Des collèges dont la construction remonte à peine à une dizaine d'années et conçus pour recevoir au maximum quatre cent cinquante élèves en abritaient huit cent cinquante à la rentrée 1988. Len M., un architecte anglais, qui habite dans la banlieue est, me raconte que, dans le collège de sa fille qui reçoit le double des effectifs prévus au départ, les places de cantine sont insuffisantes et les élèves sont trimballés chaque jour en bus jusqu'à une cantine distante d'une quinzaine de kilomètres. Ce qui leur laisse à peine dix minutes pour déjeuner.

Un dénuement indigne d'un pays comme la France

Plus qu'un lieu de formation et d'épanouissement, l'école française dans son ensemble paraît plutôt s'apparenter au monde carcéral. En passant devant le lycée Hélène-Boucher ou d'autres établissements semblables, les étrangers évoquent aussitôt l'image des maisons de redressement d'antan, dites « maisons de correction ».

Ces constructions sévères, en briques ou en pierres noircies, aux fenêtres étroites et dont les vitres sont, dans les bâtiments anciens, en verre « cathédrale » ou dépoli pour empêcher les élèves de regarder dehors, ne donnent guère envie de pénétrer à l'intérieur. La cour de récréation, toujours de dimension mesquine, rappelle celle d'un établissement pénitentiaire. Dans certaines écoles, signalent, abasourdis, des témoins étrangers, les WC sont encore situés sous une sorte de préau ouvrant sur la cour et à peine protégé par un auvent. Mais la consternation des étrangers ne s'arrête pas aux extérieurs ; elle concerne aussi l'inconfort intérieur. Ainsi, dans certains vieux lycées parisiens, on dénonce des salles de classe au rez-de-chaussée, mal chauffées et ouvrant directement sur la cour. Ce qui signifie l'hiver des courants d'air et des températures insuffisantes. On mentionne aussi les murs crasseux, les peintures défraîchies, la vétusté des pupitres et des agencements en général, l'absence de matériel vidéo, l'inconfort du gymnase encore aggravé par l'éloignement des stades. Sans compter les classes surpeuplées, l'inconfort de la cantine, et l'obligation pour les enfants d'attendre dans la cour la reprise des cours, faute d'une aire de repos et de jeu à l'intérieur.

Pis encore : l'absence de foyer ou d'endroit convivial destiné à favoriser des rencontres informelles entre élèves et professeurs, parents et enseignants, y compris dans les bâtiments de construction récente où l'on a lésiné sur tout, faute de crédits, est jugée aberrante.

Bref, une conception d'ensemble qui montre à quel point l'école reste un lieu de contraintes, d'inconfort qu'élèves et enseignants ne peuvent que subir et fréquenter sans plaisir mais par nécessité. Les uns parce que la scolarité est obligatoire, les autres parce qu'ils ont choisi l'enseignement comme gagne-pain. Mais leur malaise et leur manque d'implication ne font aucun doute, à voir leur empressement à quitter ce lieu inhospitalier, aussitôt achevés leurs pensums respectifs.

Comparés à nos institutions, les établissements scolaires d'Allemagne, de Suisse ou des Pays-Bas, des banlieues résidentielles des États-Unis (il ne faut pas parler, bien sûr, des écoles situées dans les banlieues pauvres et de bon nombre d'écoles publiques) ont un aspect coquet, joyeux et ressemblent à des pensions de luxe. On imagine aisément le bien-être et l'épanouissement des jeunes qui y sont éduqués, la satisfaction et la disponibilité des professeurs qui n'hésitent pas à s'attarder après les cours pour discuter avec les élèves, organiser des activités annexes, coutumes inconnues ici.

Ces établissements ne sont pas seulement conçus pour dispenser de l'instruction vaille que vaille. Ils sont aussi prévus pour faciliter l'apprentissage de la vie collective et contribuer à une meilleure socialisation des jeunes grâce à un environnement matériel et psychologique en adéquation avec le monde d'aujourd'hui. Cela ne signifie pas que l'enseignement qu'on y dispense manque de sérieux, qu'on y privilégie systématiquement les méthodes d'éveil au détriment d'un travail scolaire approfondi, fondé sur l'apprentissage de connaissances précises, et qu'on néglige de respecter un programme. Simplement, les choses sont moins rigides qu'en France. De même, on considère que de bons résultats scolaires ne sont pas incompatibles avec un certain bien-être matériel, alors qu'ici on a un peu trop tendance à assimiler efforts intellectuels avec environnement spartiate, pour ne pas dire démobilisant.

Pour les étrangers dont les enfants fréquentent des institutions françaises, il ne fait aucun doute que décor, ambiance et méthodes pédagogiques vont de pair. Impossible d'imaginer un enseignement moderne, débarrassé de ses nombreux archaïsmes et reconverti à des méthodes pédagogiques contemporaines, un programme actualisé, dans un cadre aussi anachronique ou cauchemardesque.

Des écoles qui continuent à ressembler à des institutions d'une autre époque, entre l'usine et la maison de correction, c'est un phénomène d'autant plus surprenant et choquant qu'il émane d'un pays « éclairé » et qui se prétend tel.

Philip Frericks, journaliste hollandais, fait part de son étonnement lorsqu'il confronte l'esprit d'une école hollandaise à celui d'un vieux lycée parisien : « Le lycée Molière où va mon fils n'a pas été repeint depuis avant la guerre. Ce n'est pas une maison, mais une usine, un lieu hostile. En Hollande, l'école ressemble à une maison. Il n'y a pas seulement des salles de cours ; des endroits sont prévus dans tous les établissements pour une vie sociale avec les profs. Il y a des clubs, des salles de rencontre pour les activités de groupe, car l'école permet une vraie vie associative. Ici le prof fait son cours et la relation ne se poursuit pas au-delà, ce qui est bien dommage car l'école représente une période déterminante dans la socialisation des enfants. Apprendre les maths, la littérature, c'est très important mais pas seulement. En Hollande, il y a une harmonisation de l'instruction et du reste. Les rapports humains entre profs et élèves sont plus détendus et les enfants sont infiniment moins stressés qu'en France. »

C'est pour ces raisons et bien d'autres que ceux qui en ont les possibilités refusent que leurs enfants soient éduqués dans des institutions qui semblent perpétuer l'atmosphère répressive de temps révolus, et les inscrivent dans des écoles privées internationales comme il en existe un certain nombre à Paris et dans la banlieue. Certains de ceux qui sont contraints d'envoyer leurs enfants dans nos écoles s'y résignent à contrecœur, tant ils craignent l'influence pernicieuse de nos méthodes pédagogiques sur le développement harmonieux d'une personnalité. Même s'ils admirent la culture et la maturité intellectuelle d'un bachelier dont le bagage de connaissances est de loin supérieur à celui de son homologue allemand et, surtout, américain à âge égal, ils considèrent le prix payé pour un bac C excessif en terme d'investissement psychique.

Au-delà du secondaire, les expatriés préfèrent généralement que leurs enfants suivent leur cursus universitaire dans leur pays d'origine ou dans des pays où l'enseignement supérieur a meilleure réputation. Écoutons l'avocat américain H. Van Kirk Reeves qui, bien que vivant en France depuis bientôt une dizaine d'années et sans intention de repartir dans l'immédiat, envoie aujourd'hui sans hésiter ses enfants à l'école américaine, comme plus tard il leur fera poursuivre leurs études dans une université américaine :

« Je n'ai rien contre l'école française, si ce n'est que je n'ai pas envie d'imposer à mes enfants durant toute leur scolarité un rythme de travail forcé, un stress permanent terminé par un traumatisme. Le bac français, qui est le plus sadique des examens, devient un véritable cauchemar pour une famille. Je sais aussi par mon expérience à HEC que la conception de l'enseignement français est totalement déséquilibrée car après leurs études les Français ont besoin d'être en quelque sorte " réadaptés ". Ainsi, on m'a sollicité pour donner des cours à HEC afin de familiariser les élèves avec le travail en groupe et la résolution de cas concrets, ce dont même les plus brillants sont incapables. Nous sommes un cabinet international où nous engageons des juristes de toutes origines, mais ceux avec lesquels nous avons le plus de problèmes à tous les niveaux sont les Français. Ils sont très prétentieux parce qu'ils ont beaucoup de connaissances théoriques, mais cela ne les empêche pas d'être inexpérimentés et d'avoir besoin d'au moins deux ans pour devenir opérationnels, ce qui n'est le cas avec personne d'autre, pas même avec les Anglais. »

Dans ce constat quelque peu effroyable, seule l'école maternelle échappe aux critiques et semble bénéficier d'une véritable aura. Non seulement elle a le mérite d'exister et d'être gratuite, mais, comme il s'agit d'une institution relativement récente, elle a eu toute latitude pour s'inspirer de méthodes pédagogiques modernes. Pour apprivoiser les tout-petits, faciliter leur premier contact avec l'école, l'administration a, pour une fois, consenti à se montrer généreuse pour l'aménagement et la décoration des lieux.

En revanche, le changement de régime brutal entre l'ambiance ludique et informelle de l'école maternelle et la rigueur de l'école primaire, univers austère et sévère, est ressenti comme nécessairement traumatisant à cause de l'absence de transition entre le paradis de la petite enfance et l'enfer scolaire.

Un pays qui n'aime pas sa jeunesse

La vétusté ou les insuffisances des établissements primaires et secondaires pourraient presque passer pour du luxe face à la misère catastrophique exhibée par certaines universités. Que ce soit Jussieu, Tolbiac, Nanterre[1], Saint-Denis, ces lieux, pourtant relativement récents, suscitent l'indignation et l'incompréhension des témoins étrangers qui y enseignent ou y étudient. Entre autres détails les ayant particulièrement choqués, ils mentionnent la dégradation consternante des bâtiments et des équipements faute d'entretien suffisant, la malpropreté générale, en particulier des toilettes, l'abandon de certains lieux aux graffiti, à la poussière, aux squatters, les vitres cassées, les sièges déglingués, l'insuffisance des salles de travaux pratiques. Un peu partout, l'absence de matériel ou de fournitures élémentaires atteint des proportions insupportables.

Le mépris dont l'université fait preuve envers les étudiants englobe aussi les enseignants qui, à l'exception des titulaires de chaire, sont privés du minimum, c'est-à-dire d'un bureau personnel. Dans les facs riches, assistants et chargés de cours partagent un bureau à deux. Dans les facs pauvres, ils se retrouvent à plusieurs dans une pièce bruyante où il leur est aussi impossible de travailler, de recevoir des étudiants que de conserver quelques affaires personnelles.

Les étrangers déplorent plus que tout le sort des étudiants condamnés à s'exiler sur ces lointains campus aux conditions d'accueil si lamentables (amphis surpeuplés, absence de lieu adéquat pour travailler pendant les intercours, etc.). Ils déplorent également que l'administration n'ait pas songé à disposer quelques sièges et canapés dans les couloirs pour permettre aux étudiants d'attendre confortablement comme c'est le cas en RFA ou

---

1. Une enseignante allemande de Nanterre, Angelika S., a tenu à pondérer ses critiques après coup, Nanterre s'étant, paraît-il, beaucoup amélioré depuis un an.

aux États-Unis. Enfin, ils soulignent le fonctionnement scandaleux des bibliothèques françaises, parent pauvre des budgets ministériels, alors que le bon sens voudrait qu'elles soient particulièrement privilégiées en tant que lieux d'apprentissage, de recherche personnelle et de découverte.

Ceci est d'ailleurs amplement prouvé par les statistiques mettant en évidence l'indigence des bibliothèques françaises comparées à celles des autres pays. Ainsi, en France, il n'y a qu'une place en bibliothèque universitaire pour treize étudiants, contre une pour six étudiants en Grande-Bretagne ou en Allemagne. Trouver une place dans une bibliothèque universitaire relève donc en France du prodige, constatent les étrangers. Les spécialistes, à qui rien n'échappe, précisent aussi que le pouvoir d'achat moyen par étudiant d'une bibliothèque universitaire française est sept fois inférieur à celui d'une bibliothèque universitaire allemande. Enfin, et le ministère de l'Éducation nationale devrait en rougir de honte, aucune bibliothèque universitaire française n'acquiert actuellement plus de quinze mille volumes par an, alors que seulement trois bibliothèques universitaires allemandes sont en dessous de ce niveau[1].

Comparé à l'aménagement luxueux des grandes écoles, le dénuement des universités apparaît encore plus choquant.

La télévision allemande a diffusé un film que son correspondant parisien Ulrich Wickert a consacré au système de sélection des élites françaises. Les jeunes gens interrogés expliquent, en particulier, que l'une de leurs motivations pour préparer les concours, c'est la volonté de fuir l'université et son environnement sordide, en dehors de tous les privilèges inhérents à cette filière. Cette motivation se comprend d'autant mieux lorsqu'on peut comparer à loisir le luxe et les nombreux avantages matériels dont bénéficient les grandes écoles au dénuement et à l'aspect concentrationnaire des universités.

Plus que de longs discours, un tel contraste montre à quel point la France républicaine reconstitue à travers la sélection de ses élites et les privilèges qu'elle leur octroie « une noblesse d'école » traitée avec la déférence à laquelle pouvait prétendre l'ancienne aristocratie. Dommage que ce film ne soit pas passé à

---

1. Statistiques extraites du rapport sur les bibliothèques d'André Miquel, ancien administrateur général de la Bibliothèque nationale.

la télévision française, encore qu'en France un tel film ne choquerait probablement personne. Mais au moins nous permettrait-il de mieux comprendre l'image que les étrangers se font de nous, à travers celle de notre système de formation.

A les entendre, on a un peu l'impression que les grandes écoles dont la France est si fière, dans laquelle elle investit tant, représentent un alibi, une façade en trompe-l'œil.

De même les Allemands, durant la guerre, faisaient-ils visiter des bâtiments témoins, confortables et bien tenus, garants de leur honorabilité, aux visiteurs de la Croix-Rouge. Après l'inspection, ces derniers repartaient rassérénés par ce qu'on avait bien voulu leur montrer, et persuadés que les camps de concentration n'étaient que des fausses rumeurs.

Une approche pédagogique archaïque en accord avec les bâtiments

Cela posé, l'état de délabrement des bâtiments universitaires ou des écoles ne serait pas bien grave s'il n'était plus profondément révélateur d'un esprit général tout à fait malsain, s'il ne reflétait une méconnaissance crasse des conceptions nouvelles de l'enseignement et de ses finalités.

En effet, l'image vétuste des bâtiments suggère qu'en matière de méthodes éducatives, comme dans sa conception générale, l'école française actuelle continue à s'aligner sur celle du XIXe siècle, voire sur l'école napoléonienne d'inspiration résolument militaire.

Il faut aussi se rappeler que l'époque de démocratisation de l'enseignement laïque coïncidait avec une période où hygiénistes et éducateurs considéraient l'enfant comme fondamentalement mauvais. Une des visées de l'école était donc de le corriger de ses instincts, de le rendre meilleur, plus docile, en le débarrassant de ses pulsions, de ses élans, en l'enfermant le plus tôt possible dans un carcan rigide à base d'interdits, de règles, de sanctions, de contraintes en tout genre. Le carcan englobait tout, y compris la posture du corps qu'on allait jusqu'à comprimer dans un corset quand la colonne vertébrale de l'enfant n'était pas droite comme un I, et la manière de travailler et de réfléchir grâce à une approche pédagogique conçue pour ne rien laisser à l'initiative du sujet.

Pendant longtemps, les enfants ont porté des uniformes qui ont été remplacés par des blouses d'un modèle imposé. De même, ils étaient obligés de couvrir leurs livres d'une certaine façon, d'utiliser leurs cahiers selon un rituel imposé par les différents professeurs et qui variait d'un prof à l'autre, coutume qui se perpétue allègrement. Une seule écriture était autorisée. Pas question d'écrire droit ou penché à gauche sous peine de sanction. Pas question pour les gauchers d'écrire autrement qu'avec la main droite. La France a mis longtemps à découvrir les problèmes des gauchers contrariés. Même l'emploi du Bic a donné lieu à des polémiques violentes entre traditionalistes attachés aux pleins et aux déliés, et novateurs pour qui l'écriture était la science des ânes.

A ces règles d'une précision diabolique, ne laissant guère de place à une expression personnelle, s'ajoutaient bien entendu des méthodes d'apprentissage tout aussi formelles et privilégiant à toute autre approche les exercices mécaniques et répétitifs : le « par cœur ». Selon les étrangers, les critères n'ont guère changé en un siècle. En France la qualité de bon élève continue à s'appliquer, aujourd'hui comme hier, à celui qui obtient de bonnes notes en récitant ses leçons mot à mot plutôt qu'à l'élève le plus participatif et le plus doué.

Les étrangers dénoncent donc violemment nos méthodes pédagogiques qui, comme nos bâtiments, ne semblent guère en phase avec l'évolution actuelle du statut de l'enfant et de sa psychologie, évolution qui par contre est prise en compte dans tous les autres pays de niveau comparable.

Hors de nos frontières, on insiste davantage sur l'importance de l'environnement et du climat psychologique dans la réussite scolaire et l'épanouissement personnel des enfants. On y privilégie des conceptions pédagogiques radicalement différentes. On y valorise plus le travail personnel, l'éveil de la curiosité, la participation à des travaux de groupe, le dialogue, que l'accumulation massive de connaissances et leur restitution automatique, la rivalité, la tension, la hantise des devoirs, des compositions et des classements.

L'anachronisme des programmes
s'harmonise à celui du décor

Le contenu des cours est très révélateur d'un état d'esprit passéiste qui montre à quel point bon nombre d'enseignants sont enfermés dans une routine implacable. Ainsi, à travers les quelques exemples cités, on a le sentiment que certains professeurs, et pas nécessairement ceux qui sont à la veille de la retraite, mais aussi des jeunes, enseignent ce qu'eux-mêmes ont appris jadis comme élèves.

Même si la prédominance accordée à la culture classique dans le système français est louable en soi, il semblerait cependant que le parti pris systématique de ne pas actualiser certaines notions, de ne pas introduire des références culturelles contemporaines génère des aberrations dont la portée échappe tant aux enseignants, aux auteurs de manuels qu'aux promoteurs des projets de réforme.

Cet archaïsme des programmes est si criant qu'un rapport tout ce qu'il y a de plus officiel (le rapport sur le contenu des enseignements de la commission Bourdieu et Cros) le reconnaît, le déplore et va jusqu'à proposer des solutions théoriques, mais difficiles à appliquer, comme le précise celui de nos spécialistes qui, chargé d'une mission officielle, a pu avoir accès à tous ces dossiers. Ce rapport déclare ainsi sous la forme de vœux pieux : « Ouverts, souples, révisables, les programmes sont un cadre et non un carcan. [...] Ils doivent être soumis à une remise en question périodique visant à y introduire les savoirs exigés par le progrès de la science et les changements de la société. » Ce décalage sera-t-il suivi un jour par des éducateurs apparemment inertes ? A entendre nos censeurs étrangers, très pessimistes, on peut en douter tant il faudrait déployer d'énergie pour que les choses bougent enfin.

Dans le cadre de l'enseignement des langues vivantes, les étrangers ont souvent fait allusion à l'imperméabilité et à l'indifférence stupide des enseignants envers l'évolution culturelle du pays dont ils se targuent de transmettre la langue et la culture. Au lieu de motiver les élèves en leur faisant étudier des textes d'auteurs vivants, écrits dans une langue contemporaine, donc avec des termes de vocabulaire courants, ils privilégient encore l'étude de textes mineurs, poussiéreux, émaillés de mots qui n'ont plus cours dans le langage parlé. Rien d'étonnant, ensuite, à ce que les jeunes Français manifestent si peu d'enthousiasme dans l'étude des langues étrangères et surtout éprouvent tant de gêne à s'exprimer dans une langue pourtant étudiée tout au long de leur scolarité.

Marianne D., sociologue allemande, spécialiste des sciences de l'éducation, connaît bien ce problème et pas seulement de façon théorique. En l'occurrence, elle s'exprime d'abord en mère de famille consternée et devient intarissable lorsqu'il s'agit d'évoquer ses démêlés avec l'institution scolaire française. Pourtant, Marianne D. a préféré inscrire ses enfants dans un lycée français plutôt que de les envoyer au lycée allemand. Probablement à l'époque idéalisait-elle encore l'école française, comme elle a longtemps idéalisé la France. Comme beaucoup de parents étrangers dont les enfants fréquentent des établissements français, son attitude oscille désormais entre l'exaspération, le désarroi, des moments de désespoir qui lui donnent envie de retirer vite fait les enfants d'un système scolaire foncièrement inadapté : « Au cours d'allemand, les professeurs font apprendre à mes enfants des choses absurdes, de vieux poèmes écrits dans un langage du XIXᵉ siècle plus du tout employé. J'ai essayé de le faire remarquer au professeur qui m'a répondu : " C'est dans le programme. " Pour moi, c'est le reflet d'un nombrilisme et d'une incapacité totale à remettre en cause la tradition. Sur le plan de l'éducation, la France est restée très ancrée dans le passé et vit dans un grand immobilisme. »

Les propos de Marianne D. nous rappellent probablement des mésaventures semblables lors de nos premiers séjours en Allemagne ou en Angleterre. Ils nous font aussi percevoir le désarroi des jeunes Français qui se retrouvent à l'étranger et qui se ridiculisent en moins de deux, victimes d'un enseignement linguistique archaïque.

Pour les étrangers, il ne fait aucun doute que l'école est à la fois le moule de la société française et son fidèle reflet : à tous les échelons de l'une et de l'autre, on retrouve la même hiérarchisation, la même volonté de cloisonnement poussées à l'extrême, la même opposition de principe à toute forme de passerelle susceptible d'abolir leur rigidité. Rien d'étonnant non plus à ce que l'institution scolaire préserve et perpétue les archaïsmes les plus graves de la société française.

A ce déferlement de reproches, on peut toujours rétorquer que les étrangers se basent sur les différences existant effectivement entre leur système respectif et le nôtre pour faire prévaloir la supériorité de leur méthode et en profiter pour condamner les nôtres. Mais l'idée de cette coalition concertée est vraiment trop simpliste pour être pertinente. Plutôt que de les récuser en bloc, ce qui serait trop facile, songeons plutôt à la manière de tirer profit de critiques qui attaquent de front le système pris dans sa globalité et dans ses rouages internes.

2. Un formalisme étouffant

Un décor sinistre est planté : des écoles casemates, des programmes vieillots et sclérosants. Mais le formalisme des méthodes pédagogiques pratiquées dans le cadre de l'Éducation nationale les déconcerte encore davantage. Même les Anglais, *a priori* plus indulgents que les Allemands ou les Américains, restent abasourdis par le système de priorités et de valeurs autour desquelles continue à s'articuler l'enseignement en France. Qu'il s'agisse des surprenantes manies dont font preuve instituteurs, voire professeurs de terminale, dans leur attachement pathologique à divers détails de présentation et autres manies du même acabit, ou de la persistance de certaines méthodes pédagogiques devenues obsolètes partout ailleurs.

Le maintien du « par cœur », défendu avec la même conviction par des professeurs frais émoulus de l'université que par d'anciens presque en fin de carrière, est une attitude qui déconcerte complètement les étrangers, enseignants ou simples parents pour qui il s'agit d'une approche pédagogique complètement dépassée.

A l'orée du XXIe siècle, on admet mal qu'un pays comme la France, par ailleurs épris de modernité et de haute technologie, laisse se perpétuer des dispositifs hérités en droite ligne des jésuites et de l'école napoléonienne, et ne comprenne pas la nécessité de moderniser radicalement l'esprit de l'enseignement alors qu'il se pique d'imposer simultanément une initiation précoce à l'informatique.

La dictature des marges ou la genèse d'une mentalité

Parmi les détails épinglés par les étrangers comme étant tout à fait symptomatiques du formalisme anachronique de notre enseignement, le rituel de la marge est celui cité le plus souvent. C'est pour cette raison que beaucoup s'attardent à analyser ce détail, nettement moins anodin qu'il n'y paraît de prime abord.

De leur point de vue, il s'agit en quelque sorte d'un élément fondateur, d'une synthèse de toutes les barrières symboliques qui corsètent, enferment et limitent la société française. Fidèles agents de transmission des traditions, les professeurs perpétuent certains rituels très révélateurs de l'inconscient collectif d'une nation impuissante à se défaire d'un formalisme pesant.

Les parents d'enfants scolarisés dans des écoles françaises découvrent avec surprise que chaque professeur, du primaire au secondaire, consacre en partie le premier cours à décrire avec précision la façon dont devront être présentés cahiers et devoirs. La dimension et la place de la marge ont une telle importance qu'on les croirait associées à un rituel fétichiste. De la même façon, certains professeurs exigent des cahiers à petits carreaux alors que d'autres les interdisent.

Ainsi, selon les matières, les élèves doivent se plier à ces manies absurdes, sous peine d'être pénalisés, les professeurs se refusant à corriger des copies ou des cahiers dont l'alignement réglementaire serait bafoué.

Pas étonnant qu'avec un tel apprentissage les Français soient ensuite taxés de rigidité. Une rigidité qui n'est pas seulement de façade mais qui, selon bon nombre d'étrangers, est devenue structurelle, à la suite de cet embrigadement précoce, perpétué tout au long du cursus et contre lequel il n'existe pratiquement aucune parade si ce n'est des actes de désobéissance systématiques qui se soldent par des sanctions et tôt ou tard par la marginalisation de l'élève.

Mr. Corbett a commencé sa scolarité en Angleterre dans les années de l'après-guerre. Il a donc dû pâtir d'un enseignement passablement traditionnel. Ce qui ne l'empêche pas d'être complètement démonté par les méthodes encore en vigueur chez nous. Il est d'ailleurs l'un de ceux qui soulignent avec le plus d'insistance la responsabilité de l'école dans la rigidité profonde de la mentalité française. Car, contrairement aux idées reçues, les Français se révèlent à l'usage bien moins flexibles que d'autres nationalités qu'*a priori* on imagine « rigides ». Par exemple, les Allemands qui ont expurgé leur enseignement de ces méthodes se révèlent capables de beaucoup de flexibilité et de mobilité, quand il le faut, ce qui contredit tous les clichés relatifs à leur raideur. Du moins est-ce la conclusion que tirent certains étrangers de la fréquentation des uns et des autres dans le cadre d'échanges professionnels ou informels.

« Au départ, dit Mr. Corbett, je m'interrogeais sur l'origine de ce formalisme, et sur son caractère inamovible. Mais quand nous sommes arrivés en France et que nos enfants ont fréquenté une école française, j'ai pu constater et comprendre la façon dont ce comportement s'apprenait dans vos écoles en découvrant pour la première fois de ma vie ce système de présentation des devoirs si terriblement rigide. J'ai découvert aussi qu'il n'y a pas de vraies discussions entre élèves et professeurs, alors que l'ambiance dans l'école allemande, comme dans l'école anglaise, est beaucoup plus libre, plus spontanée. Tout est fait pour encourager et favoriser les débats. Les gens sont donc mieux préparés à s'exprimer. En Angleterre, l'école n'a jamais été un tel carcan. Il y a peu de discipline, et surtout l'enseignement est beaucoup moins cartésien. On n'apprend pas la rhétorique. »

Un autre détail, perçu par les observateurs étrangers les plus attentifs à disséquer notre système scolaire, contribue à renforcer le carcan psychologique. Il s'agit de l'obligation de toujours être assis à la même place, ce qui se transforme inconsciemment en attachement pathologique à une place quasi immuable. Cela signifie que l'élève français est toujours environné par les mêmes voisins de classe et qu'il apprend à vivre dans des habitudes sclérosantes.

Jane M., New-Yorkaise de trente ans, a enseigné dans un lycée français pendant deux ans. L'un de ses plus grands étonnements fut de constater qu'en France les élèves de lycée, y compris ceux de terminale, tentent de toujours garder la même place en classe et qu'essayer de les faire bouger tourne au drame pour les plus petits mais déroute également les plus grands. Elle m'explique qu'aux États-Unis, il est de coutume dès l'école primaire d'habituer les enfants à changer de place chaque semaine. Ainsi, ils changent également de voisins, donc se lient plus facilement et acquièrent indirectement des réflexes de plus grande mobilité géographique et mentale, avantage dont ils bénéficieront encore bien après l'université. Au départ, ce protocole avait été mis en place pour faciliter l'intégration des enfants noirs et éviter qu'ils restent isolés ou voient leurs contacts réduits. Bien que l'intégration scolaire ne pose théoriquement plus de problème, cette pratique a été maintenue car on s'est aperçu qu'elle contribuait à la socialisation des enfants. Cela les rend moins dépendants, moins craintifs, plus aptes à se faire des amis facilement. De même, ils sont beaucoup moins malheureux et perdus que les enfants français lorsque des changements d'école ou de section les séparent de leurs camarades.

En revanche, le carcan d'habitudes et de règles dans lequel sont enfermés les Français dès leur plus jeune âge explique pourquoi, plus tard, ils sont moins mobiles que d'autres nationalités, ont plus de mal à changer de métier, de domicile, de ville et aspirent autant à la sécurité.

Je me souviens qu'à l'époque où j'animais des séminaires de formation à la créativité et à la dynamique de groupe qui duraient plusieurs jours, j'avais été fort surprise de constater que dans un lieu et une ambiance de travail complètement informels, les participants qui avaient, pourtant, opté pour ce stage afin de tenter de se libérer d'un carcan d'habitudes et d'inhibitions intellectuelles et mentales prenaient une place le matin de leur arrivée et s'y agrippaient pendant toute la durée du séminaire. Chacun était pourtant libre de se déplacer et de s'asseoir n'importe où, n'importe comment. Si par hasard un membre du groupe avait par inadvertance accaparé « leur place », leur visage exprimait aussitôt un profond désarroi qui faisait mal à voir. Cette observation, je la refais à chaque fois que je me retrouve avec un groupe de Français, que ce soit en voyage ou dans n'importe quelle situation qui se prolonge. Les gens reprennent systématiquement les mêmes places auprès des mêmes voisins tant dans la salle à manger, dans le car, qu'à la piscine. Tout manquement à ce rituel susciterait la perturbation ou serait sujet à questionnement. Ce détail, qui se vérifie dans toute situation de groupe, est particulièrement révélateur du conditionnement subi et des ravages qu'il provoque.

La loi du « par cœur »

Naguère on assimilait la belle écriture à l'intelligence, probablement parce que les copistes étaient aussi des érudits. L'écriture se généralisant, la sagesse populaire décréta que la belle écriture, qui avait longtemps été le critère de recrutement des fonctionnaires, était en réalité « la science des ânes ».

Le « par cœur », lui aussi, avait toujours eu un grand rôle dans l'éducation. Avec les progrès de la pédagogie, les spécialistes de l'éducation, à l'exception des Français, ont tendance à délaisser cette méthode d'apprentissage jugée désormais totalement dépassée.

Car une des autres singularités de l'enseignement français, c'est en effet l'importance accordée aux tâches de mémorisation mécanique. Alors que partout ailleurs on interdit quasiment aux enfants d'apprendre « bêtement par cœur », chez nous l'apprentissage du mot à mot reste une pratique vivace dont enseignants et enseignés ne parviennent pas à se détacher. Les autres pédagogies mettent, elles, surtout l'accent sur la réflexion, l'assimilation des matières enseignées par l'expérimentation, le travail périphérique approfondi à base de lectures et d'exercices personnels. Cette approche est justement destinée à éviter une mémorisation mécanique qui fait trop souvent l'économie d'une étape de compréhension et d'appropriation en profondeur des connaissances.

Le recours au « par cœur » se conçoit principalement dans le cadre des classes théâtrales. Dans la plupart des autres disciplines, les pédagogues considèrent que l'on peut apprendre et mémoriser sans passer par ce type d'exercice mécanique, qui bien souvent ne laisse que des traces éphémères. Quel enfant se souvient, après quelques mois, du contenu du cours d'histoire ou de sciences naturelles qu'il récitait quelques semaines auparavant avec la précision d'un moulin à prières. Du programme de l'année écoulée, il ne lui reste que quelques bribes, des dates éparpillées dans sa tête, des noms de batailles, quelques personnages clés, sans plus.

La contrainte d'apprendre le manuel par cœur ou de se polariser sur un résumé dicté par le professeur empêche les élèves de faire preuve d'une véritable curiosité à l'égard des matières étudiées. L'exercice abrutissant transforme la tâche de l'élève en pensum, et non en travail au sens noble du terme.

Le reproche général adressé à notre système d'enseignement concerne au premier chef l'école primaire qui pose la première les jalons d'un moule dont l'étudiant français devra mettre vingt ans à se défaire. C'est pourquoi les étrangers, même s'ils admirent certaines des « vertus » de nos écoles publiques, qui assurent en principe aux enfants d'ouvriers comme aux autres de bonnes connaissances de base, déplorent cependant que cet enseignement n'ait pas davantage évolué.

Apparemment, les diverses tentatives d'innovation pédagogique qui firent la une des journaux dans les années soixante-dix sont restées sans effet sur l'attachement du système au « par cœur », comme le signalent les étrangers dont les enfants fréquentent nos écoles.

Diana Pinto, originaire d'une famille italienne qui émigra aux États-Unis lorsqu'elle était toute petite, se souvient que, lors de leur arrivée, sa mère, professeur d'université très attachée à une culture européenne classique, avait jugé préférable de l'inscrire dans une école européenne de New York plutôt que dans une école locale. En treize ans de scolarité, Diana bénéficia donc d'un enseignement italien, avec ses bons et ses mauvais côtés. Après le baccalauréat, elle choisit cependant de poursuivre ses études à Harvard et ce fut une révélation. Elle est donc tout à fait à même de comparer les avantages et les inconvénients des deux systèmes. Mariée à un Français, installée ici depuis dix ans, elle a pourtant voulu que ses enfants aillent dans une école française. A l'entendre, l'expérience est loin d'être concluante.

« Par le biais de ma mère, je considérais la culture et l'éducation américaines comme barbares. Pendant toute ma scolarité, j'en savais vingt fois plus que mes amies américaines, mais deux fois moins que mes amies du lycée français. Aux États-Unis, les enfants de sept ans qui ne sont pas dans une bonne école privée ne savent rien et, d'une certaine façon, perdent leur temps à l'école. Par contre, mon fils de sept ans inscrit en première année de cours élémentaire à l'école communale Dupleix, où vont paraît-il les enfants du VIIe arrondissement que l'on destine à l'ENA, sait lire, écrire, compter, de façon spectaculaire. Mais je constate aussi qu'il apprend et récite comme un perroquet. Chaque jour, l'institutrice leur remet un texte, écrit et photocopié par ses soins, que les enfants doivent apprendre par cœur. Tout cela est destiné à leur simplifier la tâche, autrement dit à éviter de recourir au livre. Malgré mon insistance, mon fils refuse de le feuilleter, la maîtresse demandant seulement d'apprendre la leçon par cœur...

« Je trouve ces méthodes trop abstraites et trop mécaniques. Aux États-Unis, le cours d'histoire du Moyen Age se serait fait avec des images. Puis chaque enfant aurait lu un livre et préparé un exposé. Et le tout se serait terminé par la visite d'un monument ou la projection d'un film. Cette approche, moins abstraite, permet de mémoriser plus facilement et de façon plus durable que l'apprentissage par cœur d'une série de dates et d'événements désincarnés. Le " par cœur " est mauvais, parce qu'il n'est pas accompagné d'autre chose. Le maître étant soumis à l'obligation de respecter et de terminer le programme, il ne songe pas à faire autre chose. Résultat : mon fils avale un nombre énorme de choses, mais j'ignore ce qu'il digère. Aux États-Unis, il aurait moins avalé, mais on se serait plus soucié de sa personnalité. Ici, on se moque de sa personnalité, l'important c'est qu'il suive. »

Le drame, c'est que ce système impersonnel ne convient pas à tous les enfants et que, dans l'école primaire, les plus défavorisés socialement perdent pied rapidement et doivent redoubler ; or on sait qu'un enfant qui redouble une classe primaire ne rattrape pas son retard. Ainsi, chaque année, quinze pour cent d'enfants quittent le primaire pour des classes de transition où la plupart pourrissent jusqu'au terme de la scolarité obligatoire. Mais ceux qui passent dans le secondaire sont-ils mieux nantis ? Aux dires des enseignants étrangers, l'étudiant français, dès la fin du primaire, devient une sorte d'handicapé enfermé dans une camisole de force. Sa prothèse est le « par cœur », son obsession, les livrets de fin d'année et les examens. Le cursus de l'étudiant français est jalonné d'obstacles qu'il doit franchir grâce à des connaissances accumulées, qui seront mesurées et soupesées toujours selon les mêmes critères scolaires : à savoir le degré de fidélité dans la restitution du programme. Il est programmé. Rares sont les disciplines où on le jugera sur son intelligence, sa réflexion, son esprit critique. Il n'aura le droit de s'exprimer que bien plus tard.

Par rapport à ses homologues américains ou allemands, qu'il écrasait jadis de ses connaissances et de sa culture, l'étudiant français apparaît soudain comme un petit garçon, un intellectuel timoré trop encombré par le poids de ses connaissances, terriblement dépourvu d'esprit critique, qui a oublié en route de se soucier de sa vocation et qui, selon les enseignants étrangers, a obtenu ses diplômes en contrepartie d'un travail aussi titanesque que dérisoire.

Par ailleurs, ce bachotage précoce a suscité le goût de la paperasserie et une mentalité de fonctionnaire dont il ne se défait jamais.

Pour éviter un tel gaspillage d'énergie, les enseignants étrangers essayent de s'insurger violemment contre la manie qu'ont les étudiants français, et eux seuls, de prendre en note l'intégralité du cours ou de l'enregistrer au magnétophone, passant ensuite des heures à le retranscrire.

Les enseignants étrangers sont unanimes pour déplorer que les étudiants français lisent peu ou pas et se contentent d'apprendre par cœur manuels et polycopiés. Ils se plaignent également de leur inertie, de leur non-participation, l'essentiel de leur activité au cours consistant à prendre des notes.

Un tel phénomène n'existe, semble-t-il, nulle part ailleurs avec une telle ampleur. Une fois de plus, il s'agit d'une spécificité française qui ne suscite guère l'enthousiasme de nos voisins, comme le montre le témoignage de Simon Thorpe, mais j'aurais pu en citer quinze autres dont les propos sont similaires : « Ce que je critique le plus dans votre système de formation, c'est de viser surtout à permettre la transmission d'une grande quantité de connaissances. Chaque réforme, que ce soit au bac ou dans les facs, signifie toujours ajouter plus de choses au programme.

« Je suis en permanence obligé de me battre contre les étudiants qui veulent apprendre mon cours par cœur. Au premier rang, il y a toujours un étudiant avec un magnétophone. J'ai été obligé d'interdire cette pratique, car je sais qu'ensuite ils retranscrivent le cours mot à mot et l'apprennent par cœur.

« Je souhaiterais des étudiants qui s'intéressent, écoutent, lisent des choses à côté, font un travail plus personnel. C'est vraiment difficile de faire comprendre cela aux étudiants français, y compris aux élèves de Normale-Sup. Depuis l'école primaire, on leur a appris à recopier sur un cahier ce que le maître écrivait au tableau. Ensuite, à prendre le maximum de notes quand le prof parlait. Donc, ils apprennent le cours et les polycopiés par cœur, mais n'essayent pas de retrouver les choses par eux-mêmes, de lire, d'interroger. Ici on ne questionne pas les professeurs. J'ai l'impression que les étudiants qui suivent mes cours pensent que je leur donne tout ce que je sais, ou tout ce qu'il est suffisant de savoir sur le sujet pour l'examen.

« J'essaie de les convaincre que je ne leur donne qu'un aperçu, mais ils s'en fichent. Cette approche rend difficiles des réactions non conformes. Cela ne veut pas dire que tous les penseurs français soient conformistes, mais c'est vrai qu'ils mettent plus longtemps que d'autres à questionner l'enseignement et à penser par eux-mêmes. J'aime bien avoir un dialogue avec les étudiants, mais en France, cela fonctionne très difficilement. »

Un parcours superchronométré

Ce qui est terrible en France, selon nos étrangers, c'est que non seulement la voie royale est étroite, mais aussi incroyablement chronométrée. Ce qui implique que seuls les génies précoces, élevés dès le berceau pour réussir un parcours sans faute, auront la capacité d'y parvenir dans les temps, ce qui ici impose le plus souvent d'être en avance sur les normes.

En revanche, un enfant qui dès le primaire prend du retard est disqualifié. Au même titre, un élève du secondaire qui a redoublé, ne serait-ce qu'une fois pendant toute sa scolarité, est quasiment assuré d'être exclu des filières nobles. Ainsi, celui qui est juste dans les temps est bien souvent considéré comme en retard s'il se présente à la porte des classes préparatoires. De même, un malheureux bachelier sans mention, malgré un carnet scolaire honorable, est rarement admis dans les quelques lycées qui servent d'antichambre aux grandes écoles.

Tout cela signifie qu'en France il n'existe pratiquement pas de « deuxième chance ». L'étudiant qui se réveille un peu tard, dont la vocation a mis plus longtemps à mûrir, sera pénalisé très longtemps par ce retard, à supposer qu'il parvienne à le surmonter un jour. Passé vingt-deux ans, on ne peut plus postuler à beaucoup de concours ; passé vingt-cinq ans, on ne peut plus se présenter à telle école ou préparer tel examen.

Bref, un parcours atypique est quasiment impossible chez nous. En revanche, dans des pays comme la RFA ou les États-Unis, un étudiant peut commencer plus tard sans que le déroulement de sa carrière en soit pour autant pénalisé. Dès lors, il sera plus facile à quelqu'un qui n'a pas fait d'études à la sortie du secondaire de s'y risquer après quelques années passées à bourlinguer et même à exercer un emploi manuel. Cela n'empêchera pas celui qui estime s'être trompé dans son orientation de changer de cap car il sait que, plus tard, ces années d'errance plaideront en sa faveur alors qu'ici elles le desserviraient à tous les coups.

Comme me l'explique Bernie S. qui a longtemps « glandé » et exercé de petits métiers avant de se passionner pour l'informatique et diriger aujourd'hui la filiale française d'une importante boîte américaine : « Aux États-Unis, beaucoup de dirigeants ont eu des parcours bizarres, atypiques. Leurs CV comportent des années vides, marginales, mais cela n'empêche pas la société de les accepter le jour où ils décident de réintégrer. Une carrière comme la mienne serait inconcevable en France. »

A moins de se moquer des diplômes et de réussir dans d'autres domaines, le show-bizz, les affaires, créer sa propre boîte. Ce n'est pas un hasard si, en France, presque tous les grands faiseurs de fric[1] et créateurs d'entreprises sont des self-made men qui furent de mauvais élèves ayant rarement achevé leurs études secondaires. Balayés par un système qui ne leur a pas donné une deuxième chance, mais quasi protégés par leur éviction de l'école et une carapace coriace contre la castration symbolique, ils ont pu garder intacts leur créativité, leur goût de l'initiative et du risque, leur capacité de travail. Qualités que perdent les diplô-

---

1. D. Frischer, *les Faiseurs d'argent,* Belfond, 1983.

més des grandes écoles qui, en arrivant au but, ont surtout envie de souffler et de se choisir une carrière sans trop de risques dans une société prestigieuse avec statut social et sécurité garantis.

Professeur de civilisation américaine à Polytechnique et à HEC, Bruce S., quarante-deux ans, le charme adolescent d'un Newman aux traits un peu mous, connaît bien nos futures élites dont les motivations, l'origine sociale et l'extrême jeunesse ne cessent de l'étonner. Il constate que quatre-vingts pour cent de ses élèves ont sensiblement la même appartenance sociale (milieux de hauts fonctionnaires, d'industriels, de professions libérales, quelques professeurs).

Il évalue à une poignée par promotion les enfants de milieux modestes (instituteurs, artisans, petits commerçants) qui ont réussi à se faufiler jusque-là.

En interrogeant ces élèves atypiques, il retrouve presque toujours la trace d'un oncle ou d'un parrain professeur de lycée qui a poussé l'enfant et convaincu la famille de le soutenir. Bruce a beau avoir lu ces informations dans des livres ou des articles, il a beau avoir un PHD d'histoire, la vérification sur le tas, en quelque sorte à vif, de données théoriques ne cesse de le surprendre. Face à ses étudiants, tous brillants mais d'une manière assez identique, il découvre vraiment dans toute sa pureté le concept de classe sociale homogène.

Une telle expérience serait, selon lui, impossible dans une université américaine, même la plus cotée. Au contraire, on peut y rencontrer des boursiers, des étudiants issus de milieux modestes qui ont d'abord travaillé pour se payer des études ou que l'université a cooptés pour des performances sportives et qui contribuent au prestige de l'université. « Dans chaque classe, le seul à avoir une origine ouvrière, c'est moi, précise Bruce avec un sourire sardonique. Quand je leur dis que mon père, un immigré yougoslave, était facteur et ma mèrc couturière, ils n'en reviennent pas. C'est comme mon côté décontracté, ils mettent ça au compte de l'Amérique. »

3. UNE CHARGE DE TRAVAIL DÉMESURÉE

Les forçats du programme

Selon nos observateurs étrangers, un symbole résume parfaitement la réalité du système scolaire français, c'est celui du petit écolier qui marche péniblement, le corps ployé sous le fardeau d'un cartable trop lourd pour lui. Au fur et à mesure qu'il avance en âge, le poids métaphorique du cartable augmente, la visée principale de notre enseignement étant l'accumulation d'un savoir encyclopédique.

Alors que notre corps enseignant glose autour du niveau des élèves, que les optimistes voient monter, et les pessimistes baisser irrémédiablement, les étrangers, eux, dénoncent les méfaits d'un système d'enseignement qui transforme l'école en bagne et les jeunes en forçats.

Progressivement, les enseignants français, interpellés par la grogne des élèves et des parents, prennent conscience des abus auxquels les conduit l'obsession aberrante de vouloir couvrir à toute force le programme. Mais purs produits d'une société fondamentalement étrangère à la concertation et au dialogue, ils continuent à distribuer, pour des raisons de commodité personnelle ou d'ignorance, devoirs et exercices de contrôle en même temps.

Le cours en tant que tel, axé sur le survol du programme, ne prévoit ni travaux pratiques, ni exposé, ni approche méthodologique. Comme le disait un élève dans l'émission « Médiations [1] » consacrée au thème de la surcharge des programmes : « Ils nous critiquent de manquer de méthode, mais jamais aucun d'entre eux ne nous a donné le moindre conseil. »

Le drame, c'est que la critique de part et d'autre disparaît dès que l'obstacle du bac est franchi. En effet, on semble oublier qu'ensuite les choses ne s'améliorent pas et qu'un étudiant formé

---

1. « Médiations », de François de Closets, TF1, février 1989.

au bachotage continue à bachoter même en troisième cycle, qu'un professeur de faculté, conditionné à ce type de méthode, n'aura ni l'envie ni l'idée de corriger les étudiants.

Les étrangers voient juste en critiquant un système qui ne vise qu'à embrigader, assermenter, mesurer, sélectionner, castrer, mais qui, semble-t-il, ne se préoccupe guère de former des individus, de les aider à trouver leur place dans la société de demain.

Stanley Hoffmann, qui a fait ses études en France, ce qui l'a déterminé à émigrer aux États-Unis, déplore que l'université française ait si peu changé en quarante ans. Son constat est loin d'être encourageant et pourtant il côtoie non pas des scientifiques mais des élèves de Sciences-Po qui, apparemment, ont la même mentalité que les étudiants en sciences dont parlent d'autres interviewés.

« Mis à part les manuels, ils ne lisent jamais. A partir du niveau du doctorat, ils commencent à changer. Trop de bachotage, trop de temps passé à préparer des examens ne représentent pas une façon créatrice de se former. C'est la principale différence avec le système américain. »

A force d'entendre encenser le système américain, je demande à Stanley Hoffmann de m'expliquer par quelle stratégie pédagogique on parvient à faire rattraper en deux ans de cours préparatoire au « Collège » le retard d'étudiants dont le niveau de culture générale est à peine celui de notre seconde. Par quel tour de magie acquièrent-ils cette aisance intellectuelle qui suscite une admiration quasi unanime ? « Ils rattrapent sans problème en lisant beaucoup et en *travaillant bien,* surtout en faisant des travaux originaux. On ne leur demande pas de répéter en trois ou en deux parties ce qui a déjà été écrit par d'autres, mais on les laisse s'exprimer, on leur apprend à penser et à juger par eux-mêmes. C'est fascinant de voir la rapidité et l'aisance avec laquelle ils rattrapent leur retard. »

Aucun doute, tous les jugements concordent pour assurer que les étudiants américains sont moins inhibés que les Français pour parler en public, formuler un jugement personnel car eux ne sont ni castrés par le système ni infantilisés par la hantise des examens. D'une façon générale, ils sont plus épanouis, plus passionnés par la discipline qu'ils ont choisie. Et puis, ajoute Stanley : « Ils sont plus libres d'allure, de ton, ils sont plus impertinents, moins conformistes et, surtout, ils sont moins épuisés que les Français à la fin du parcours. »

Mieux vaut une tête bien faite...

Cette opinion, le philosophe Michel de Montaigne, dont l'œuvre figure au programme de seconde, l'exprimait déjà au xvie siècle. A des parents qui sollicitaient son aide pour choisir un précepteur, il conseillait ceci : « Il faut veiller à choisir un conducteur qui ait plutôt la tête bien faite que bien pleine. » Qui, parmi les responsables de l'Éducation nationale ayant en charge de bâtir des plans de réforme, se souvient encore de cette phrase ?

Surtout, que dirait Montaigne aujourd'hui, confronté à la lourdeur des programmes et à la charge de travail dont sont accablés les élèves français qui, de la seconde à la terminale, travaillent le soir jusqu'à une heure avancée ? Probablement se sentirait-il des affinités avec les critiques exprimées sous une forme très consensuelle par nos censeurs étrangers.

La plupart admirent cependant les Français, qui, toutes classes confondues, sont jugés plus cultivés que les Allemands, les Américains et d'autres nationalités. Ils les « admirent » de connaître certains auteurs classiques, d'avoir des notions de mathématiques, de géographie, d'être capables de citer des dates historiques ou de réciter par cœur des poèmes. Ceci est à la gloire de notre école laïque, qui dote bon nombre de ceux qui ont usé leurs fonds de culottes sur ses bancs d'un bon vernis de culture générale.

Rares, pourtant, sont ceux qui considèrent qu'une culture générale étendue constitue le meilleur des tremplins pour réussir des études supérieures. Ce n'est pas non plus un atout qui permet ensuite aux étudiants français de conserver leur avance. La manière mécanique dont ces connaissances ont été acquises ne représente pas, pour les étrangers, une méthode de travail efficace et bénéfique, bien au contraire.

Le fait que les universités américaines dispensent les bacheliers français d'au moins une des deux années préparatoires qui sont obligatoires pour les diplômés de *high school* ne signifie pas, selon eux, que les Français conserveront leur avance dans une université française. En effet, dans le système français, l'étudiant, de plus en plus surchargé, stressé, inhibé, verra ses chances diminuer et seule une minorité ira jusqu'au bout du cursus.

Ainsi, les amphis, surpeuplés à la rentrée, deviennent de plus en plus clairsemés en cours d'année. Certains étudiants, découragés par la charge de travail, sont contraints d'abandonner, processus qui choque particulièrement les étrangers.

D'une façon générale, le Français mettra plus longtemps à s'adapter au monde du travail que son homologue allemand, américain ou hollandais, qui lui, par contre, aura bénéficié d'un enseignement plus pragmatique, plus « branché » sur la réalité économique et sociale. En contre-exemple des défauts de l'éducation française, citons le cas allemand des stages en entreprise pour les élèves du secteur technique. Si les élèves français sortent des filières du niveau BEP avec une qualification unilatérale, par ailleurs assez approximative, les Allemands de même niveau acquièrent une polyvalence réelle au cours de stages professionnels variés. Ceci n'est pas sans conséquence.

Victimes d'une école divisée en filières étanches, les Français ne peuvent pas envisager une réelle mobilité professionnelle. Ainsi le cloisonnement des formations, l'absence de polyvalence alliés, par ailleurs, à l'immobilisme géographique des mentalités, contribuent à l'aggravation du chômage. Les Allemands, grâce à leur formation polyvalente, peuvent changer plusieurs fois de profession. Avantage inestimable à une époque de crise de l'emploi et de reconversion.

Autre conséquence néfaste de cette éducation française en retrait du monde réel, les Français, comme on l'a signalé à diverses reprises et dans des milieux très variés, mettent généralement plus longtemps que les autres à rejeter le moule scolaire et à entrer de plain-pied dans la vie professionnelle. Ceci reste valable pour les cadres comme pour les ouvriers, pour les intellectuels comme pour les techniciens.

En effet, dans un pays comme la RFA, l'enseignement est conçu dès la fin du secondaire en alternance avec une formation professionnelle. L'étudiant, entrant en faculté plus tard, appréhende mieux ce qu'il veut faire. Aux États-Unis, il est d'usage d'accorder une grande importance aux travaux pratiques, à la rédaction d'articles, de dossiers. Dès leur premier emploi, ils seront d'emblée plus à l'aise qu'un diplômé français. Un chasseur de têtes se plaint d'avoir à « placer » des HEC à l'étranger car on leur reproche de dresser un plan marketing qui ressemble à une question de cours. Certaines sociétés allemandes apprécient, en revanche, davantage les diplômés des IUT.

Par ailleurs, Gérard Thuillier, directeur pour la France de MacKinsey, société d'organisation de renommée mondiale, explique que les seuls Français embauchés dans le groupe sont ceux qui, en plus de leur diplôme français, peuvent justifier de diplômes étrangers et d'un séjour de plusieurs années à l'étranger : « La formation française ne permet d'atteindre l'excellence qu'à cette condition ; c'est le seul moyen de casser leur formalisme et de les habituer à travailler autrement. »

Un bachotage qui ne développe pas l'esprit critique

Tout au long de cette enquête, j'ai rencontré au moins une bonne trentaine d'universitaires étrangers, et je n'en ai pas entendu un seul défendre la pédagogie française, même si chacun d'entre eux finit en se forçant à faire l'éloge d'un ou de quelques Français qui pratiquent la même discipline que la leur.

Par ailleurs, rares sont ceux qui se sentent des affinités avec l'approche intellectuelle des chercheurs ou des enseignants français. Que ce soient les Allemands, les Italiens ou les Britanniques, leurs critiques sur l'université sont identiques à celles des Américains.

Voyons en quels termes Massimo Piatelli, linguiste italien de renommée internationale, professeur au Massachusetts Institute of Technology, qui enseigne à la Maison des sciences de l'homme, à Paris, fait l'éloge du système américain qui, selon lui, forme des esprits fertiles, autonomes, souples, ouverts à la découverte : « Le problème de la formation française ou italienne, c'est de ne pas éduquer les étudiants à être des *challengers* et surtout à remettre en question le savoir de leurs profs. Les Américains, eux, peuvent être insupportables et outrecuidants quand il s'agit de contestation intellectuelle. Aux États-Unis, la contestation des idées est une religion et les étudiants sont dressés comme des *killers*. Même lorsqu'ils assistent au séminaire d'un prix Nobel, pas question pour eux de rester silencieux et béats d'admiration. Ils interrompent, posent des questions et attaquent s'ils considèrent que l'autre ne fait pas assez d'efforts pour être clair ou bâcle sous prétexte qu'il a en face de lui des étudiants. Même s'ils éprouvent de l'amitié pour celui qui parle, ils arrivent à dissocier les deux et à l'attaquer sur les points d'ombre. Alors qu'en France on conteste plus l'individu que ses idées, et l'amitié interdit trop souvent la critique.

« Dans la mesure où chacun se connaît, où le pouvoir intellectuel est concentré dans un cercle restreint, personne n'ose contester les idées d'un proche car cela serait assimilé à une attaque personnelle. Résultat : tout le monde est gentil avec tout le monde, et *a fortiori* les étudiants avec leur professeur, même si son cours les ennuie. Je suis frappé en France par l'absence de discussion dans les séminaires, dans les cours, dans les conférences. Aux États-Unis, ce serait une véritable catastrophe si un exposé se terminait sans une bonne discussion parsemée d'objections. Là-bas, plus on estime quelqu'un et plus on attaque ses idées, les maillons faibles du discours. »

Quand on lui demande en quoi cela est préférable au système français, mis à part le fait que les étudiants ont moins l'air de s'ennuyer, Massimo Piatelli répond : « Cela montre d'abord que les étudiants américains sont moins inhibés au niveau intellectuel que leurs homologues français ou italiens. Ils ne connaissent peut-être pas tout, mais au moins ils osent poser des questions. Ensuite, cela oblige les profs à plus de rigueur. Les chercheurs également, car chacun sait que nul ne les soutiendra par complaisance. Donc les gens sont plus exigeants et plus rigoureux intellectuellement.

« Ensuite, cela développe des liens. Il y a beaucoup de camaraderie, de familiarité, mais aussi de respect entre étudiants et professeurs. Ici les relations sont très formelles et sans estime réciproque. En France comme en Italie, les profs sont indifférents ; ils " supportent " les étudiants le moins possible, alors qu'aux États-Unis les profs considèrent les étudiants comme leurs véritables protagonistes. Dans les grandes universités privées, les étudiants paient très cher et les profs savent que, s'ils vivent bien et bénéficient de bonnes conditions de recherche, c'est à eux qu'ils le doivent. Ils savent aussi qu'ils peuvent être virés s'ils ne donnent pas satisfaction. Donc ils sont plus concernés, plus motivés que les profs français et les échanges sont plus fructueux. »

Examinons en quels termes Laura T., chercheur en biologie moléculaire et assistante à Orsay, juge les étudiants français, dont elle commence à bien percevoir les limites. Son intervention complète on ne peut mieux celle de Piatelli.

« Aux États-Unis, il n'y a pas que les connaissances qui comptent, mais le fait d'apprendre à réfléchir. En France, le niveau de connaissances est certainement meilleur, mais les étudiants ont une approche très rigide, très étroite, qui ne donne pas la forme d'esprit critique indispensable au chercheur. Cela produit des techniciens. Ici, les profs ne sont pas du tout disponibles pour les étudiants et ceux-ci n'osent pas interroger les profs à cause du respect et de la hiérarchie. C'est terrible d'être bloqué devant un type simplement parce que c'est un prof et que ce statut interdit de l'interrompre pour lui faire remarquer qu'il dit une connerie. Ici, c'est impossible de remettre en cause le contenu d'un savoir. Vous ne pouvez pas être reçu par un prof entre les cours, ne serait-ce que parce que la plupart des assistants n'ont même pas de bureau. Alors qu'à Harvard les profs ont un bureau et des horaires réservés pour recevoir les étudiants. En plus, il y a de nombreuses occasions de rencontres informelles. Ce système casse la hiérarchie, et surtout il permet de moins infantiliser les étudiants et d'humaniser les professeurs. Cela permet de questionner, de voir de près comment procède et réfléchit quelqu'un qui fait ce que vous voulez faire. »

II. UN SYSTÈME AUX FINALITÉS DOUTEUSES

Les observateurs étrangers – intellectuels, universitaires, chercheurs – qui travaillent dans nos institutions sont encore plus critiques à l'égard de notre système de formation dès lors qu'ils

209

en perçoivent les objectifs inavoués. Sous couvert de bonnes intentions et de principes égalitaires, « du droit à l'éducation égal pour tous » clamé à la face du monde, le système français révèle en effet, une fois démasqué, que sa finalité n'a rien d'égalitaire, son but prioritaire étant de se servir de l'école essentiellement pour dégager une élite. Ce système mis en place par l'élite, en fonction de l'élite, n'a qu'un objectif : parvenir, par une sélection rigoureuse qui se manifeste à tous les échelons de la scolarité, à renouveler cette élite sans en changer l'origine.

A l'usage, ce système se révèle pervers, absurde et excessivement coûteux, en ce sens qu'au nom d'une élite au profil incontestablement très élevé mais aussi très étroit, une grande partie de la population est sacrifiée sans scrupule.

Mais notre optimisme nous pousse à fermer les yeux, comme l'explique Diana Pinto : « En France, on suicide des vocations et ensuite on explique que, de toute façon, les vrais génies finissent toujours par être reconnus et que quelqu'un qui a du talent finit toujours par se rattraper. C'est une vision romantique qui n'est valable que pour les vrais génies. Mais cela ne justifie pas qu'on sacrifie autant de gens qui, sans jamais devenir des génies, méritaient de réussir leur vie. »

1. UNE PERVERSITÉ A DIVERSES FACETTES

Le terme pervers est pris ici dans l'acception de vicieux, de méchant. Il est employé à dessein par les étrangers pour définir un système scolaire dont la fonction officielle est de donner à la majorité la meilleure éducation et une éducation semblable mais qu'on détourne de cet objectif par des procédés subtils de discrimination qui permettent de hiérarchiser à l'extrême la population scolaire et d'attribuer à chaque catégorie un enseignement différencié. Les meilleurs ont droit à des conditions privilégiées sans payer davantage, la masse à des conditions au rabais, ce qui est assez surprenant dans un système qui se veut démocratique.

Un système où la sélection est fondée au départ sur la chasse aux plus faibles et sur l'exclusion systématique et répétée des moins bons pratiquement après chaque classe, et non sur la gratification des meilleurs, est un système pervers puisqu'il angoisse, humilie, démobilise. En effet, la promotion d'un individu ne fait pas souffrir tout un groupe, si le groupe n'est pas confronté à l'échec. Aussi longtemps que la réussite des meilleurs ne devient pas la preuve de l'indignité et de l'infériorité irrémédiable des autres, il n'y a pas de traumatisme parce qu'il n'y a pas de sanction. Mis à part un petit sentiment d'envie ou de jalousie vite passé, susceptible, dans le meilleur des cas, de réveiller des ambitions jusque-là assoupies.

En revanche, en France, la sélection par l'échec, qui signifie faire passer à la trappe, dès l'école primaire, les supposés moins bons, stigmatise d'une manière beaucoup plus profonde. Au lieu de susciter un sentiment d'émulation, un désir de recommencer, ce système enferme les exclus dans un ghetto puis un autre encore pire en cas de deuxième échec, les confrontant avec le sentiment de leur infériorité. D'où la création de filières poubelles dans le style des classes de CPPN des collèges, ou de « sous-baccalauréats [1] » qui n'ont aucune validité sur le marché de l'emploi.

Stanley Hoffmann, dans le cadre d'une mission pour l'OCDE, a rédigé un volumineux rapport qui dénonçait les inconvénients énormes d'un système d'orientation dont l'objectif prioritaire n'est pas d'aider chacun à trouver sa voie mais d'éliminer le plus grand nombre sans se préoccuper de leur sort. Pis encore, en condamnant prématurément les plus jeunes à des voies de garage dont ils ne pourront plus sortir ; en démotivant les plus âgés selon des méthodes psychologiques qui représentent une véritable castration symbolique, l'échec et l'éviction les privent automatiquement de toute confiance en eux, les laissant en plein milieu d'études dans un total désarroi.

Même s'ils sont dirigés sur des écoles techniques qui proposent des cursus plus courts et conçus pour donner aux jeunes une formation technique qui devrait mieux leur convenir, la voie d'accès empruntée, le mépris que suscite encore ce type de filières ne peuvent que contribuer à les décourager au départ.

Manque de chance, le rapport de Stanley Hoffmann, qui prouvait, chiffres à l'appui, les ravages provoqués par notre système

---

1. CPPN : Classes préprofessionnelles de niveau.

d'orientation et de sélection, a été enterré, l'Éducation nationale se gardant bien d'adopter les mesures préconisées dont la mise en application aurait exigé une remise en cause radicale de tout l'édifice.

Diana Pinto, qui a particulièrement réfléchi au système français, en met au jour les mécanismes pervers : « Comme, en France, les enfants d'ouvriers ont droit à une bonne école publique, on s'imagine d'abord que le système français est profondément égalitaire. C'est entièrement faux car, en réalité, le système français n'est axé ni sur les enfants, ni sur les individus, mais sur des concours impersonnels de mandarinat chinois qui révèlent que le but de l'école est d'obliger les gens à franchir des obstacles. Non pas pour les habituer à prendre des risques, mais pour désamorcer chez tous ceux qui échouent toute envie de recommencer. La finalité secrète du système est donc d'en faire échouer beaucoup, pour conférer plus de prestige à ceux qui font un parcours sans faute. Pour valoriser une élite, il faut exclure les autres. Ainsi, une minorité est auréolée par l'État d'une gloire considérable et la masse est inférieurisée... C'est un système de sélection statique pour une société statique. »

Mais les universitaires étrangers ne sont pas les seuls à percevoir le manque de résistance psychologique des Français, leur difficulté à surmonter l'échec, leur faible combativité dans des situations très diverses.

Dans le sport de haute compétition en particulier, quelques étrangers font souvent référence aux défaillances psychologiques dont sont victimes nos athlètes en plein milieu d'une épreuve de sélection ou d'une compétition.

Selon les étrangers de tous horizons, mais en particulier des entraîneurs et des psychologues sportifs américains que j'avais longuement interviewés à UCLA, dans le cadre d'un film documentaire consacré à la psychologie du sport[1], il faut imputer la fragilité psychologique et l'émotivité de nos champions à un traumatisme précoce vécu à l'école et à mettre en relation avec notre système de sélection.

Car il n'y a aucune raison que la sélection des sportifs et leur entraînement ne s'opèrent pas selon les mêmes critères, étant

---

1. Dominique Frischer, *Le petit plus qui fait les grands champions*, Antenne 2, 1986.

pratiqués par des professeurs d'éducation physique issus du même moule, et qui sont également victimes de cette « hérédité pédagogique ».

J'en veux aussi pour preuve la façon dont sont étalonnés les tests d'intelligence qui sont pratiqués en Suisse ou aux États-Unis. Pour définir les différentes gradations, on ne se base pas sur les performances des meilleurs, mais on établit une grille qui se fonde sur des performances moyennes qui ne sont pas trop discriminantes pour ceux dont les résultats sont médiocres. En d'autres termes, ces tests sont conçus pour mesurer des degrés d'intelligence assez larges qui correspondent à la population moyenne, et non pas pour sélectionner les meilleurs, en fonction de critères beaucoup plus étroits et de catégories plus nombreuses, comme cela se serait passé si l'étalonnage avait été confié à des enseignants français.

Ici ils auraient tablé au départ sur les performances des meilleurs pour remonter la barre le plus haut possible. Ainsi, au lieu d'avoir au centre une majorité dotée d'une intelligence moyenne, encadrée de part et d'autre de quelques génies et quelques « débiles légers », on aurait eu une échelle étalonnée de telle façon qu'en comparaison des génies les intelligences moyennes seraient presque assimilées à des imbéciles !

Des jeunesses bêtement gâchées

La crainte du couperet de fin d'année et l'échéance même lointaine des concours pervertissent le temps béni de la jeunesse en ce sens qu'elles obligent la population scolarisée à un bachotage presque ininterrompu pendant toute la scolarité. La plupart n'ont ni le temps ni les moyens de s'épanouir dans le cadre du primaire et du secondaire. Ils ne peuvent davantage se consacrer à des activités annexes : ce serait au détriment des matières obligatoires et en contrepartie d'un sentiment de culpabilité attisé par la crainte d'être sanctionné par de mauvais résultats...

Les étrangers déplorent les horaires surchargés qui ne laissent aucune place à l'alternance comme cela se pratique dans de nombreux pays où l'on se préoccupe plus d'équilibre que de gavage. Alternance entre travail scolaire et activités sportives d'abord, dans la plupart des pays de référence ; alternance entre les études et un apprentissage professionnel en RFA.

Dans les « bonnes familles » françaises, en revanche, c'est-à-dire celles qui anticipent les obstacles dont est parsemé le parcours du combattant qui mène aux grandes écoles, toutes les activités secondaires (musique, sports, etc.) ne ramassent que les miettes du temps précieux réservé à l'étude. Les enfants qui connaissent parfois dès l'école primaire, mais à coup sûr dès l'entrée en sixième, un but fixé presque dès leur naissance rejettent d'eux-mêmes ces activités susceptibles de trop les en écarter en leur faisant perdre une énergie et un temps précieux.

Cette perspective de l'avenir qui ressemble à une fatalité pervertit l'éveil de la personnalité, en confrontant le jeune enfant et même le préadolescent avec des responsabilités infiniment trop lourdes pour lui.

Une inaptitude précoce à travailler en groupe

La notation et le classement, les principales unités de mesure de notre société, sont pratiqués dès l'école primaire. Ils participent au premier dispositif de sélection.

A la fin du primaire, le premier grand écrémage a lieu avec le passage en sixième qui sépare les meilleurs, destinés à entrer dans un lycée. Les autres, jugés pas à la hauteur, sont dirigés vers d'autres types d'établissements classés d'office comme moins prestigieux, moins valorisants, offrant des perspectives plus étroites.

Du début jusqu'à la fin, le secondaire comporte également une série de contrôles dont l'objectif inavoué, mais manifeste, est d'évaluer, de classer et de compartimenter pour affiner la sélection. Ainsi, chaque composition donne lieu à des sanctions qui permettent de dégager dans chaque classe, dans chaque promotion, une élite qui sera ensuite regroupée pour être de nouveau sélectionnée. Bien sûr, les meilleurs sont à chaque fois propulsés dans des classes d'élite dont le niveau est de plus en plus élevé.

Indirectement, les élèves, conditionnés par la perspective des concours qui précèdent l'entrée dans la vie universitaire et en jalonnent tout le parcours, sont dressés à se jauger et à travailler *les uns contre les autres. En aucun cas les uns avec les autres* comme cela se pratique en Allemagne, dans les pays anglo-saxons, en Suisse ou en Hollande où le travail scolaire ainsi que le sport (qui n'y est pas considéré comme une discipline au rabais) servent à favoriser l'esprit d'équipe, le travail collectif.

Une seconde image peut symboliser la manière dont depuis toujours les petits Français ont intériorisé cette notion de concurrence précoce : celle d'élèves en train de composer, qui écrivent en protégeant leur copie avec un coude pour empêcher le voisin de copier. De même, plus tard, on reste avare de conseils, d'informations. On garde l'habitude de travailler seul dans une position de rivalité qui exclut la coopération avec les autres.

Cette concurrence exacerbée se retrouve même au niveau des études universitaires. Un informateur me signale qu'il n'est pas rare de trouver dans les bibliothèques universitaires des ouvrages dont des pages ont été arrachées par des élèves préparant l'agrégation ou un autre concours. Ils empêchent ainsi des « collègues adversaires » d'avoir accès à une information précieuse. On voit les conséquences malsaines, les comportements scandaleux que peut engendrer une éducation qui est basée sur la rivalité et la haine d'autrui. Et l'on monte en épingle l'instruction civique et les valeurs démocratiques ! Voilà de quoi laisser rêveur !

Même bien plus tard, quand la gestuelle de la copie cachée par le coude aura disparu, le comportement psychologique et social dont l'école primaire a créé l'embryon survit à tout jamais dans l'inconscient. Ne serait-ce que parce que le système scolaire français n'a jamais songé à contrebalancer les effets pervers de cette rivalité par un andidote. Il suffit aux étrangers qui se moquent allègrement de la classomanie systématique des Français, qui stigmatisent leur inaptitude à travailler en groupe et à collaborer au sens propre du terme à un projet collectif, de faire un tour dans nos écoles pour localiser l'origine de ces travers. L'individualisme exacerbé qui est, selon les étrangers, un des traits distinctifs de la mentalité française dérive probablement de ce conditionnement précoce.

215

2. Un système aux conséquences pernicieuses

C'est un système pernicieux parce qu'il détourne les gens de leur vocation, gaspille des talents et des moyens, et conduit à des situations paradoxales ou d'une absurdité totale.

Mesure de l'hécatombe

Pour ceux qui jugeraient ces propos outranciers, je propose quelques chiffres qui les feront méditer à bon escient en leur démontrant que les critiques des étrangers sont plus que fondées.

Selon les chiffres officiels publiés en 1987[1], il s'avère qu'un Français sur trois n'a aucun diplôme et cinquante-trois pour cent d'entre eux n'ont pas de diplôme supérieur au certificat d'études. On est évidemment très loin encore des soixante-quinze pour cent de bacheliers à l'intérieur d'une tranche d'âge escomptée pour l'aube du troisième millénaire.

Pourtant, le chemin parcouru depuis le début du siècle est considérable : un Français sur mille était alors bachelier. On en compte un peu moins de vingt pour cent aujourd'hui.

En 1968, il n'y avait que 2,7 pour cent de diplômés de l'enseignement supérieur, vingt ans après, il y en a quand même dix pour cent. Avant de nous réjouir des progrès réalisés, demandons-nous quelle orientation ont suivie les dix pour cent de bacheliers perdus en route ? Ont-ils renoncé de leur plein gré à poursuivre des études supérieures ? La réponse est nette et claire. La plupart ont été victimes de la sélection, du découragement, du surmenage, au même titre que les cinquante pour cent d'ouvriers et les neuf pour cent d'employés qui n'ont aucun diplôme, malgré une scolarité dite obligatoire jusqu'à seize ans. Si le système était meilleur, ces chiffres n'existeraient pas, CQFD.

---

1. Gérard Mermet, *Francoscopie*.

III. DES ABSURDITÉS SPECTACULAIRES

1. PREMIÈRE ABSURDITÉ :
UN MOYEN IMPARABLE DE SACRIFIER DES VOCATIONS

Jadis, dès la sixième, un élève était orienté selon ses préférences et ses capacités, direction lettres classiques lorsqu'il était « bon en français », direction moderne et mathématiques lorsqu'il semblait pencher plutôt vers les maths. Jusqu'en première et même en terminale, il était possible de changer de cap sans trop d'effort ni de traumatisme. Le raffinement suprême pour les très bons élèves était de passer parfois la même année un bac moderne et un bac philo avant de décider s'ils iraient en khâgne ou en maths sup, car il était aussi bien vu d'entrer à Normale-Sup lettres qu'à Polytechnique. Depuis une trentaine d'années, cette espèce de dilettantisme qui garantissait des études secondaires relativement sereines à condition de travailler régulièrement a été remplacée par la dictature des mathématiques qui génère une sélection impitoyable qui ne fait que s'aggraver.

Désormais, point de salut hors des maths, et un élève refoulé de C est marqué au front du signe de la médiocrité. Ce qui veut dire que même des élèves ayant des vocations littéraires ou artistiques affirmées, dont le rêve secret serait de choisir une carrière où les maths ne sont d'aucune utilité, sont contraints, s'ils ont le niveau, d'aller en C simplement parce que c'est la section de l'élite. Un brillant littéraire refusé en C sera contraint par sa famille désespérée à s'orienter en D, section bâtarde, au lieu d'assumer son penchant naturel qui l'aurait conduit à choisir dès le départ une section lettres classiques.

Holger M., biologiste suisse, fait preuve d'un étonnement qu'il n'est pas le seul à manifester : « Mes collègues ont des enfants qui, plus tard, veulent faire des langues mais qui préparent un bac C. Je leur demande pourquoi et ils m'expliquent que pour entrer à Normale-Sup, étudier la littérature, il faut être bon en maths. Cela me semble absurde ; je pense aussi que ça fausse tout. »

Dans le processus actuel, les jeunes ne sont plus incités à se passionner pour une discipline mais à se polariser pendant toute leur scolarité sur un seul but, un seul horizon : les concours qui exigent du touche-à-tout et non de l'excellence dans une seule matière. Dès lors, la réussite au concours devient une ambition et une finalité en soi.

Le choix entre les différentes filières s'effectue également en fonction des résultats en maths, plutôt que sur un désir précis, comme le constatent nos amis étrangers. Ainsi, les meilleurs en mathématiques de la section C entrent presque tous en maths sup et en en maths spé, alors que ceux qui sont moyens en maths, mais bons en langue et d'un très bon niveau par ailleurs, seront incités par leur famille à préparer HEC ou Sup-de-Co.

A partir de quoi, ces braves jeunes gens se bloquent dans une ascèse terrible pendant deux ou trois ans pour préparer le concours qui leur évitera la déchéance de la fac. Selon leurs résultats, ils ont le choix entre plusieurs écoles. Mais il va de soi que l'élève admis à l'X, même s'il est passionné d'aéronautique ou de biologie, ne choisira ni Sup-Aéro ni Agro qui, bien que très cotés, le sont moins que l'X. Une fois intégrés, on pourrait imaginer qu'ils sortiraient enfin de leur carcan, profitant des exceptionnels moyens en équipements scientifiques mis à leur disposition pour s'intéresser à une discipline particulière. Mais là encore, la perversité du système les en dissuade. Le plus souvent il est déjà trop tard pour que surgisse une vocation qui exigerait un peu d'abnégation. Il leur faudrait, en effet, pour concrétiser leur vocation, renoncer provisoirement aux rêves de pouvoir et de puissance qui les ont soutenus tout au long de cette sélection impitoyable et que la confirmation d'appartenir à l'élite ne fait que renforcer.

Mis à part ceux qui, épuisés par ce parcours harassant, se considèrent comme tirés d'affaire pour toujours et décrochent carrément aussitôt après le concours pour s'accorder au moins une année de trêve, il y a les ambitieux qui continuent à travailler sans répit. Non pour une spécialisation mais parce que, prisonniers de la dynamique de la sélection, ils continuent le bachotage à outrance pour un meilleur rang de sortie, lequel équivaut à un droit de préséance pour l'entrée dans les grands corps de l'État. Cela leur vaudra aussi des carrières plus prestigieuses et des postes mieux rémunérés s'ils décident d'entrer dans le privé. Il y a aussi ceux pour qui l'X n'est qu'une étape et qui déjà se préparent au concours d'entrée à l'ENA.

Dans les deux cas, leurs connaissances scientifiques ne serviront pas à grand-chose dans la suite de leur carrière. Par exemple, Raymond Levy, l'actuel P-DG de la régie Renault, qui auparavant avait exercé ses talents à Usinor et à Elf-Aquitaine, était un petit génie en mathématiques sorti major de l'X. Ce titre et cette réputation l'ont accompagné tout au long de sa carrière. Chacune de ses promotions donne lieu à un laconique communiqué dans la presse où il est toujours fait allusion à ses talents en mathématiques. Mais on se demande bien pourquoi un esprit aussi doué pour les mathématiques se retrouve à faire une carrière comme la sienne. Pour les étrangers qui m'ont cité plusieurs cas analogues de petits génies passés d'une administration à une autre, d'une présidence de société à une autre, sans connaissance particulière pour le domaine d'activité de l'entreprise en question, ces exemples sont tout à fait représentatifs de l'absurdité du système français, responsable, selon eux, des médiocres résultats de la France dans le domaine économique et industriel.

Aujourd'hui, les responsables de la haute administration, conscients de l'ampleur et de la gravité du phénomène, s'efforcent de lutter pour « remotiver » les élèves des grandes écoles. Ils essaient de rectifier en quelque sorte la nature de leur ambition. J'ai personnellement entendu le général qui dirige l'École polytechnique déplorer la perte dramatique des vocations et expliquer que, dorénavant, tout serait mis en œuvre pour remotiver les élèves vers d'autres carrières que l'administration ou le « pantouflage ».

Mais, étant donné l'absence de passerelles entre universités et grandes écoles, étant donné aussi la mauvaise image de l'université, le prestige tout relatif de la recherche, mais aussi de l'industrie, ce ne sera pas une mince affaire. Détourner le courant demandera nécessairement un certain laps de temps, dans la mesure où il s'agit de corriger de toute urgence l'image de la réussite que se font tous les élèves dont l'ambition est d'intégrer une grande école.

L'unique grande école où il y a encore un semblant d'adéquation entre le talent, la formation, la vocation et la carrière choisie reste l'École normale supérieure. Encore que, la fonction d'enseignant étant de plus en plus dévalorisée, les normaliens depuis quelques années se mettent aussi à préparer l'ENA dont le statut surpasse désormais celui de l'ENS en terme de puissance, de prestige et d'émoluments immédiats, et surtout représente un plan de carrière plus prometteur. Ainsi depuis quelques années les normaliens ne sont pas moins nombreux que les X ou les diplômés de l'École des sciences politiques à se bousculer au portillon de l'ENA.

Antichambre du pouvoir, l'ENA est-elle aussi le cimetière des vocations ? Heureusement que les meilleurs, envoyés à la Cour des comptes ou au Conseil d'État, bénéficient grâce à la sollicitude de l'État d'emplois du temps peu chargés. Un énarque détaché au Conseil d'État ne sera occupé que quelques demi-journées pendant les premières années afin de « récupérer ». Ce temps disponible permet à ceux qui en ont le talent d'écrire quelques romans ou de se découvrir d'autres hobbys, la politique, par exemple.

En conclusion, il paraît flagrant aux étrangers que ce système a, certes, le mérite de former des gens très intelligents, très brillants, très cultivés dans des domaines divers, mais ce ne sont que des généralistes sans talent d'expertise, sans aucune véritable vocation, ce qui représente un défaut capital. Il prive ainsi la France de ses meilleurs cerveaux pour se fabriquer une élite stérile qui bien souvent tourne en rond.

Bruce D., qui assure un double enseignement à l'X et à HEC, est très impressionné par l'intelligence et la culture de ses élèves en particulier ceux d'HEC qu'ils jugent plus ouverts, moins polarisés que les X. Il admire tout particulièrement leur aisance intellectuelle, leur méthode de travail acquise en partie dans des familles attentives à contribuer par tous les moyens à leur réussite. Pourtant, en discutant avec les uns et les autres, il constate, dérouté, qu'il y a parmi eux beaucoup de vocations artistiques et littéraires contrariées. Plusieurs jeunes gens reconnaissent qu'ils auraient préféré faire des études de cinéma, de lettres, d'art ou de sciences humaines. Mais les parents les ont convaincus de choisir HEC pour les débouchés, le prestige et ils ont cédé par « facilité ».

« Chacun sait pertinemment bien qu'aucun d'entre eux n'a

envie de se décarcasser pour créer une entreprise. Ces gens-là veulent tout de suite un poste important dans une grande société, un statut, un titre, un bon salaire, des espérances en terme de plan de carrière. Par contre, aux États-Unis, tous les étudiants des *business schools* n'ont qu'une idée en tête en quittant l'université : monter leur boîte même s'ils doivent en baver. Je ne prétends pas que tous réussiront. Beaucoup feront des carrières de grands managers mais certainement pas avec le même esprit qu'ici. Ce qui est également certain, c'est qu'ils n'auraient pas été dans des *business schools* avec l'idée de faire du journalisme ou du cinéma après, comme c'est le cas ici. »

2. Deuxième absurdité : l'absence de passerelles

Pour les étrangers, l'une des grandes aberrations du système français, c'est l'absence de passerelles entre le monde de l'enseignement et celui de la recherche, entre l'univers des facultés et celui des grandes écoles, comme entre professeurs et étudiants, et, tout en bas de la pyramide, entre parents et enseignants. Mais aussi entre Paris et la province, puisque il n'arrive jamais qu'un universitaire nommé à Paris demande comme promotion d'être muté en province.

Le monde intellectuel français passe pour être cloisonné à tous les niveaux, rigidifié par des barrières aussi opaques et infranchissables que la Grande Muraille de Chine. Dès l'instant que professeurs, chercheurs, etc., ne se situent pas exactement sur les mêmes strates, ils n'ont aucune chance de se confronter dans des activités communes. Par contre, précise-t-on en riant, ils ont plus de chances de se rencontrer sur le plateau d' « Apostrophes » ou dans les couloirs d'une maison d'édition.

Ainsi, selon le même principe absurde, en France, les chercheurs, sauf de très rares exceptions, n'enseignent pas. Ils ne pourront donc dispenser leur savoir que par des articles, ne former qu'un nombre limité de disciples et, surtout, n'auront pas la possibilité de susciter des vocations de chercheurs par un enseignement nécessairement plus vivant, orienté tout à fait autrement qu'un cours magistral.

Les professeurs nommés à vie, eux, enseignent, mais malheureusement sans jamais faire de recherche. Ceci explique pourquoi ils se complaisent dans des cours magistraux et qu'avec les années, la routine et la paresse aidant, ils en oublient par la force des choses de réactualiser un enseignement jugé par ailleurs trop abstrait, trop désincarné, trop distant.

Il serait trop long et presque hors sujet de rapporter les propos désobligeants que certains enseignants étrangers adressent à leurs homologues français qu'ils tiennent quelquefois en piètre estime...

D'une façon générale, les étrangers sont particulièrement critiques envers les profs de fac qui demeurent à leurs yeux des mandarins encore trop bien payés pour leur faible productivité et le petit nombre d'heures de cours auxquelles ils sont astreints.

Par contre, ils plaignent nos chercheurs, qu'ils admirent bien davantage, de travailler souvent seuls, dans de mauvaises conditions. Mais, bien sûr, en France tout personnel statutaire est nommé à vie et, qu'il produise ou non, son salaire ou son emploi en seront à peine modifiés.

Aux États-Unis, en Allemagne et même en Grande-Bretagne, on se félicite qu'un tel cloisonnement n'existe pas. Un chercheur alterne son temps entre recherche et enseignement. De ce fait, les étudiants sont d'emblée familiarisés avec une double démarche avant même de commencer un PHD.

Ils sont naturellement amenés à s'intéresser d'une manière moins scolaire aux disciplines étudiées. De même, dans les *business schools,* les étudiants, travaillant sur des problèmes concrets, ne se contentent pas d'apprendre le marketing ou la publicité d'une matière théorique.

Là aussi, l'absence de passerelles entre deux mondes qui devraient se jouxter et familiariser les étudiants avec une approche à la fois plus diversifiée et plus pragmatique pousse les étrangers à assimiler les diplômés français à des sortes de dinosaures, disparus ou près de l'être dans le reste du monde.

3. TROISIÈME ABSURDITÉ :
LE CULTE DE LA PURE INTELLIGENCE

La France passe pour accorder une importance démesurée à une certaine qualité d'intelligence qui se révèle, à l'usage, spécifiquement française.

En effet, selon les étrangers, les Français ne valorisent qu'un seul type d'intelligence qui s'exprime essentiellement par une virtuosité formelle.

C'est aussi une intelligence mesurée et jaugée de très près à l'aune de diplômes dont la fonction essentielle n'est pas de former des spécialistes et des experts de haut niveau mais de mesurer les intelligences et de hiérarchiser la société en fonction de ce critère.

C'est pourquoi, tout en haut de la pyramide, trônent les énarques qui, selon les étrangers, représentent l'archétype absolu du seul modèle d'intelligence véritablement valorisée en France (mais vomie partout ailleurs) : une intelligence désincarnée, fondée sur une approche très intellectualiste des problèmes. Ainsi elle consiste, en premier lieu, dans l'aptitude à bien présenter les idées oralement et par écrit, à savoir comment les enrober dans un vernis de culture générale avant de conclure en une belle synthèse qui montre qu'on a tout compris au problème, même lorsqu'on est incapable d'y apporter des solutions. En d'autres termes, c'est souvent – mais comment pourrait-il en être autrement compte tenu de notre système de formation ? – une intelligence qui tourne en rond sur elle-même car plus soucieuse de la qualité de la mise en forme du constat que de l'originalité de la réflexion ou de sa capacité à déboucher sur des solutions inédites même à travers une approche peu orthodoxe.

Dans ce domaine, l'énarque est roi. Il a conquis ses galons grâce à son habileté à écrire des rapports bien présentés, où les idées sont à la fois bien analysées, bien classées, saupoudrées de citations judicieuses, qui permettent de faire étalage d'une culture générale de bon aloi, basée sur des connaissances étendues et diversifiées mais pas approfondies.

De telles intelligences n'impressionnent guère les étrangers, qui quelquefois s'en irritent, les jugeant en quelque sorte purement esthétiques et sociales pour ne pas dire mondaines. Surtout, ils constatent que le vernis de culture générale cache en réalité de nombreuses lacunes.

Néanmoins, elles confèrent à ceux qui l'incarnent le mieux une grande aisance pour briller en société, pour occuper l'espace par des discours interminables catalogués par les experts étrangers de bavardages sans intérêt réel, car émanant d'habiles généralistes à l'aise pour gérer l'existant mais rarement capables d'insuffler un véritable élan ou des innovations fulgurantes ; incapables surtout de devenir de très grands experts dans leurs parties respectives.

Pour les étrangers, des cas très révélateurs de la considération portée en France à « l'intelligence pure » sont incarnés par des carrières comme celle d'Alain Minc, essayiste brillant, chargé d'un titre ronflant de conseiller dans le directoire de Saint-Gobain. Sa fonction auprès du président, qui a besoin d'un penseur diplômé en énarchie à ses côtés, est celle d'une éminence grise payée probablement très cher pour son aura intellectuelle qui n'a rien à voir avec le métier pratiqué.

Alain Minc ou Jacques Attali représentent pour les étrangers les archétypes de l'énarque à prétendue culture encyclopédique, qui se mêlent de tout depuis que la France les a choisis comme maîtres à penser. Ainsi, fort de sa réputation, Minc se permet d'écrire des livres pleins d'inexactitudes. Certains universitaires étrangers qui ne l'aiment guère se font un malin plaisir de le contredire et de relever ses lacunes dans des débats publics sur l'Europe dont Minc est l'invité d'honneur pour avoir écrit *la Grande Illusion*.

Ainsi, un politologue allemand, spécialiste des relations franco-allemandes, lors d'un colloque qui se déroulait à Paris en avril 1989, a fait rire l'assistance aux éclats en énumérant quelques exemples qui montraient autant des lacunes en matière de culture générale qu'un raisonnement basé sur des approximations douteuses. Kolboom insistait, entre autres pour que Minc veuille bien montrer les horaires officiels où figurent les prétendus vols qui relient, selon lui, plusieurs fois par jour Munich à la Bulgarie, mais dont personne ne trouve trace en RFA :

« Pourtant ce n'est pas faute d'avoir cherché. Depuis que j'ai lu le livre de Minc, j'ai interrogé toutes les compagnies aériennes qui ont des bureaux en Allemagne. Dans la mesure où Alain Minc utilise cet exemple dans son livre pour bâtir toute une théorie sur la dérive vers l'est de la République fédérale, j'essaie de retrouver en vain une trace de ces avions fantômes. A la place, j'ai trouvé des preuves notoires de sa prétendue culture. Dès qu'il a senti que des gens dans la salle allaient le contredire, M. Minc a essayé de s'esquiver aussitôt son exposé terminé. Mais je l'ai retenu pour lui faire remarquer qu'il utilisait l'allemand à tort et à travers dans ses écrits, ce qui est dommage de la part de quelqu'un qui se prétend un spécialiste et veut étaler sa culture germanique. Je lui ai alors notifié un contresens indigne d'un élève de seconde. En effet, voulant pour faire bien citer une phrase du *Faust* de Goethe (que tout le monde cite) dans la langue du poète, il a essayé de la traduire lui-même, ce qui a donné lieu a quelque chose de comique. Ainsi le fameux " Je suis l'esprit qui toujours nie ", qui en allemand se dit *" der Geist der stets verneint "*, est devenu dans la version corrigée par Minc : *" Ich bin der Geist der immer neint. "* C'est une absurdité qui signifie littéralement : " Je suis l'esprit qui fait toujours nan ! " Comme on dit qui fait meuh ! »

Ainsi, dans les divers secteurs professionnels où a été effectuée la présente enquête, les étrangers adhèrent spontanément et sans la moindre concertation au constat formulé par Stanley Hoffmann : « Les énarques sont des gens très intelligents, mais en France on attribue à l'intelligence une importance excessive et un modèle très limité. La seule intelligence que l'on respecte est celle basée sur le talent à mettre en forme des idées qui n'ont pas nécessairement besoin d'être originales... Dans la société américaine, il y a une bien plus grande diversité pour déterminer les critères de valeur selon lesquels sont jugés les individus. Par exemple, on ne juge pas les universitaires de la même façon que les hommes d'affaires et ces derniers ne sont pas jugés à l'aune des politiques. »

Un gaspillage des talents proprement aberrant

En réalité, plus on avance dans l'analyse du système, plus on s'aperçoit que l'usage qui est fait de l'intelligence est paradoxal et que le culte que la France lui porte est un culte stérile.

En effet, à supposer que les énarques, les X et les ENS représentent, comme on le croit communément ici, les meilleures intelligences du pays, puisque ce sont ceux qui ont obtenu les meilleures notes et les meilleurs classements de l'ensemble de la nation, dès lors c'est une absurdité foncière que de gaspiller de tels talents pour en faire des fonctionnaires.

Il n'y a qu'en France que l'on considère que le service de l'État mérite un tel sacrifice. Partout ailleurs, où l'intelligence n'est pourtant pas l'objet d'un tel culte, on veille cependant à en faire un usage plus judicieux. D'une part, on ne considère pas que l'intelligence se mesure seulement à l'aune des bonnes notes. D'autre part, on ne juge pas que le meilleur usage que l'on puisse faire des meilleurs talents soit de les orienter vers la carrière de serviteurs de l'État.

D'une façon générale, dans la plupart des autres grands pays, les écoles d'administration ne sont pas particulièrement cotées ; elles voient donc affluer des étudiants d'un niveau moyen, peu ambitieux, à la recherche de carrières sans panache excessif.

En revanche, les sujets les plus brillants ont d'autres exigences en entrant dans la vie professionnelle. Même ceux qui ont des ambitions politiques élevées savent que le meilleur biais pour les réaliser est de justifier au préalable d'une réussite spectaculaire acquise dans d'autres domaines que l'administration. Ils se sentent donc plus libres pour suivre une vocation et se lancer à corps perdu dans la réalisation d'un projet.

En France, au contraire, tout est faussé puisque même ceux qui rêvent de quitter un jour le service de l'État savent qu'un passage dans les grands corps puis dans les antichambres ministérielles leur garantit de rester sur la voie royale dans le déroulement ultérieur de leur carrière. Ils savent qu'ils seront prioritaires par rapport à des spécialistes, pourtant plus compétents, lorsque se présentera la présidence d'un groupe nationalisé. A condition, cependant, d'être engagé politiquement dans l'un ou l'autre camp. Ce qui veut dire que non seulement l'usage qu'ils font de leur intelligence est en quelque sorte perverti, mais cette perversion contamine également l'éthique, l'idéalisme incarnés par un engagement politique.

Dans la mesure où, selon des critères en vigueur un peu partout sauf ici, ce n'est pas dans les grandes écoles ni dans l'administration que l'on apprend à devenir un authentique « grand patron », la France se trompe sur toute la ligne dans son système de sélection et de promotion. Selon les observateurs étrangers, il eût mille fois mieux valu pour le développement et la modernisation de la France que ses intelligences s'investissent dans la science, la recherche, l'économie, les affaires. En d'autres termes, pour que la France progresse, rattrape son retard économique, il serait infiniment préférable que les meilleures intelligences du pays deviennent *productives*.

Or, dans le contexte de l'État, quels que soient l'ampleur ou l'intérêt des missions accomplies, ces intelligences ne peuvent pas être utilisées au mieux de leurs possibilités. En revanche, les tâches auxquelles elles sont confrontées pourraient aisément être accomplies par des gens moins brillants. Les X qui végètent dans les dédales du ministère de l'Industrie en veillant à l'application de certaines directives officielles auraient mieux fait de devenir des créateurs d'entreprises si ces carrières n'étaient pas aussi dévalorisées en France.

Bruce D. me racontait cette anecdote particulièrement révélatrice du beau gâchis de nos intelligences. Un jour, il eut l'idée d'inviter l'ambassadeur des États-Unis, Jo Rodgers, pour faire une conférence à Polytechnique devant les élèves de dernière année. Jo Rodgers n'est pas un diplomate de carrière mais un homme d'affaires pragmatique dont la réussite se compte en millions de dollars. Ardent supporter de Ronald Reagan, son poste d'ambassadeur en France fut un hommage rendu à sa générosité dans la campagne présidentielle.

Pas très au fait des spécificités de la mentalité française ou des particularités de ses auditeurs, Jo Rodgers tint devant les polytechniciens, abasourdis et de plus en plus goguenards, un discours qui lui eût valu les applaudissements enthousiastes des étudiants de Harvard ou de Yale, qui, eux, sont sensibles au rêve américain du self-made man, celui qui partant de rien se construit un empire.

Très naïvement, il les incita donc à créer leur entreprise dès la sortie de l'école, expliquant qu'étant donné leur bagage, ils étaient mieux armés que n'importe qui et que le temps était enfin venu pour eux de prendre des risques, de se battre. « Surtout, insistait-il, si vous échouez la première fois ne vous laissez pas décourager, mais n'hésitez pas à recommencer, deux fois, trois fois, jusqu'à ce qu'enfin vous ayez gagné votre premier milliard. »

Dès les premières paroles de l'ambassadeur, les élèves écoutaient les yeux ronds, la bouche ouverte, absolument interloqués que quelqu'un s'avisât de leur tenir, à eux, de tels propos. Le seul commentaire qu'entendit Bruce à la fin de cette conférence est celui-ci : « Il n'y a qu'un Américain pour dire des choses aussi ridicules et penser qu'on a fait autant d'études pour en arriver là. »

En effet, aucun d'entre eux n'avait la moindre envie, après les efforts accomplis pendant toute leur scolarité, de se défoncer de la sorte. D'une part, le temps de cueillir les lauriers était enfin venu. D'autre part, aucun ne pensait que gagner de l'argent de cette manière était compatible avec leur statut. Pourquoi iraient-ils viser des destinées aussi prosaïques et vulgaires, bonnes pour les laissés-pour-compte, ceux qui, privés de diplômes, sont bien obligés de prendre des risques pour réussir ?

Les propos de Norberto Bottani vont tout à fait dans ce sens. Lui aussi déplore que le seul critère pris en compte par notre système de sélection écarte complètement d'autres modèles d'intelligence et de réussite que les bonnes notes :

« Rien n'est pire pour un pays que de maintenir un système de production des élites dont l'ambition finale est d'occuper des positions de pointe dans l'appareil étatique. C'est un gâchis terrible que de prendre les meilleures intelligences du pays non pas pour faire de la recherche scientifique mais pour en faire des ministres ou des fonctionnaires du Trésor. C'est aussi terrible que de donner des responsabilités importantes à des jeunes gens sans expérience.

« Les jeunes diplômés de Polytechnique ou de l'ENA sont absolument convaincus de leur supériorité intellectuelle. Je trouve que cette certitude intérieure que leur a inculquée le système de sélection est quelque chose de fabuleux, mais en même temps, je trouve terrible qu'au nom de ce fameux respect porté en France à l'intelligence, un jeune homme de vingt-sept ans ait droit à une place importante dans l'appareil d'État ou dans n'importe quelle entreprise où il entre comme débutant.

« Le fait que le critère principal de légitimation à droite comme à gauche soit ce type d'intelligence, et en aucun cas l'argent, la réussite économique, m'effraie. Pourtant le développement de l'intelligence peut aussi s'appliquer à des situations économiques. Ainsi, aux États-Unis, en Allemagne ou en Italie, on respecte autant pour son intelligence un industriel qui réussit qu'un fonctionnaire ou un universitaire. »

Preuve que souvent dans leur ministère, les énarques, dotés d'une grande capacité de travail, sont sous-employés ou s'ennuient, c'est le nombre impressionnant d'entre eux qui réussissent à se consacrer à d'importants travaux personnels d'écriture et de recherche. Par exemple, un normalien agrégé d'histoire comme Jean-Michel Gaillard[1], provincial ambitieux devenu énarque pour faire une carrière moins obscure et plus éclectique que celle d'enseignant ou de chercheur, a pu pendant la durée de sa mission de conseiller à l'Élysée publier deux ouvrages d'histoire. Même topo pour Jacques Attali, ancien X et énarque qui profite de sa sinécure de penseur officiel du régime et de conseiller privé du président pour écrire tranquillement des essais et même des romans-fleuves.

Les meilleures intelligences étant vouées au service de l'État, les autres secteurs comme la recherche fondamentale ou appliquée, l'industrie, l'enseignement sont, en quelque sorte, pris en main par des gens qui, selon les critères développés en France, ont *a priori* une intelligence moins performante, en tout cas moins valorisée par l'institution qui leur a refusé l'entrée des grandes écoles. Hormis les quelques vocations originales et suffisamment affirmées qui résistent au laminage du modèle dominant de réussite, les autres se vivent comme des recalés du système. Mais, surtout, les diplômés de l'enseignement supérieur, formés dans les facultés, n'ont pas bénéficié des mêmes condi-

---

1. En septembre, il a été nommé directeur général d'Antenne 2, ce qui est plutôt un choix heureux.

tions d'études privilégiées que l'élite. Avant d'être admis au CNRS ou dans d'autres unités de recherche, les postulants ont supporté un long chemin de croix plutôt destiné à décourager les vocations et user les talents qu'à les stimuler. Ces multiples indices leur donnent la conviction que ce à quoi ils ont envie de vouer leur existence n'est guère pris en considération par la nation. Du moins est-ce ainsi que les étrangers interprètent une discrimination aussi ostensible.

Ainsi le fait que les intelligences consacrées par le système à la recherche scientifique, aux tâches productives et enrichissantes pour le pays appartiennent seulement au deuxième cercle est à la fois paradoxal et dangereux. En effet, ces intelligences implicitement considérées de « second ordre » ne représentent pas des modèles suffisamment attractifs et valorisants pour les générations montantes.

Une intelligence entravée

La rigueur avec laquelle s'effectue la sélection scolaire tout au long du cursus présente l'avantage d'avoir réussi à prendre la mesure exacte des intelligences du pays. Mais voyons maintenant comment les étrangers jugent ces intelligences. C'est rien de dire qu'elles les laissent de marbre quant au résultat final.

Les moules dont sortent les scientifiques français contribuent à former une variété d'intelligence qui, en se déployant, éblouit et déroute les étrangers par l'étendue des connaissances, le brio intellectuel. Ils admirent l'aisance et la capacité quasi automatique des Français à théoriser, à reformuler une problématique, à la repréciser, à la mettre en perspective en élargissant le champ de réflexion. Les étrangers apprécient aussi leur aptitude à intégrer dans le champ d'analyse tout un ensemble de connaissances et de références culturelles appartenant à d'autres domaines, ce qui donne parfois à la réflexion une ampleur exceptionnelle.

Face aux scientifiques anglo-saxons, plus pragmatiques, plus terre à terre, moins séducteurs avec un discours plus laborieux, sans digression brillante (mais hors sujet), les Français donnent l'impression, dans un premier temps, d'une supériorité intellectuelle foudroyante.

230

A l'usage, cependant, les chercheurs étrangers manifestent une certaine irritation devant un mode de fonctionnement qui rappelle un peu trop le paon faisant la roue et en découvrent par là même les limites. A savoir que bien souvent les résultats obtenus ne sont pas à la hauteur de la parade.

Autrement dit, le formalisme de la pensée et l'étendue des connaissances ne contribuent pas à les rendre plus créatifs. A la limite, ce serait même l'inverse. En effet, tout ce fatras de connaissances, consécutif au bachotage prolongé, encombre et inhibe plus qu'il ne stimule. C'est pourquoi on juge qu'ils font de parfaits « techniciens » plutôt que des esprits agiles et intrépides.

De plus, tout au long de leurs études, les Français n'ont jamais été incités à exprimer leurs idées mais à restituer celles des autres, ce en quoi ils ont acquis une maestria hors pair. Mais on les sent inhibés quand il s'agit d'exposer une hypothèse personnelle, sortant des sentiers battus. Bien souvent aussi, au lieu de peaufiner l'idée, les Français, trop préoccupés par la forme, négligent le reste et, dans le domaine de la recherche de la pensée pure, sont taxés de manquer d'exigence, d'audace, de profondeur. Surtout ils n'ont pas assez le goût du risque dans la spéculation intellectuelle. Ainsi l'habileté rhétorique se révèle un exercice plus stérilisant que le système anglo-saxon moins formaliste et moins orienté vers la théorisation.

Les chercheurs anglo-saxons sont « dressés » à une autre discipline. La forme importe moins mais on leur apprend à chercher, d'une manière à la fois pragmatique, critique, rigoureuse, hardie, et surtout on les incite à ne jamais s'autocensurer, à considérer toute nouvelle idée comme digne d'être creusée.

De toute façon, il semblerait que, dans bien des cas, ils répondent mieux aux questions posées justement à cause de leur approche pragmatique et anticonformiste.

Cette opinion exprimée par de nombreux scientifiques est particulièrement bien explicitée par Norberto Bottani, qui a eu l'occasion de côtoyer de très près notre élite intellectuelle : anciens élèves de l'École normale supérieure, de l'X, énarques, chercheurs titulaires de doctorat d'État, etc. Interrogé sur leur efficacité en termes de résultats, il exprime des sentiments très mitigés. D'une part, une certaine admiration devant des mécaniques intellectuelles parfaitement huilées et, d'autre part, une décep-

231

tion devant la stérilité de bon nombre d'entre eux habitués à fonctionner en circuit fermé sur des problèmes abstraits.

« Ils apportent un surplus, mais qui est parfois difficilement intégrable dans des cadres d'analyse plus empiriques. Ils offrent des interventions déroutantes qui laissent parfois plein d'admiration mais que l'on ne sait pas comment exploiter. C'est une créativité intellectuelle, comme des ballons d'essai, des feux d'artifice ; beaucoup se complaisent dans ce jeu qui va de pair avec une certaine stérilité dans le travail. Seuls les meilleurs sont à la fois capables d'ouvrir des horizons, de donner des éclaircissements inattendus, ce qui est extrêmement enrichissant et, en même temps, d'effectuer des travaux d'une grande rigueur tout en faisant preuve de méticulosité. Cela me paraîtrait normal chez des Allemands ou des Américains mais me surprend toujours de la part des Français. Sinon je suis très étonné par la difficulté qu'éprouvent les scientifiques français, même de très haut niveau, à comprendre d'autres situations de recherche que celle à laquelle ils sont habitués.

« Le niveau d'ouverture sur d'autres contextes culturels n'est pas aussi excellent qu'il devrait l'être, compte tenu de leur compétence et de leur niveau de formation. Malheureusement, aussi, leur connaissance d'une discipline n'est fondée que sur une bibliographie française et, à part quelques textes traduits, ils ignorent tout de ce qui se passe ailleurs... Ceci est masqué, compensé par une certaine arrogance intellectuelle qui découle de leur habileté à maîtriser les dispositifs logiques et rationnels. Ce qui est normal, car ils sont initiés à ce système depuis la maternelle. Ce système fort, cohérent, monolithique, vise uniquement au développement de l'intelligence pure, pour favoriser la sélection des élites intellectuelles. Il est dommage que ce système ne privilégie pas le développement d'autres formes d'intelligence. Je ne suis pas un admirateur des grandes écoles car le prix à payer en termes d'inégalités scolaires mais aussi de sacrifices est trop élevé.

« Pour réussir, il faut se *réprimer* terriblement, car c'est le seul moyen de s'adapter au moule imposé par le processus de sélection. Pourtant ici, on est prêt à des sacrifices énormes, y compris compromettre le développement de la personnalité. Les dégâts sont incommensurables et se paient en personnalités détruites ou réduites.

232

« L'asphyxie de la France provient de son incapacité à reconnaître d'autres formes d'intelligence et de sensibilité que celles qui appartiennent aux classes dominantes alors qu'elle aurait besoin du maximum de ressources intellectuelles différentes. Tous les pays modernes, sauf la France, ont compris qu'il leur fallait valoriser plusieurs types d'intelligence. Ici on les méprise ou on les sacrifie. »

Il faut néanmoins relativiser les critiques ; par exemple certains étrangers, et surtout les Anglais, reconnaissent de façon quasi unanime les compétences techniques des ingénieurs sortis des grandes écoles. Mais il est vrai que les ingénieurs n'appartiennent qu'au deuxième cercle.

Si les Anglais sont les plus élogieux, c'est sans doute à cause des relations multiples qui se sont tissées entre les deux pays au cours de la réalisation d'ouvrages d'art. Ils ont pu ainsi juger sur pièces les qualités de nos meilleurs ingénieurs. N'oublions pas néanmoins qu'ingénieur n'est pas synonyme d'énarque. Ce sont des spécialistes, des techniciens qui n'ont pas peur de se salir les mains. Ils représentent une catégorie sociale de deuxième zone qui ne vit pas l'action pratique comme quelque chose de prosaïque ou de dégradant.

Bref, ils n'ont que peu de choses à voir avec les petits-maîtres issus du moule énarchiste qui hantent cabinets ministériels, sièges parisiens des grandes entreprises et partis politiques et qui portent préjudice au prestige intellectuel de la France.

Bilan : un chek-up qui laisse peu d'espoir

Les propos de Laura T. mis en exergue à ce chapitre sont loin d'être une simple boutade. C'est un constat clinique qui fait l'unanimité de tous les interviewés, et même les plus ardents défenseurs de l'école de Jules Ferry ne peuvent rejeter en bloc ces critiques. C'est comme si tous les ministres successifs, qui n'ont cessé de mettre au point des réformes, de refondre les programmes, de prétendre mettre en place une école new-look qui serait « l'entreprise du futur », ne s'étaient contentés que de petits replâtrages. Ils ont « ajouté », pour contourner les vrais problèmes, sans jamais remettre en cause les dysfonctionnements mêmes. Englués et produits par une structure malade, ils paraissent incapables de prendre l'ensemble à bras-le-corps.

Les observations percutantes de nos censeurs étrangers remettent les pendules à l'heure. Ces réformes ne répondent pas aux vrais problèmes, elles compliquent les choses sans les résoudre. Ainsi, l'Inspection générale est bien une sorte de « reine pondeuse » de programmes. Mais au nom d'une prétendue modernisation, ces programmes ne font que s'alourdir, qu'introduire des champs de connaissance que même la plupart des professeurs ne maîtrisent pas ! Ces derniers, victimes de cette surenchère, sont accablés et tyrannisent les élèves au nom de programmes à boucler coûte que coûte.

Comme si personne n'était capable de voir la réalité en face : une école qui est basée sur l'échec, la sélection à outrance au nom de critères contestables, l'interdiction de l'épanouissement des élèves. Comme si tout le système était en quelque sorte victime de son hérédité, les décideurs de notre politique éducative et les praticiens en étant les purs produits et les défenseurs malgré eux. En effet, nombreux sont les ouvrages qui démontent les mécaniques du système, sans pour autant dénoncer le système. Les énarques critiquent l'ENA, les normaliens l'ENS, etc., mais ces critiques n'ont jamais suscité de réaction réelle. Il va de soi que le système s'auto-entretient, se nourrissant de propos qui ne portent que sur les mêmes petites choses, les mêmes petits travers, mais qu'il garde implicitement le même respect du niveau, de la culture générale ?

Ceci est bien évident, étant donné que tout ce système fossilisé vit en circuit fermé et ne se compare surtout pas avec ce qui se fait ailleurs, bien trop persuadé de sa supériorité et de l'infaillibilité de ses critères.

Nous nous donnons bonne conscience en introduisant un peu de pédagogie par-là, un peu de technologies nouvelles par-ci, comme si ces gadgets (qui, pris sous un autre angle, pourraient être des outils efficaces au service des enseignants) suffisaient pour remettre en cause un système fondamentalement pervers. Ainsi, le Plan « informatique pour tous » s'est révélé un succès plus que douteux, étant donné le nombre non négligeable de micro-ordinateurs ayant un rôle purement décoratif dans des collèges ou des lycées où les professeurs n'ont aucune formation informatique. Les technologies les plus sophistiquées mais aussi les plus coûteuses, tels les vidéodisques ou la télé-détection, sont introduites dans les établissements expérimentaux comme si c'étaient des panacées. Enfin, le mot pédagogie est à la mode, sans doute parce que auparavant c'était, en toute bonne foi, le dernier des soucis des enseignants ! On parle de projets d'établissement, de responsabilisation des élèves, mais tout semble se passer un peu à la marge, le monde éducatif ayant une forte tendance à l'inertie et au conservatisme.

En ce sens, les interventions de nos étrangers méritent toute notre attention. Certes, la culture générale a sa valeur, mais l'humaniste ou l'honnête homme du temps de Voltaire, l'encyclopédie ambulante dans le style de Léonard, ne peuvent plus être des références. Le label de peuple hypercultivé qu'on nous décerne ne mérite pas la démesure des efforts qui éreintent nos élèves et tuent la créativité et le sens de l'initiative de bon nombre d'entre eux.

Chapitre VI

UN ÉTAT MÉGALOMANE
ET DES CITOYENS INFIRMES [1]

1. UN ÉTAT HYPERCASTRATEUR

Plus que beaucoup d'autres, la société française est fondée sur un culte de l'État, sur une unité nationale érigée en dogme dont le lieu symbolique est la capitale : « Hors Paris, point de salut ! » Jamais proverbe n'a paru plus exact dans son éternité. Venus de pays fédéraux comme les États-Unis ou la RFA ou originaires de pays qui, comme l'Italie, n'ont connu qu'une unification nationale tardive, nos censeurs étrangers sont très étonnés de constater que, malgré les fameuses lois de décentralisation, la France reste la digne fille de Colbert et de Napoléon. Autrement dit, un pays où tout part de la tête et où tout ce qui ne relève pas de l'État centralisateur et impérialiste est d'office déconsidéré, rejeté, voire interdit. Dès lors les étrangers se demandent quelle place occupe ce qu'il est convenu d'appeler la « société civile », à savoir les citoyens, les Français types. Quels sont les effets des pouvoirs jugés excessifs de l'État sur la mentalité française ? Le but de ce chapitre est donc de cerner l'articulation entre État et société et de montrer combien cet État, ivre de pouvoir et de discours politiciens, nuit au développement de la personnalité française.

En effet, en France, l'État est omniprésent et ceci se retrouve à tous les niveaux car, depuis la Révolution, l'État français, héritier de l'absolutisme royal, n'a cessé de s'arroger des domaines où, *a priori,* il n'avait guère de compétences pour intervenir :

---

1. Expressions empruntées à Pierre Bourdieu.

État législateur, imposant les mêmes lois dans tout le territoire, réglementant la vie privée et professionnelle, enfin État patron intervenant de plain-pied dans le domaine économique. Bref, un État qui s'occupe de tout, ce qui ne va pas sans présenter à la fois des avantages indéniables et des handicaps évidents. Pour nos observateurs étrangers, l'État français, pourtant, marche relativement bien car il a su équiper le pays en infrastructures enviables offrant aux usagers, dans divers domaines, des services de qualité. Mais cet « État providence » est aussi une sorte d'entité parentale abstraite, à la fois castratrice et infantilisante. Manichéenne, despotique, persuadée de son infaillibilité, elle tue toute forme d'iniative, pénalisant bien souvent ce qui échappe à son contrôle.

Mais plus que tout c'est un État « équivoque ». Car comment en dire complètement du mal ou du bien alors qu'à tout moment on est obligé de constater à quel point l'empreinte et l'influence de l'État se retrouvent autant dans tout ce qui va bien en France que dans tout ce qui va mal ? Il est vrai que, dans ce chapitre plus qu'ailleurs, la nationalité des intervenants contribue à orienter les opinions portées à l'encontre de notre sacro-saint patron. Si Espagnols, Anglais ou Italiens sont épatés par l'efficacité de nos services publics, c'est sans doute à cause des dysfonctionnements qu'ils ont pu constater chez eux. Cela étant, les Italiens redeviennent violemment critiques quand il s'agit de comparer l'image d'atonie des provinces françaises avec le dynamisme des régions italiennes. Les Allemands et les Américains, quant à eux, sont véritablement scandalisés par notre État centralisé, qui à force de donner l'impression de tout vouloir maîtriser et régenter apparaît quasi totalitaire à leurs yeux.

Enfin, il est possible là aussi de minimiser les critiques en rétorquant que nos amis étrangers n'ont pas complètement perçu le fonctionnement global de l'État, que, malgré leurs postes d'observation privilégiés, ils n'ont pas disposé des moyens ou des clés suffisants pour constater les retombées de la décentralisation. Car même si ce sont des gens informés, attentifs à l'actualité, ils sont avant tout parisiens. De ce fait, ils n'ont peut être pas pris toute la mesure du regain culturel et économique de certaines régions. Mais il est vrai que nous sommes ici dans l'univers de l'image, de la représentation et, comme chacun sait, il faut beau-

237

coup de temps, d'efforts et de preuves tangibles pour modifier des images, substituer une représentation à une autre.

Des services publics impeccables

Si nos interviewés se montrent trop souvent avares d'éloges, ils cessent d'être critiques pour souligner l'efficacité de nos services publics. Ainsi, Victor Lobrano, de la RAI, se montre plein de gratitude et d'admiration à l'égard de l'organisation des services médicaux français auxquels il estime devoir la vie. Sauvé par le Samu à la suite d'un infarctus, il a la certitude qu'il serait mort si le même accident était survenu en Italie. Comme beaucoup d'Italiens qui ont eu l'occasion de comparer les deux systèmes, il apprécie la qualité des hôpitaux français et leur accorde toute sa confiance. D'ailleurs, il tient à souligner que tous les Italiens fortunés viennent systématiquement en France pour se faire soigner. Dans certains cas très graves (cancer, leucémie des enfants entre autres), les malades sont aussi très souvent envoyés d'office dans des hôpitaux français.

« Chaque année, cela représente environ cinquante mille personnes dont les soins sont d'ailleurs pris en charge par le gouvernement italien. Nous avons également de grands médecins mais tout le reste du système n'est pas à la hauteur, que ce soit dans les hôpitaux publics ou dans les cliniques privées ; mes amis italiens n'accepteraient jamais de subir une opération en Italie. »

De même, il admire, comme bien d'autres, l'organisation de nos transports, le prestige de nos grands lieux culturels, les nombreux efforts faits dans ce sens par l'État, mais il trouve cependant regrettable que toutes les réalisations récentes concernent exclusivement Paris. Comme plusieurs de nos interlocuteurs, il comprend mal pourquoi le projet de la future bibliothèque n'ait pas été un prétexte pour officialiser une politique de décentralisation culturelle.

Il est aussi conscient de l'extraordinaire dynamisme dont l'État sait parfois faire preuve lorsqu'il s'agit de développer un secteur public jusque-là défaillant, quitte à impulser une nouvelle industrie. Par exemple, la haute technicité des télécoms françaises, dorénavant considérées comme étant parmi les

« meilleures du monde » après être restées longtemps à la traîne de l'Europe. La France en était encore au téléphone manuel quand l'Espagne franquiste et même la Grèce sous-développée avaient intégré l'automatique. Enfin, s'il a pu pâtir de la lenteur sans amabilité des administrations françaises, il apprécie le sens du service d'État et le dévouement dont font preuve les énarques alors qu'en Italie, on ne rencontre personne à aucun niveau qui se soucie de l'État et du service public :

« En Italie, le peu d'État est favorable au développement de l'économie individuelle mais c'est mauvais pour la vie publique car tout ce qui touche au service public est nul. [...] Les stagiaires italiens admis à l'ENA à titre exceptionnel sont béats d'admiration devant la qualité de l'enseignement donné aux fonctionnaires et de l'esprit qu'il développe. Si l'État français marche si bien, c'est que finalement la bureaucratie française fonctionne bien, même si c'est avec lenteur. Alors qu'en Italie, un fonctionnaire assure généralement deux ou trois autres jobs et se moque pas mal du travail qu'il doit à l'État. »

En Espagne, même son de cloche et le gouvernement de Felipe Gonzalès ne cesse de se battre contre l'incurie des fonctionnaires qui, eux aussi, cumulent les activités annexes pour augmenter des salaires insuffisants. Mis à part les Allemands, nos voisins européens considèrent aussi que la France possède les meilleurs réseaux de transport urbain d'Europe, voire du monde.

Les Américains, eux, soulignent surtout la qualité des services sociaux français, qu'il s'agisse de la Sécurité sociale, du système de l'assurance chômage ou maladie, du système des retraites, des crèches, etc.

Tout cela prouve, bien sûr, que l'État français est soucieux de ses concitoyens. Mais pas toujours à bon escient. Ainsi beaucoup d'étrangers ont la sensation d'une mainmise excessive de l'État qui conduit à une asphyxie générale de la société. L'avocat milanais Morera, lorsqu'il compare la France où il vient chaque mois à l'Italie qu'il sillonne tantôt pour affaires, tantôt pour donner des conférences dans différentes villes universitaires, est très frappé par les constrastes qui différencient de façon si manifeste ces deux pays où le rôle et le mode de fonctionnement de l'État sont diamétralement opposés.

« En France, il y a quelque chose qui fait tout descendre du haut vers le bas, tandis que chez nous c'est un système qui tend à pousser du bas vers le haut. Voilà en quoi consiste le principal mal français : un système étatique qui empêche les énergies situées au bas de la pyramide de monter vers le haut. Dans toutes les provinces italiennes, il y a des centaines de milliers de petites entreprises qui jaillissent comme des champignons. Ici lorsque je viens faire des conférences ou rencontrer des clients, je m'aperçois qu'il y a des énergies gigantesques mais qui n'arrivent pas à se libérer, qui attendent que l'État les encourage. Les jeunes abandonnent leur province sous prétexte qu'il n'y a pas de débouchés – l'État n'ayant pas réussi à faire venir des entreprises – et qu'ils n'ont pas l'idée de monter leur petite entreprise. Un jeune Italien qui habite Prato ou Ferrare n'aura plus l'idée de venir à Rome ou à Milan. Le Sicilien qui aujourd'hui va encore à Rome veut passer un concours pour devenir fonctionnaire, avocat, faire plus tard une carrière politique. Mais le jeune homme performant de Trevisio ou Prato – toutes ces petites villes dont personne n'avait entendu parler il y a dix ans – qui part à Milan ou à Florence faire ses études, qui va même ensuite passer un *master* en Amérique pour avoir une meilleure spécialisation revient vite chez lui quand il a terminé. Ce sont ces millions de personnes qui sont à la base de cette extraordinaire renaissance italienne dans laquelle l'État n'a joué aucun rôle car, en Italie, tout monte du bas vers le haut et non l'inverse comme chez vous. Vous avez la meilleure administration d'Europe, les meilleurs hauts fonctionnaires, mais où sont cachés vos champignons ? Pourquoi ne stimulez-vous pas l'énergie de vos jeunes et celle de vos provinces ? »

Une décentralisation fantomatique

Paris et le désert français, ce titre d'un ouvrage de Jean-François Gravier publié en 1947 ne nous semblait plus s'appliquer à une France supposée restructurée par la loi de décentralisation. Ceci est pourtant, de toute évidence, une illusion française puisque la plupart de nos amis étrangers ne sont pas dupes et n'ont cessé de souligner le centralisme parisien. C'est un élément constitutif de notre pays qui donne l'impression de s'être encore aggravé ces dernières années malgré l'alibi d'une décentralisation entérinée par les textes officiels.

Comme le dit la journaliste italienne Leda X., en France depuis trois ans, mais suffisamment sortie de Paris pour avoir constaté à quel point la province et Paris vivent à des rythmes différents :

« Il n'est pas juste de dire " la France ", Paris est une chose et la France en est une autre. » De la même façon, bon nombre d'étrangers ne comprennent pas le parachutage de Parisiens pour les élections municipales. Au nom de quelle aberration une ville comme Blois a-t-elle cru bon d'élire une personnalité aussi parisienne et surchargée de mandats divers que Jack Lang, qui, déjà député de Blois mais aussi ministre, n'a matériellement pas le temps d'administrer la ville ? N'existait-il donc pas dans la région un candidat socialiste convenable et surtout susceptible d'avoir cette disponibilité indispensable à une fonction de maire ?

Rien de nouveau dans le monde intellectuel

L'universitaire américain W.R. Schonfeld va encore plus loin dans son analyse puisqu'il montre que la centralisation française constitue toujours un lourd handicap, une entrave dramatique à l'émergence des initiatives locales ou individuelles.

Selon d'autres étrangers, il va de soi que toute réussite hors de Paris est considérée comme une réussite au rabais dans les professions intellectuelles, universitaires, artistiques et même industrielles.

A la limite, ce n'est plus la faute de l'État mais un conditionnement si ancien que tout se passe aujourd'hui comme du temps de Balzac. Ainsi, il n'est pas de jeunes gens doués qui ne rêvent de partir à la conquête de Paris. Comment faire autrement ? Toutes les grandes écoles ne sont-elles pas situées dans la région parisienne ? Or tous les Rastignac en puissance savent qu'une grande carrière ne se commence ni ne se manage en province mais à partir de l'ENA, des universités parisiennes ou des sièges parisiens des très grandes entreprises. Un universitaire parisien d'abord nommé assistant en province s'y sent exilé. Le plus souvent, il refuse d'ailleurs de s'y installer et se transforme en « turbo-prof » qui reste le temps de son cours mais n'envisage jamais de prendre racine et ne cesse d'intriguer par tous les moyens pour être nommé un jour professeur à Paris. Une telle promotion est vécue comme le summum de la réussite dans le monde universitaire.

Écoutons W.R. Schonfeld : « L'emprise parisienne qui subsiste en dépit de pas mal de changements est un frein très fort. On réduit ainsi le nombre de points de compétition au sein d'une société. S'il y avait quatre grands quotidiens dont un marseillais, un lyonnais, un bordelais, ce serait tout à fait différent. Quelqu'un qui voudrait faire carrière dans le journalisme aurait quatre façons d'arriver alors qu'ici il n'y en a qu'une seule. La concentration de talents est tellement dirigée vers Paris que ça réduit la stimulation dans d'autres endroits. En Angleterre, le *Manchester Guardian* n'est pas à Londres et c'est pourtant un grand journal. C'est symptomatique qu'il n'y ait pas de grand journal ailleurs qu'à Paris. »

Dieter Meier Siemeth, journaliste à la radio bavaroise, qui vient en reportage en France presque chaque mois pour une ou deux semaines, me fait également remarquer qu'en RFA la presse est répartie dans différentes régions. Si la presse d'opinion et en particulier les grands hebdomadaires comme le *Spiegel,* le *Stern,* le *Zeit* sont concentrés à Hambourg, la presse de mode et de loisirs est plutôt regroupée à Munich. Par ailleurs, on trouve de très grands quotidiens d'opinion dispersés dans toute l'Allemagne mais lus indifféremment au nord ou au sud. Ainsi le *Süddeutscher Zeitung* qui, par sa qualité et son sérieux, se compare au *Monde,* est édité à Munich ; le *Frankfurter Allgemeine Zeitung* qui globalement se rapproche plutôt du *Figaro* que du *Provençal* est édité à Francfort alors que le très traditionnel *Die Zeit* paraît à Hambourg.

Lors de notre rencontre, le très séduisant Massimo Piatelli, désormais professeur au MIT, a d'emblée commencé l'entretien en évoquant le problème du centralisme de la vie intellectuelle et scientifique qui, à ses yeux, représente une des grandes vicissitudes de la France, une véritable entrave à son développement :

« Je suis toujours frappé de constater qu'en France toute la vie intellectuelle, toute la recherche sont centralisées dans un périmètre limité à trois arrondissements. En Italie, comme en Allemagne ou aux États-Unis, un tel phénomène n'existe pas. Toutes les universités sont considérées comme équivalentes et chacun choisit en fonction de ses affinités personnelles et familiales alors qu'ici toute le monde veut venir à Paris, ce qui conditionne la dynamique de la recherche. Mais comment faire autrement puisque tous les journaux, toutes les revues, toutes les maisons d'édition, sont à Paris ? En Italie il y a au moins une bipolarité Rome-Milan comme en Espagne entre Barcelone et Madrid.

« Aux États-Unis, une petite université dans l'Arizona décide de créer soudain un département de linguistique de pointe grâce à une donation. En un rien de temps, elle réussit son pari et se fait connaître des meilleurs spécialistes qui s'y précipitent. Ils restent trois ans et puis ils repartent là où l'intérêt de leur recherche les conduit. Ici, les gens font toute leur carrière dans la même institution, le même laboratoire. En France, le nombre de gens qui décident de tout est incroyablement restreint. C'est un phénomène qui n'existe vraiment nulle part ailleurs. »

Stanley Hoffmann, qui partage cette opinion, reprend espoir en voyant enfin la France gouvernée par Michel Rocard considéré comme un partisan convaincu de la décentralisation. Il espère que ce dernier suscitera l'amorce d'un changement dont les effets devraient être visibles d'ici les dix prochaines années. Peut-être pas dans tous les domaines mais au moins dans celui de la vie universitaire, ce qui devrait entraîner progressivement quelques changements décisifs ailleurs.

Mais, devant le peu de crédits accordés aux nouvelles universités, l'optimisme de Stanley Hoffmann vacille. Comme vacille son espoir de voir la décentralisation devenir un jour effective. Il sait trop bien à quel point la mentalité française, structurée par la tradition jacobine centralisatrice rechigne à se plier à toute autre forme de fonctionnement. L'Europe aura peut-être enfin le moyen de décentrer la France et d'en faire un pays normal à plusieurs têtes et non cet État monstrueux à la tête démesurée et au corps mou.

« Si vous me demandiez quel est l'avantage du système français, je dirais, et c'est un peu ironique, que tout le monde connaît tout le monde et qu'il y a une incroyable complicité dans le monde dirigeant au même titre que dans le milieu intellectuel. Il y a un côté *incestueux* dans la vie parisienne qui est amusant pour les spectateurs, mais pas très bénéfique pour le pays. L'un des changements positifs depuis vingt ans, c'est le *lent* réveil des régions. Cela permettra peut-être de favoriser des carrières non parisiennes. Mais le problème, c'est l'absence de moyens des nouvelles universités. Espérons qu'elles se développeront quand même. La loi qui limite les cumuls est un commencement. Ainsi, tout ne sera peut-être plus gouverné par Paris.

« La gauche a le mérite de la loi de décentralisation de 1982. Mais il y a à gauche une rivalité constante entre la tradition jacobine et la tradition proudhonnienne plus décentralisatrice. Malheureusement, c'est la première qui l'a emporté. En un sens, Rocard est le premier homme de gauche de la tradition décentralisatrice, ce qui serait bénéfique pour la France s'il n'avait au-dessus de lui un président resté dans la pure tradition jacobine. Difficile d'augurer l'avenir mais, pour l'instant, je le déplore, les lois de décentralisation n'ont pas eu d'effets visibles à l'œil nu. »

A travers l'emploi répétitif des « peut-être » et d'un discours conjugué au futur, le pessimisme de Stanley Hoffmann transparaît malgré lui.

Au plan économique, la province reste à la traîne

Il est vrai qu'en France le centralisme aboutit, sur le plan économique, à des inepties autrement plus graves. La plupart des hommes d'affaires étrangers ne comprennent pas pourquoi toutes les entreprises ayant atteint une certaine dimension se doivent d'installer leur siège à Paris alors que ce dont elles ont surtout besoin, c'est d'une antenne commerciale parisienne, ce qui demande un personnel et des locaux réduits. Chacun sait, sauf les Français, que tout se passe infiniment mieux à moindre coût dans les sociétés où la production est en prise directe avec les instances de décision et le centre de production, sans « paperasserie », sans téléphone, mais par contact direct.

Rien non plus n'empêchera une entreprise française qui prend de l'extension de se transformer tôt au tard en administration. Car même le privé n'échappe pas à ce travers qui consiste à copier un modèle de gestion et d'administration de type étatique lourd, pesant et centralisé, d'où la remarque d'une designer américaine qui travaille pour l'antenne française d'un grand groupe cosmétique :

« Je constate qu'aux réunions marketing, chaque chef de produit amène sa secrétaire pour prendre des notes et faire des comptes rendus qui ne servent à rien, si ce n'est à empêcher que des choses plus urgentes soient faites. En France, dans toutes les réunions il y a trois fois trop de monde parce que tout fonctionne comme une administration. Résultat : il n'y a jamais un vague responsable pour répondre au téléphone et surtout les gens perdent trop de temps en réunions car plus on est nombreux et plus c'est long et inefficace. »

D'une façon générale, quels que soient les secteurs d'activité considérés, que ce soit dans le privé ou le service public, le personnel administratif est toujours jugé pléthorique et l'organisation tracassière et bureaucratisée à outrance, calquée sur un schéma inspiré du modèle administratif avec force circulaires, comptes rendus de réunions en x exemplaires, etc.

Le terme « paperasse », qui n'a semble-t-il pas d'équivalent dans d'autres langues, fait d'ailleurs les délices des étrangers qui l'ont épinglé pour dénoncer nos manies courtelinesques. Mais le mal est si profondément enraciné que même les filiales françaises des sociétés étrangères ne peuvent être préservées. Isoumi Sassano constate que Sony-France est aussi victime de la paperasserie galopante, malgré tous les efforts d'un état-major japonais qui souhaiterait beaucoup alléger les procédures, mais en vain.

Pour expliquer les difficultés persistantes de l'industrie textile française, qui est moins bien sortie de la crise que ses concurrentes italienne ou allemande, les étrangers incriminent là aussi la tendance française à créer des groupes trop grands, trop administrés à partir d'une tête parisienne incapable de traiter les problèmes locaux des différentes marques et usines avec la célérité et la compétence nécessaires.

Gert L., trente-huit ans environ, venu en France comme directeur commercial de la société allemande de prêt-à-porter masculin Hugo Boss, est, lui aussi, très frappé par la manière administrative dont sont gérés nos grands groupes, au même titre que certaines de nos PME avec lesquelles il travaille régulièrement et dont il a pu s'approcher d'assez près pour juger leur mode de fonctionnement. Il attribue en revanche le succès spectaculaire de la société Hugo Boss (désormais cotée en Bourse, et qui compte aujourd'hui plus de douze cents personnes) à la légèreté de ses structures.

« En France, dès qu'une entreprise grandit, on n'arrête pas de structurer, ce qui lui fait perdre beaucoup de mobilité et de créativité... Alors que nous avons l'objectif opposé. Chez nous, le directoire se compose, en tout et pour tout, de cinq personnes : les deux frères qui sont les petits-fils du fondateur et les principaux actionnaires, plus trois membres du directoire. Juste en dessous, il y a deux directeurs commerciaux, un pour l'Allemagne et un pour l'export. En dessous, dans les services administratifs, vous avez six personnes. Ensuite la hiérarchie est très plate... La grande différence avec la France, c'est qu'ici, quand quelqu'un atteint un certain échelon et dispose d'un certain personnel au-dessous de lui pour utiliser le matériel et faire effectuer certaines tâches peu valorisantes mais qu'il sait faire, il ne se sent plus concerné et s'y refuse. Il dit : " C'est le travail d'une secrétaire ou d'une petite main et il est hors de question que je le fasse. " Même s'il n'a rien à faire. De toute façon c'est toujours ou trop bas ou trop haut. En conséquence chacun reste dans sa cage ! »

Mais là aussi, le modèle auquel chaque entreprise française se réfère est calqué sur un centralisme et un système hiérarchique hérité de l'État.

Ce centralisme est plus profondément un étatisme. L'État, comme une araignée au centre de sa toile, gère la totalité de la société française. Il s'arroge le droit de donner des ordres valables pour tout le territoire, en laminant ou en ignorant tous les particularismes locaux. Ce qui, comme le montre judicieusement Simon Thorpe, n'est pas anodin. Car un État incapable de gérer et même d'accepter l'hétérogénéité des initiatives locales est en fait un État qui stérilise tout le dynamisme et qui, s'il se trompe en imposant telle ou telle directive, commet une erreur généralisée, d'autant plus difficile à rattraper et à rectifier.

« En France, dans l'enseignement, l'attribution des postes dans les écoles, les universités, est décidée de façon centralisée. En Grande-Bretagne, si une école dispose d'un poste, elle passe une

annonce dans les journaux locaux. La décision est prise locale-
ment. On ne demande pas un poste dans un endroit où on ne
veut pas vivre. Ici plein de profs ou d'instituteurs commencent
leur carrière en étant envoyés à des centaines de kilomètres de
chez eux, et on trouve normal que l'État centralise les décisions
ainsi. La décision de modifier les programmes est également très
centralisée, ce qui rend presque impossible les expériences
locales. Si on décide d'utiliser un nouveau programme, c'est dans
tout le pays en même temps. »

L'État patron fausse la donne

Ce qui choque le plus certains étrangers, c'est l'idée de planification à la française. Comment un État piqué de modernité et
soucieux de réagir et de s'adapter sans délais aux évolutions
sociales ou économiques peut-il décider de planifier son avenir
pour plusieurs années ?

Comment des entreprises soumises à ces directives autoritaires
peuvent-elles réellement jouer le jeu de la compétitivité ? Tout se
passe comme si cet État paternaliste et autoritaire voulait à coup
d'oukazes intervenir dans le domaine pourtant le moins plani-
fiable et le plus fluctuant, à savoir le domaine économique.

M. Kufferath, qui avant de reprendre l'entreprise familiale
créée en 1782 par son arrière-arrière-grand-père a étudié l'économie, adopte comme bien d'autres industriels étrangers une position très critique face à la planification abstraite de l'État français. Ce faisant, il se réfère à des tentatives de planification
rarement couronnées de succès, que ce soit dans d'autres pays ou
à d'autres époques. Son analyse un peu longue mérite néanmoins
d'être rapportée intégralement, car elle démontre les inco-
hérences internes d'une économie étatique frileuse et protectionniste :

« En France, on a constamment l'impression que les industriels agissent comme si, hors l'État, point de salut pour l'économie ! C'est une tradition horrible qui implique que les Français
ne sont pas capables de diriger et d'organiser la vie sociale et
économique hors de la tutelle de l'État. Selon moi, on retrouve
derrière cela l'influence d'une pensée totalitaire qui a beaucoup

en commun avec la pensée fasciste... Divers pays fascistes, l'Italie de Mussolini, l'Espagne de Franco, le Portugal de Salazar mais également l'Autriche du chancelier Dollfuss pendant l'entre-deux-guerres pratiquaient la planification. Des nationalisations à la manière du premier gouvernement Mitterrand avaient été pratiquées en Autriche, il y a cinquante ans et après la Seconde Guerre mondiale, avec des résultats désastreux. L'exemple autrichien montre que ces nationalisations ont contribué à faire régresser l'Autriche et à l'exclure de la compétition internationale. Dans un État libre, la notion de planification est une contradiction incompréhensible. Surtout lorsqu'on pense à la présence dans tous les grands corps de l'État de tous ces hauts fonctionnaires, énarques et autres, ayant des idées préconçues sur tout, sans jamais avoir été confrontés avec la réalité d'une entreprise et qui sont incapables de comprendre que la vie est changement... En France, les conséquences ne sont pas seulement économiques mais psychologiques, culturelles. Cela je l'ai compris en rachetant une entreprise française en faillite. Toutes ces raisons sont inscrites dans la tradition française selon laquelle l'État, c'est le salut, la protection contre un capitalisme haï. »

Cette intervention du pouvoir étatique dans l'économie risque par ailleurs d'aboutir à un échec retentissant dans la perspective du Grand Marché de 1993. En effet, prônant l'économie mixte, l'État français a eu tendance, dans un contexte de crise et de chômage, à préserver, en les nationalisant, des secteurs industriels moribonds : chantiers navals, sidérurgie, etc. Mais cet « acharnement thérapeutique » à coups de subventions ne pourra se poursuivre à terme, étant donné les règlements plus réalistes de la Communauté européenne. Les limites de l'étatisme français risquent de fait d'être rapidement atteintes. Selon les observateurs étrangers, le choc sera d'autant plus traumatisant pour les Français qu'ils ne sont guère habitués à réagir et décider par eux-mêmes et qu'en l'occurrence l'État ne pourra plus jouer son rôle de patron et de protecteur tutélaire.

Le plus grave dans cette notion abstraite de planification économique, c'est sans doute une confusion entre ce qui ressortit à l'économie et ce qui appartient à la politique, comme si en France toute chose ou toute initiative n'existe que si elle s'intègre dans une politique. Pour illustrer ce défaut inhérent à l'étatisme français, nos censeurs étrangers prennent divers exemples. Dans le domaine de la recherche, tout semble à leurs yeux dépendre du choix politique des dirigeants en place qui soit diminuent les crédits, comme l'a fait Jacques Chirac, soit misent tout sur la recherche appliquée au détriment de la recherche fondamentale, comme Lionel Jospin. Même si ce secteur est régi par une certaine cohérence et stabilité des emplois, contrairement à d'autres pays comme les États-Unis, il peut paraître aberrant de voir le pouvoir politique s'immiscer dans un domaine consacré à l'investigation et à l'audace intellectuelle.

Autre exemple de cette confusion : les entreprises nationalisées ou d'envergure nationale ne sont jamais présentées comme de réels acteurs économiques, mais toujours comme des symboles politiques. On sait que pour les Français, le capitalisme est un mot tabou. Mais il est symptomatique de constater que même si le gouvernement français entre dans les sphères de l'économie, il ne parle jamais de profits ou de monnaie sonnante et trébuchante, sauf occasionnellement pour justifier une stratégie politicienne.

Comme beaucoup d'étrangers, Isoumi Sassano voit dans cette « politisation » de l'économie une cause essentielle de notre retard commercial : « Les problèmes économiques sont trop liés en France aux problèmes politiques. Cela constitue un frein pour l'évolution économique. Par exemple, je n'ai pas l'impression que Thomson-France développe son activité et accroisse son chiffre d'affaires en faisant avancer la recherche et en améliorant les conditions de production ou la qualité des produits. N'ayant pas de concurrent direct en France, une société nationalisée n'est jamais en situation de se battre pour devenir numéro un en France. Elle ne peut donc pas être aussi performante qu'une société japonaise qui se bat d'abord pour gagner dans le marché interne, que ce soit au plan de la qualité technique, de l'innovation, des prix, du service après-vente. Quand elle aborde le marché étranger, elle est mieux préparée à affronter une véritable concurrence car, si elle est numéro un dans son propre pays, c'est à sa supériorité qu'elle le doit. Dans la presse française, je constate que les nombreux articles sur Thomson sont toujours limités à l'aspect politique : changement de directeur, rachat de

RCA aux Américains, investissement dans telle ou telle affaire. Ce sont des choses qui ne sont pas directement liées à l'activité commerciale. Thomson étant très proche du gouvernement, ils jouent le jeu politique qui n'est pas celui de l'excellence et de la concurrence. Moi qui travaille dans l'électronique, je ne sens pas, à travers ces articles, l'effort quotidien de la société Thomson pour aller dans ce sens. »

La cause de cette ingérence du discours politique dans le combat économique, c'est sans doute une incapacité des politiciens français à concevoir concrètement les choses et les exigences du réel. Comme le disait Georges Burdeau dans son ouvrage *l'État,* personne n'a jamais vu un État. C'est une idée abstraite, un fonctionnement théorique auquel les Français sont, plus que tout autre peuple, attachés – les rituels archaïques des commémorations républicaines perpétués depuis la IIIᵉ République prouvent ce culte mystique du « service d'État ». Autrement dit, tout ce qui n'est pas discours ou sujet politique n'existe pas. L'économie devient dès lors pour les Français une sorte de vue de l'esprit, un terrain de batailles idéologiques et non de compétitions commerciales.

M. Schonfeld analyse parfaitement ce travers, cette « myopie politique » en la rapprochant de la formation abstraite des hauts fonctionnaires français : « L'idée de service de l'État s'est beaucoup accentuée sous la Vᵉ République parce que le rôle de l'ENA s'est terriblement amplifié. L'ENA développe chez les futurs hauts fonctionnaires qui en sortent, d'une part, un mépris total pour les sujets concrets dont on nie l'importance à l'école et, d'autre part, une haute idée du service de l'État. On ne peut donc pas sous-estimer le sens de l'État qui les guide. Aux États-Unis, c'est très différent : il y a des gens qui viennent de l'entreprise privée, des avocats... qui ont très peu le sens de l'État. »

L'État joue certes au patron. Mais bien plus, il tend à devenir un dieu omniscient dont les énarques sont les apôtres. Seul ce qui relève de la politique étatique existe. Bien plus, le discours politique est conçu en France comme une panacée à tous les maux. Économie ou vie sociale, tout est interprété à travers le prisme déformant de la politique de l'État. Schonfeld souligne que la formation de l'ENA ne fait que développer cette incapacité à analyser le réel sans intention abstraite ou idéologique :

« Cette formation apprend à savoir ce que les autres veulent et à leur donner avant même que ce soit demandé. Tout homme politique sait qu'il doit chercher à satisfaire ses électeurs pour être réélu, mais ce qui est spécifique à la France, c'est que cette volonté de satisfaire l'électorat va bien au-delà puisqu'on cherche à déceler et satisfaire (du moins au niveau des promesses pré-électorales) des attentes et des besoins qui ne sont même pas encore exprimés. »

Cette remarque va très loin car cela revient à dire que le commun des mortels est réduit à un état de parfaite passivité.

L'État serait donc en France une sorte de pouvoir castrateur qui rend dépendante la population, qui l'assiste et qui indirectement lui interdit toute manifestation, toute initiative n'entrant pas dans le moule étatique. *A contrario,* si l'État français décide d'appliquer une mesure inadaptée, c'est lui qui est pris à partie par toute la population. Il joue en effet le rôle d'une idole tour à tour servilement honorée et châtiée lorsqu'elle refuse la protection qui lui est demandée.

Un pays qui manque d'initiatives

Au cours d'une longue interview, riche d'enseignements à mon sens, l'avocat italien Morera a pris l'exemple des petites entreprises florissantes des régions de son pays pour montrer, par contraste, les effets pervers induits par le centralisme de l'État français sur l'économie régionale et même sur la mentalité de nos compatriotes.

Pas de centralisme en Italie, l'histoire en est la cause. Mais une myriade d'initiatives régionales, un peu anarchiques vues de l'extérieur, mais qui rivalisent de dynamisme et de créativité, sans être entravées par les lourdeurs de la capitale politique : « L'Italie, sur le plan historique, est un pays qui traditionnellement était structuré sur les communes. Il n'y a jamais eu de pouvoir central très fort et très solide. Il y avait toujours une répartition entre la capitale industrielle, il vaut mieux dire les capitales industrielles, au pluriel, et la capitale politique et bureaucratique. Il y a eu un manque total de centralisation. »

Il est vrai que les problèmes politiques, les groupuscules terroristes ou les grandes grèves qui ont secoué l'Italie il y a quelques années ont pu, aux yeux des autres nations, apparaître comme des facteurs d'instabilité et d'insécurité.

Pourtant, selon Morera, cette période n'a été mauvaise qu'en apparence car elle a appris aux Italiens à se prendre eux-mêmes en charge, à libérer leur volonté de créer et d'aller de l'avant. Les soubresauts de l'État italien ont été finalement bénéfiques, comme le souligne notre interlocuteur :

« A la limite, cette période a été une période très positive pour développer l'initiative des gens. Je prends toujours l'exemple suivant : l'Italie a eu pendant toute son histoire une activité structurée sur l'initiative des individus, des villes, des petites et moyennes entreprises. Nous n'avons aucun besoin de stimuler l'ambition et la créativité des petites entreprises. Ni d'essayer d'en susciter de nouvelles. Elles sont en train de naître en grande quantité, il suffit simplement de les aider, pas de les aider au sens d'une assistance mais leur donner des conseils, provoquer leur développement. C'est un peu comme un champignon : un champignon arrive quand il arrive. Il n'y a pas besoin de l'arroser. Il arrive, c'est tout. »

Par contre, les Français, formés par un système éducatif normatif et trop cartésien et élevés dans le respect d'un État intouchable et oppressant, manquent d'adaptabilité. Toutes les contraintes qu'ils subissent, que ce soit pour s'insérer dans le monde du travail ou pour fonder leur entreprise, tuent en germe leur volonté d'innover. Ils demeurent des gens de système, d'analyse figée, davantage à l'aise dans des structures où ils n'ont pas à faire preuve de responsabilité que dans la jungle de l'économie de terrain.

« Chaque peuple a ses caractéristiques. Mais dans leurs guerres de conquête, tous les peuples ont toujours marché avec des masses énormes, que ce soient les Allemands, les Anglais, les Espagnols alors que l'Italie s'est toujours singularisée dans l'histoire par des actes réalisés par des poignées d'hommes : Christophe Colomb qui a découvert l'Amérique, mais aussi les marchands de Florence, de Prato, les banquiers de Vénétie qui partirent ouvrir des comptoirs à Bruges. Même dans les guerres, ce comportement se retrouve. Les actions les plus spectaculaires ont été réalisées par des petits groupes, des individus. Qui a coulé la flotte anglaise à Alexandrie ? Six hommes-grenouilles qui, à eux seuls, ont gagné en 1941 une bataille navale décisive.

« L'histoire italienne a toujours été une histoire de condotierri ; et aujourd'hui, il y a toute cette prolifération de petits entrepreneurs qui à l'origine étaient des ouvriers immigrés mais qui sont devenus, dans leur domaine, de petits condotierri. Je suis amoureux de mes petits clients parce que dans leur tête ils sont grands. Prenez l'exemple d'une petite entreprise, dans un tout petit coin de Toscane, créée par cinq copains, dont quatre sont d'anciens ouvriers. Un seul a une formation universitaire. Ils ont développé un brevet et une certaine technologie, embauché quinze ouvriers, créé un réseau de distribution européen. En quelques années, ils ont réussi à s'imposer au niveau européen dans un marché de haute technologie, face à des pays comme l'Allemagne, la Suède, la France...

« En France, il y a des gens qui sont beaucoup plus aptes que les Italiens à être de merveilleux fonctionnaires, de très bons avocats, de très bons juges, de bons cadres formés pour travailler dans des entreprises très importantes, très calés pour gérer une entreprise de pointe ou une entreprise nationale, c'est-à-dire ce qui est gros. Mais, à mon avis, ces gens n'auront jamais les caractéristiques classiques du petit entrepreneur italien, qui ne rationalise pas beaucoup son activité et opère sur la base de son agressivité, de son instinct. C'est un soldat du terrain, ce n'est pas un soldat d'état-major. Vous êtes en train de former cette merveilleuse classe de dirigeants importants, de cadres administratifs hors pair, mais ce n'est pas un système qui permet à l'ouvrier de se transformer en artisan, l'artisan en petit entrepreneur puis en grand industriel. Il y a en Italie près de quatre millions d'entreprises. Si vous étudiez le contexte italien, vous verrez qu'une grande partie de ces entreprises ont moins de trente ans. Elles ont été créées par des ouvriers qui n'ont jamais connu le chômage, même s'ils ont touché les indemnités... »

L'image de « soldat d'état-major » qui résume les propos de Morera n'est pas innocente. Les Français sont embrigadés, ils n'ont pas les coudées franches pour affirmer leur personnalité, développer leur capacité d'agir spontanément. Autrement dit, les handicaps que représente le centralisme étatique français va donc bien au-delà d'une simple affaire de loi de décentralisation et d'argent donné aux régions de programme. Encore une fois, ces lois, qui auraient pu constituer un levier efficace pour libérer les énergies régionales, sont parties de la tête, du cénacle gouvernemental. Les étrangers ne sont pas dupes. L'État reste en France le pouvoir par excellence et la référence symbolique à laquelle se rattache la mentalité légaliste française. Et ce respect est en fait paralysant. Tout comme l'effet protecteur de l'État sur la vie sociale et économique française.

Ainsi, même dans les domaines les plus sophistiqués de l'économie les Français se réfèrent toujours à l'État comme valeur et repère suprêmes. Tout se passe comme si nos entrepreneurs, frileux et effrayés d'affronter une véritable concurrence, vivaient dans un environnement trop protecteur. Un autre Japonais, M. Urata, qui est à la fois représentant de la chambre de commerce franco-japonaise et directeur d'Hitachi-France, souligne cet infantile recours à l'État dont les Français abusent à la moindre occasion. Nous pourrions considérer que ces propos sont déformés par des préoccupations d'ordre commercial qui le font réagir négativement, sans objectivité aucune, devant des mesures qui freinent l'expansion japonaise en France. Mais ce qu'il essaie d'expliquer se situe bien au-delà des problèmes de barrières douanières.

« En France, il y a un grand protectionnisme. Par contre au Japon, on pense qu'on ne sera jamais défendu par le gouvernement. Chez vous, si on fait partie de la top-industrie, on sera nationalisé. Au Japon, il y a toujours plusieurs sociétés en compétition. En France, il n'y en a qu'une pour le verre, c'est Saint-Gobain. Comme il n'y a pas une vraie concurrence, le gouvernement français réglemente et protège à outrance. » M. Urata schématise un peu vite. Il y a d'autres verriers que Saint-Gobain en France ; mais là où il a raison, c'est que personne ne parle d'eux ou très occasionnellement.

Par ailleurs, M. Urata illustre son jugement négatif à propos du protectionnisme français en rapportant les difficultés qu'il a eues pour mettre en place un projet en collaboration avec Thomson-France. L'État a réagi comme s'il voulait protéger dans une atmosphère confinée les monopoles des grandes industries françaises. Pour notre interlocuteur, la stratégie nationale est dangereuse dans le cadre de l'ouverture des marchés européens.

« Pour s'installer ici, c'est difficile, c'est un véritable problème d'obtenir une autorisation d'installation pour une société de distribution si ce sont des produits "sensibles" pour l'industrie française. Officiellement, on est libre mais, en réalité, c'est faux car ils inventent les réglementations en fonction de leurs besoins. Nous avions, il y a une douzaine d'années, un grand projet avec Thomson pour la fabrication de téléviseurs. Finalement le ministère de l'Industrie a refusé son autorisation, sans raison valable. On est donc allés en Angleterre parce que l'investissement y était plus facile et l'industrie électronique très faible. L'investissement étranger allait dans le sens de l'État alors qu'en France, il y avait Thomson. Il y a dix ans, notre groupe de semi-conducteurs dont le siège est à Munich souhaitait aussi installer en France une société de distribution : autorisation également refusée. Ils souhaitent des investissements étrangers mais les limitent aux secteurs qui les arrangent. »

L'État est donc bien une cause essentielle de la démotivation et de la timidité françaises en matière d'entreprise, que ce soit sur le plan strictement économique ou au niveau de la psychologie du Français typique.

Des citoyens hyper-infantilisés

Plusieurs interviewés montrent à travers divers exemples la perversion du système français, de cet État qui ressemble à un dieu à double visage. D'un côté, il se met au service de l'humble, assiste le malade. De l'autre, sa charité est en fait un pouvoir négatif qui paralyse la population. Dans divers secteurs de la vie quotidienne, où l'État français prend en charge beaucoup de responsabilités comme les crèches ou les transports scolaires, les gens perdent l'habitude de prendre des initiatives, de s'organiser par eux-mêmes, d'exister de façon autonome.

Comme la plupart des Anglo-Saxons, l'avocat américain Richard Mead n'apprécie guère le pouvoir de contrôle de l'État sur les individus et souligne le côté malsain des relations de la population française avec un État accaparant un rôle parental de censeur aux pouvoirs pervers : « L'État règle tout. En France, on a davantage besoin qu'aux États-Unis d'un avocat pour se pro-

255

téger de l'État. Je n'aime pas cette impression de contrainte due à la volonté de l'État d'infantiliser les gens. Mais les Français n'en sont pas conscients ou ne veulent pas l'être. Contrairement à Pompidou, de Gaulle ou Mitterrand, il vous faudrait un président qui incite les Français à devenir plus autonomes, plus disposés à se prendre en charge. »

Richard Mead interprète ce pouvoir parental de l'État comme un vestige inconscient du pouvoir de l'Église fondé sur le pouvoir patriarcal, hiérarchisé. Cette obéissance passive à un symbole parental semble se retrouver au cours de toute l'histoire française. Ce manque de sens des responsabilités aboutit même à de la lâcheté, comme le souligne notre interlocuteur qui partage cette opinion avec d'autres étrangers : « Pendant la Seconde Guerre mondiale, les Français n'étaient pas capables de prendre des responsabilités ; ils se sont empressés de se réfugier sous la coupe d'un père, Pétain. De même, leur lâcheté à l'égard des juifs s'explique par leur infantilisme, par le fait qu'ils ont laissé tomber ce problème par infantilisme. »

Dans toutes les situations difficiles, les Français cherchent un père pour venir à la rescousse, constatent les étrangers en évoquant aussi la guerre d'Algérie, la réélection de Mitterrand. Ce qui ne les empêche pas ensuite de s'insurger contre le père ou contre l'autorité de l'État. Leda X. démontre, en outre, à quel point les Français ont une mentalité d'assistés comparativement aux Italiens, pour qui la notion historiquement récente d'État n'est pas encore inscrite dans l'inconscient collectif : « L'Italie a un peuple extraordinaire, sans gouvernement. Les Français attendent toujours quelque chose de l'État. Les Italiens jamais. En France, s'il ne pleut pas, on demande à l'État d'intervenir. En Italie, cela ne se conçoit même pas car l'État n'existe pas. Donc les Italiens sont habitués à se récupérer tout seuls. C'est l'envie de gagner qui les pousse. En France, on veut gagner sans dépenser, sans s'investir. »

Ce recours constant à l'État est aussi une façon bien française de se trouver des excuses, de se déculpabiliser en déjouant un système complexe et bureaucratique. En effet, le système étatique à la fois soumet les Français et les rend indisciplinés en leur donnant un esprit de clientélisme, notamment dans les relations avec les administrations. Quoi de plus complexe en effet que le parcours à effectuer de service en service pour fonder une entreprise ? Faire intervenir quelqu'un de « haut placé » dans l'administration permet d'éviter la pesanteur des structures de l'État.

Le Pr Schonfeld s'attarde volontiers sur cette déresponsabilisation malsaine des Français face à l'administration, sur ce culte de la loi que nos compatriotes se plaisent simultanément à respecter et à déjouer, à la façon d'un enfant qui brave les interdictions de ses parents : « Vous avez l'habitude de chercher à faire intervenir des gens parce que les démarches sont complexes et que vous voulez simplifier les choses. C'est plus répandu en France pour deux raisons : les lourdeurs administratives, la lourdeur des règles. Pour faire vite, il faut systématiquement chercher l'aide de quelqu'un qui est bien placé. Aux États-Unis, ça ne semblerait pas correct de toucher aux réseaux, ça touche une corde presque puritaine.

« En France, les gens n'ont aucune obligation de le faire. Ce n'est pas seulement une question de mentalité, c'est une question d'histoire, de réglementation qui crée un système. C'est un système napoléonien bien enraciné en France et en Italie. Ce n'est pas seulement français sauf qu'en Italie cela n'entraîne pas les mêmes conséquences...

« C'est une volonté d'avoir un système uniforme dans un monde qui ne l'est pas, qui cache une volonté de déresponsabiliser les gens.

« L'avantage d'être bureaucrate dans un tel système est que l'individu peut se défiler derrière le système. S'il n'a pas envie de faire quelque chose, il peut toujours dire : " Ce n'est pas moi, c'est le système. " J'ai des exemples qui montrent la liberté des individus au sein de la bureaucratie française. Je vais à la poste pour retirer mon courrier : on me demande ma pièce d'identité. Je montre mon permis de conduire, quelquefois on l'accepte et d'autres fois, non. Dans ce cas, je dis : " Mais la semaine dernière, on l'a accepté ", et on me répond : " Ce n'est pas possible, c'est interdit. " Le règlement est écrit... mais quelques personnes acceptent mon permis parce qu'elles veulent bien le faire. Exactement comme dans les autobus. Certains conducteurs acceptent de vous laisser descendre ou monter entre les arrêts, d'autres pas. Ce système permet à l'individu qui ne veut pas faire quelque chose de dire : " Je ne peux pas ", et de ne pas prendre la respon-

sabilité. Même quand on ne veut pas dire non, on préfère dire :
" Il est interdit " que de dire oui. En tout cas, le non n'est jamais
personnel. »

Cet exemple que M. Schonfeld a pu vivre est lourd de sens et
rejoint la remarque que j'avais faite précédemment en expliquant à quel point la France manquait de code clair et fixe pour
être perçue par les étrangers qui sont, à chaque fois, pris de court
par un règlement rigide et insaisissable. Embrigadés par un État
complexe et tentaculaire, les Français n'ont pas le sens de l'initiative et de la responsabilité individuelles. Les règlements et les
lourdeurs administratives leur servant de paravent, ils trouvent
dans l'État un bon alibi pour ne pas affronter à bras-le-corps les
réalités et tout particulièrement dans le domaine économique.

D'ailleurs, remarquent les plus méchants, les Français
consacrent plus d'énergie et d'initiative à essayer de contourner
l'État, de s'opposer à lui dans des petites révoltes, de lui désobéir
par diverses combines sans envergure, qu'à faire des choses dans
leur propre intérêt, sans passer par cette démarche biaisée.

Nos concitoyens semblent donc aux yeux des étrangers souffrir
d'un « syndrome de trop d'État » : un pouvoir abstrait les
étouffe, les pousse à des comportements illogiques, voire de
révolte. (La plupart des grèves ne ressemblent pas à autre chose.
Il suffit pour en être convaincu d'écouter les slogans qui sont toujours dirigés contre l'État.) Le cliché franco-français du bon
citoyen qui « rouspète » et critique députés et gouvernement est
incontournable. Mais ce comportement infantile empêche le
développement de l'initiative et de l'énergie de l'individu à
entreprendre ou à décider. Ce qui est très grave pour un pays
dans la mesure où toute la société française pâtit du pouvoir castrateur de l'État. Une radiographie de la mentalité française à
travers le prisme des interviews de nos étrangers permettra de
prendre la mesure des dégâts. Et encore ne voient-ils que la partie émergée de l'iceberg.

2. Radiographie du français dans tous ses états

Un infirme qui s'ignore

Si l'étatisme et son avatar scolaire qu'est l'école ont l'impact négatif que lui prêtent les étrangers sur la structuration des mentalités, les sujets produits par ce moule très particulier doivent avoir un comportement bien spécifique. C'est pourquoi, parvenu à ce point cardinal d'un diagnostic du mal français, il paraît intéressant de voir comment les étrangers perçoivent le produit issu d'un système où État et école fonctionnent comme des laminoirs.

De quel type d'individus s'agit-il ? Mis à part une élite qui suscite des jugements très mitigés, que pense-t-on du Français lambda, de son tempérament, de sa manière de se comporter, de parler, de se singulariser en tant que citoyen d'un pays dont il est le reflet, le vecteur ?

Au-delà de l'école et des diplômes, il y a une culture qui détermine le tempérament des individus. C'est pourquoi les jugements portés sur l'archétype du Français comptent. D'une manière générale, nos concitoyens sont-ils perçus comme des individus épanouis, solidaires, combatifs, autonomes, parvenus à maturité et capables de voler de leurs propres ailes sans trop craindre d'affronter seuls le risque et la tourmente ?

Dans un pays sur le point d'atteindre le cap des cinquante-cinq millions d'habitants, il serait bien entendu utopique de vouloir dresser le portrait du Français type.

Néanmoins, dans la description de nos compatriotes, certains clichés reviennent plus que d'autres ; certains traits de caractère, certains « défauts ou qualités » surtout, semblent plus affirmés ici qu'ailleurs. Pour définir d'autres nationalités, il ne fait aucun doute que les mêmes témoins auraient recours à une autre terminologie, à une autre classification.

En comparant les Français à d'autres peuples, on établit d'emblée des différences fondées bien entendu sur des observations empiriques qui cependant bien souvent concordent et finissent à la longue par constituer une sorte de portrait-robot du Français.

Ce petit jeu auquel se sont livrés nos psychologues amateurs nous oblige aussi à remettre nos pendules à l'heure à propos de certaines qualités dont les Français ont pendant longtemps cru avoir le monopole (la débrouillardise, par exemple) mais aussi à prendre en compte des défaillances dont, jusque-là, nous n'avions peut-être pas suffisamment conscience. Abordons ainsi cette constellation des petits travers ou des grands défauts de la mentalité française : individualisme, comportement infantile, arrogance ou prétendue débrouillardise qui, mine de rien, s'apparente à la négligence. Bref, un constat doux-amer qui relativise sensiblement l'orgueil franco-français.

Un individualisme paradoxal

La référence à l'individualisme des Français est, pour ceux qui les connaissent bien, la conséquence directe d'un système scolaire fondé sur le classement, la sélection et le « chacun pour soi ». Cela étant, l'individualisme n'est pas seulement associé à un jugement négatif, bien que ce soit l'une de nos caractéristiques qui déroutent le plus les étrangers. C'est quelque chose qu'ils admirent et critiquent tour à tour, selon que cet individualisme s'exprime dans le cadre de la vie privée ou sociale.

Dans le cadre de la vie privée, ils nous jugent d'abord égoïstes et même égocentriques. Cet égoïsme se manifeste par une grande indifférence à l'égard des gens situés en dehors du petit cercle familial et amical habituel. C'est pourquoi les étrangers se plaignent de rester longtemps seuls et isolés en France, les gens développant peu les relations de voisinage. Juste une amabilité polie qui, mieux que des barrières, préserve le « chacun chez soi ». Mais, à la longue, certains étrangers apprécient les avantages indirects de cette réserve interprétée au départ comme de la froideur et de l'indifférence et qui, progressivement, est perçue comme une forme de discrétion et de respect pour la vie privée d'autrui.

La satisfaction de certains expatriés, en particulier des Japonais, de vivre en France découle indirectement de cette découverte. A savoir que l'égoïsme des Français, leur indifférence à autrui, a comme bénéfice secondaire de permettre aux autres de se sentir plus libres, moins contraints à des relations faussement cordiales, comme c'est le cas dans certains pays anglo-saxons où l'on a un peu trop tendance à devenir indiscret en se mêlant de trop près à la vie des voisins. D'une certaine façon, cet « individualisme » rend aussi les Français plus tolérants.

Nos observateurs étrangers qui sont des privilégiés, dans tous les sens du terme, se sentent bien à Paris, parce qu'ils éprouvent moins d'obligations sociales qu'ailleurs. L'impression de solitude et d'isolement du début se transforme ainsi en sentiment de liberté, même à l'intérieur d'une vie sociale qui se remplit progressivement d'amitiés chaleureuses.

Hideko Tsubota, une charmante designer japonaise, était très affectée par l'indifférence des Parisiens dans les premiers temps de son séjour. Aujourd'hui, elle se sent acceptée et, en même temps, elle possède des clés en nombre suffisant pour déchiffrer les attitudes de façade. Ainsi, elle se rend compte que cela permet d'éviter ou de limiter des comportements et des relations trop conventionnelles, ce qui, à l'usage, rend la vie plus facile : « Quand je suis arrivée à Paris, l'égoïsme des Français m'a beaucoup frappée, mais au fur et à mesure j'ai commencé à l'apprécier. Cela amène les gens à avoir des relations harmonieuses : chacun respecte la vie des autres et les opinions des autres. On peut garder une distance qui permet d'être bien... En dix ans, je suis devenue une déracinée et je me sens comme entre deux chaises. Je veux assumer ma situation, la rendre plus riche à travers ma profession et mes rencontres et je crois qu'en France, c'est tout à fait réalisable. »

D'autres Japonais signalent qu'à New York ou dans les autres grandes villes américaines la colonie japonaise vit concentrée dans certains quartiers convenus alors que ce n'est pas du tout le cas en France où chacun se sent libre de vivre où bon lui semble. Apparemment la xénophobie des Français dont il a été quand même question de-ci de-là ne concerne ni les classes aisées ni les nationalités riches, passé un certain stade d'accoutumance. Probablement est-ce l'effet de la différence, mais ceux qui, dans notre échantillon, insistent le plus sur l'individualisme des Français sont les Japonais.

261

Pour en faire l'éloge quand il s'exprime dans la vie privée et permet d'échapper à un comportement trop normatif.

Celles qui l'apprécient le plus sont incontestablement les Japonaises, venues souvent en Europe pour échapper à la condition de la femme japonaise qui dans son pays dispose de beaucoup moins de libertés et de facilités pour se réaliser qu'en Occident...

Pour le critiquer, lorsqu'il se concrétise dans des situations sociales. Dans la vie sociale et professionnelle en effet le « chacun pour soi » et l'« après moi, le déluge » sont ressentis comme le versant négatif de l'individualisme exacerbé des Français qui se révèlent nettement plus problématiques.

Pour les étrangers (et dans ce constat différentes nationalités, mis à part les Latins, se rejoignent dans le consensus), la France est un pays où chacun revendique à tout propos une reconnaissance de ses droits, le maintien de ses privilèges, mais où personne ne se sent des devoirs à l'égard de la collectivité. Autrement dit, les Français sont perçus comme assez peu civiques ; ils rechignent à payer leurs impôts, ne respectent pas les autres, y compris ce « grand autre » qu'est l'État, dont paradoxalement, nous l'avons vu, ils attendent tout mais envers qui ils se sentent rarement redevables d'une contrepartie. Dans la vie quotidienne, ils se montrent râleurs, voire carrément agressifs dès l'instant où l'on empiète sur leur territoire, où l'on s'oppose à leurs désirs.

Mais cet individualisme excessif devient tout particulièrement exaspérant dans le comportement des Français au volant, qui est mis à l'index par un peu tout le monde. En voiture, le Français passe, en effet, pour faire preuve d'un mépris et d'un irrespect total à l'égard de la collectivité. En ville, il conduit comme s'il était seul au monde, n'hésitant pas, pour l'aubaine de gagner un mètre dans un embouteillage, à se faufiler n'importe comment, au risque de bloquer tout un carrefour. Sur l'autoroute comme dans les traversées d'agglomérations, il roule sans respecter le Code de la route, se gare n'importe comment, y compris au milieu de la rue pour faire une course. Peu lui importe qu'une file de voitures reste immobilisée le temps qu'il ait terminé. Il se moque des amendes, la moitié de la population se targuant d'avoir des combines et des relations bien placées pour ne pas payer les contredanses, etc.

Si les étrangers attachent tant d'importance à la conduite automobile, c'est qu'il s'agit à leurs yeux d'un symptôme particulièrement révélateur d'une mentalité. De nombreuses variantes se retrouvent également dans le monde du travail, comme le démontre Isoumi Sassano. Par exemple, la difficulté des Français à travailler en groupe ou à partager des responsabilités est également l'une des manifestations négatives de cet « individualisme » appris dès la petite enfance.

« S'ils ne savent pas travailler en équipe, cela relève de la même mentalité que leur comportement au volant. Dans les deux cas, il faut respecter l'autre, se sentir solidaire de l'autre, ce qui implique de prendre du recul, ce dont les Français sont incapables. Au volant, ils ne disent jamais : " Je vous en prie. " De la même façon que dans le travail, on essaie toujours de se montrer supérieur à l'autre, de lui faire comprendre, de façon souvent agressive, qu'on travaille mieux, qu'on a de meilleures idées. Au même titre, on lui met des bâtons dans les roues quand l'occasion s'en présente et, à la première opportunité, on se débrouille pour devenir chef. Au Japon, la responsabilité est souvent collégiale, diluée, chacun se sent responsable. Ici, il va tout de suite y avoir, après la réunion où le directeur a donné ses instructions, quelqu'un qui va décider de prendre les choses en main, qui va se lever en disant " c'est ma responsabilité " et en profiter pour donner des ordres, prendre des décisions sans consulter les autres qui trouvent ça normal et qui en profitent pour se sentir déresponsabilisés. »

Un dessinateur japonais constate également que, dans le monde professionnel, les entreprises françaises, au lieu d'être animées par un élan collectif, par une communauté de destin orientée vers la réussite, sont sans cesse ébranlées par des contestations individuelles, des discussions ou des règlements de comptes personnels. Il est vrai que le collectivisme des sociétés japonaises choque les mentalités françaises, mais on est en droit de se demander quel est le fonctionnement le plus efficace et le mieux adapté à l'économie contemporaine. « Au Japon la décision est prise en consensus. Ici, c'est le président et après c'est " top down ". Tout ce qui est processus est plus long au Japon. En France : pas de consensus, pas de préparation morale pour arriver à une décision. Ça vient de la mentalité très individualiste des Français. Au Japon la société, c'est le destin partagé... Ils

263

ont compris que pour faire avancer les choses, il faut que tous les gens apportent leur appui... »

M. Urata, directeur de la société Hitachi-France, où, mis à part certains cadres de direction, le personnel est majoritairement français, souligne dans un français métissé d'anglais le même manque de sens collectif : « Les Français sont égoïstes... ils ont un comportement très individualiste se veulent très indépendants. C'est une force par rapport aux Japonais. Mais ils n'ont aucune discipline. Ils ne respectent pas le Code de la route. Dans les discussions ils parlent toujours trop, ils coupent la parole, ils réagissent toujours de façon individuelle avant de réagir de façon collective. Mais quand on les connaît, ils sont parfois gentils et généreux ! »

En tous les cas, cette attitude choque autant les Allemands qu'elle choque les Japonais. Marcus K. signalait que dans le cadre de négociations à la banque Indosuez, il avait constamment l'impression que les gens étaient plus motivés par les avantages ou les désavantages qu'untel retirerait du succès ou de l'échec d'une négociation, d'une acquisition, que par le profit qu'en retirerait la banque ou, quelquefois même, la France.

Mais ce constat, nous en avions fait état précédemment à propos de la spécificité française, et de la difficulté de nos compatriotes à se mettre déjà d'accord entre eux dans diverses tractations commerciales ou politiques ; ce qui a le don de toujours surprendre les étrangers. Lorsqu'ils découvrent notre approche pédagogique et le modèle imposé par nos politiciens querelleurs, ils en comprennent mieux l'origine.

Un comportement passablement infantile

A la réflexion, l'individualisme des Français, dans la mesure où il est souvent oppositionnel, négatif, puéril comme c'est le cas au volant ou dans les discussions, est bien le signe d'un manque de maîtrise patent. Il ne peut être assimilé à un comportement indépendant et autonome, mais plutôt à une attitude réactionnelle de type infantile, conséquence du système scolaire et d'un État parental et castrateur.

Non seulement les jeunes diplômés français ne sont pas considérés comme opérationnels à la sortie de l'école mais, surtout, on leur reproche de se défiler devant les responsabilités, de s'abriter derrière la hiérarchie (le règlement aussi), ce qui est quand même une attitude paradoxale pour des gens très pointilleux dès la première embauche sur leur statut de cadre.

Comme les enfants, les Français sont tout feu tout flamme pour commencer quelque chose, mais on leur reproche ensuite de se décourager rapidement et de manquer d'opiniâtreté, de combativité dans la poursuite des opérations dès l'instant où des difficultés surgissent. Contrairement aux Japonais, aux Allemands, aux Américains et même aux Italiens, qui font preuve d'une sorte d'opiniâtreté sur la durée qui leur permet de surmonter la plupart des obstacles.

Une propension irritante à l'autosatisfaction

Certains de nos proches voisins, et en particulier les Italiens, dénoncent notre complaisance à « positiver » et même à transformer en avantages et qualités ce qui partout ailleurs passerait pour négatif, voire pour des carences graves. Ce travers, imprimé en quelque sorte dans l'inconscient collectif de la France, passe complètement inaperçu ici mais il alerte l'attention ironique de quelques observateurs étrangers particulièrement vigilants.

Leda X. traque cette manie au niveau du vocabulaire. Ainsi, pour désigner les nævus, ces taches brunes en saillie sur la peau, elle note qu'Italiens et Français s'expriment de manière radicalement différente mais révélatrice à cet égard. « En Italie, ces taches font peur parce qu'on sait qu'elles peuvent avoir une relation avec un cancer de la peau alors qu'en France, on les appelle " grains de beauté ". De la même façon, pour parler de la graisse autour du ventre et des hanches, les Français s'attendrissent en parlant de " poignées d'amour " alors que nous disons : " Quelle horreur, il faut vite maigrir. " Les Italiens pratiquent beaucoup l'autocritique, les Français, non... Ils se trouvent beaux, magnifiques alors que nous avons des complexes en regardant les autres car nous pensons qu'ils sont mieux que nous et qu'il faut tout faire pour devenir mieux... »

Selon Leda, ce sentiment de supériorité et ce manque d'humilité patents expliquent pourquoi les Français se révèlent moins aptes à tirer une enseignement de leurs échecs.

Cette autosatisfaction puérile se retrouve aussi dans le monde professionnel. C'est à ce défaut qu'on attribue le côté approximatif des Français auxquels il est souvent reproché de manquer de rigueur dans leurs travaux et de gâcher des initiatives intéressantes par excès d'approximation. Peut-être est-ce une autre conséquence du rapport très spécial et morcelé qu'ont les Français avec le temps et dont nous parlerons en détail plus loin. Ainsi, ceux qui s'intéressent à trop de choses à la fois se laissent bousculer par le temps. Surtout, ils ne prennent pas toujours le temps de fignoler. Ce travers se retrouve autant dans les réalisations industrielles que dans les œuvres intellectuelles ou artistiques.

Certains intellectuels étrangers dénoncent la médiocrité grandissante de l'édition française qui publie des livres mal relus, pleins de coquilles, d'inexactitudes, d'omissions graves. Ron D., historien israélien, spécialiste de l'histoire du Moyen Age, et qui a également étudié et enseigné à Cambridge et aux États-Unis, a constaté que par souci d'économie des éditeurs réputés sérieux se dispensent de publier des bibliographies dans des ouvrages scientifiques, leur ôtant ainsi la moitié de leur intérêt et les discréditant auprès des spécialistes étrangers. Il a aussi constaté qu'en couverture d'un des derniers ouvrages de Georges Duby figurait une illustration empruntée à d'anciens textes hébraïques et présentée la tête en bas – le texte en hébreu est donc parfaitement illisible, mais personne ne s'en est aperçu, pas même l'auteur.

Sous l'arrogance, la peur de l'échec

Pour désigner le comportement d'une certaine catégorie de Français, l'un des adjectifs qui revient le plus souvent dans les propos des étrangers est celui d'arrogant. Par ce terme, ils désignent un comportement hautain, distant, pour ne pas dire méprisant, qui caractérise surtout ceux qui sont les véritables têtes de Turc des observateurs étrangers : les énarques, et d'une façon générale tous les diplômés des grandes écoles qui font partie de cette catégorie sociale que Pierre Bourdieu regroupe sous l'appellation de noblesse d'État.

Selon les étrangers, cette nouvelle caste reprend à son compte une attitude héritée et imitée de l'ancienne aristocratie qui s'est toujours rendue haïssable par son expression de condescendance teintée de mépris envers tous ceux qui ne pouvaient justifier d'une supériorité fondée jadis sur la naissance, aujourd'hui sur les diplômes.

Les hommes d'affaires étrangers, en particulier les Allemands et les Américains, font des allusions sans aménité aux négociations avec certaines de nos têtes d'œuf dont ils n'ont apprécié ni la morgue, ni la suffisance.

Frantz Kufferath, qui pourrait se vanter de son appartenance à une très ancienne dynastie industrielle, équivalente à nos plus fameux maîtres de forges, a été plusieurs fois confronté à ce mépris qui transparaît dans un ton et des termes qui résument parfaitement l'objet du mépris. A savoir, être chef d'entreprise et ne pas résider dans une capitale : « Les énarques et tous ces diplômés des grandes écoles méprisent le reste du monde. Ils ne s'estiment qu'entre eux et sont dédaigneux avec la terre entière. Ceux que j'ai rencontrés me disaient : " Vous êtes chef d'entreprise ? Où ça ? En province ? " Et je voyais aussitôt leur dédain s'afficher. En Allemagne depuis la guerre, les castes ont été totalement détruites ; elles ont perdu à la fois leurs prétentions et leurs privilèges. Mais surtout le système n'a pas engendré d'autres castes comme en France. »

Il est vrai qu'en France on ne s'adresse pas de la même façon a des supérieurs qu'à des égaux ou des inférieurs, alors qu'en Allemagne on s'adresse avec la même politesse formelle à tout le monde et même avec une once de politesse supplémentaire à des subordonnés comme à toute personne de condition plus modeste.

Le sociologue Edward Hall[1], dans son manuel de communication à l'intention des Français qui vont vendre outre-Rhin – dont le comportement maladroit et hautain provoque souvent des malentendus suffisamment graves pour faire avorter des négociations pourtant bien engagées –, insiste sur la nécessité d'être très attentif à ces détails de politesse, les Allemands étant très sensibles sur le chapitre de la politesse et des égards aux inférieurs.

Mais les énarques n'ont pas l'apanage de l'arrogance ; cette

---

1. Edward Hall, *les Différences culturelles*, Stern.

opinion englobe la plupart des Français qui dirigent des filiales à l'étranger où sont employés des collaborateurs locaux. Ceux-ci se plaignent de ne pas être écoutés et de voir leurs préconisations enterrées purement et simplement même lorsqu'ils insistent auprès de la direction française pour lui demander d'adapter leurs articles et surtout les conditionnements de certains produits au marché local. Sensibles avant tout au goût du consommateur français, dont le jugement prime en tout, les dirigeants français répondent en général : « Les autres nationalités n'ont qu'à s'adapter », ce qui est une forme d'arrogance particulièrement maladroite et déplacée.

Quand ils voyagent à l'étranger les Français se lient difficilement ; ils passent pour rester en groupe et conserver leurs distances. M. de Montvallon, directeur de la communication au CFCE (Centre français du commerce extérieur) a une autre théorie pour justifier et excuser le défaut d'arrogance des patrons français dont on lui a souvent fait grief à l'étranger. Selon lui cette prétendue arrogance masque en réalité le malaise et le désarroi des Français lorsqu'ils se retrouvent éloignés de leurs bases et confrontés à des étrangers dont ils ne connaissent ni la langue ni les coutumes.

Dommage que cette théorie n'ait pas fait beaucoup d'adeptes parmi les différentes nationalités interrogées, l'image des Français y gagnerait en sympathie. Malheureusement il se peut que le résultat ne change guère sur le plan des négociations commerciales, les étrangers n'ayant pas à nous excuser pour des états d'âme dont ils n'ont pas lieu d'être informés et qui ne sont pas dignes d'une nation supposée composée de sujets adultes.

Le système D mis à mal

Je me souviens très vaguement d'une époque où, dans le langage courant mais aussi dans la littérature populaire, il était souvent question du fameux système D des Français. Peut-être était-ce aussi l'époque où l'on disait quelque chose du genre « Impossible n'est pas français. » Est-ce un hasard si l'on en parle beaucoup moins aujourd'hui ? Étaient-ce des expressions nées pendant la guerre et qui n'ont survécu que quelque temps à l'opulence ou à la sérénité des temps de paix ainsi qu'à la relance économique des trente glorieuses ?

Le fameux système D représente-t-il une rémanence d'un événement encore plus ancien ? La disparition de cette expression du langage usuel doit-elle être attribuée à d'autres causes, à une transformation progressive des mentalités ? Surtout, ne s'agissait-il pas d'une expression franco-française qui évoque pour les étrangers une tout autre réalité ? Ou bien est-on arrivé à une utilisation pervertie pour ne pas dire dévoyée du système D, comme semblent le constater quelques étrangers particulièrement perspicaces ?

A vrai dire, à condition de bien connaître la France et ses habitants et de chercher tout juste un peu, on retrouve encore des traces très vivaces du fameux système D. Simplement, aujourd'hui, son usage semble restreint puisqu'il est surtout circonscrit aux relations du citoyen avec l'État. Ou plus exactement, les étrangers ont l'impression qu'il se manifeste surtout à travers les prodiges d'ingéniosité et d'astuce dont les Français doivent faire preuve pour déjouer ou transgresser un certain nombre de lois et de réglementations d'une absurdité toute kafkaïenne, dont, pour des raisons mystérieuses, la France ne parvient pas à se débarrasser. Probablement à cause de l'attachement paradoxal et excessif des Français au légalisme et à l'État. Un État qu'ils ne cessent d'appeler à la rescousse à tout propos, pour ensuite le vilipender et le contourner par n'importe quels moyens, y compris des moyens à la limite de l'illégalité.

Pas seulement parce que en France lois et règlements régentent tout, mais parce que la forme d'infantilisme dont souffrent les Français les rend tout aussi incapables de vivre hors du cadre dans lequel l'étatisme les enferme qu'à l'intérieur, sans éprouver le désir harcelant de le briser pour s'en échapper, puis ensuite y revenir s'ils s'aperçoivent de leur incapacité à se débrouiller seuls. Ce qui représente un gaspillage d'énergie et d'intelligence dont les Français pourraient faire un meilleur usage, comme le remarque très finement John Ardagh [1] :

« Ils passent leur vie à mettre au point des règles ingénieuses, puis à trouver des moyens encore plus astucieux d'y échapper. Ils

---

1. John Ardagh, *Ces drôles de Français,* Belfond.

parviennent ainsi à couper au plus court et à circonvenir certaines absurdités bureaucratiques : c'est le fameux système D, cet élément essentiel de la vie française. Tout le monde, fonctionnaires compris, tombera d'accord sur le fait qu'on peut, de temps en temps, ignorer les règlements, surtout si cela se passe entre amis, autour d'un verre. Le système D redonne des proportions humaines à la rigidité des procédures officielles : mais ce n'est pas ainsi qu'on peut diriger un pays moderne à l'époque de la haute technologie. »

Pour les Italiens et les Espagnols, les Français, infantilisés par trop d'État, sont de moins en moins débrouillards et surtout de plus en plus timorés. Par contre, ces nationalités affirment avoir récupéré toute la débrouillardise des Français, ce dont ils se sentent très fiers.

La capacité d'improviser : une arme à double tranchant

A la place du système D, les Allemands, mais aussi les Américains, font très souvent allusion à une variante de notre légendaire débrouillardise. Il s'agit du talent d'improvisation des Français, c'est-à-dire leur habileté à trouver de façon impromptue des solutions inespérées pour sortir de situations difficiles, ou pour résoudre *in extremis* des problèmes pourtant très complexes, dont la résolution aurait demandé à d'autres nationalités à la fois plus de temps et d'application. Les Allemands et les Japonais qui sont des laborieux, des appliqués, parlent de cette capacité avec un ton à la fois très admiratif et très critique comme si c'était l'une des vertus du tempérament latin qui leur manquait le plus mais qu'ils supportaient le moins.

Ce sens de l'improvisation est apprécié s'il se manifeste chez le Français ordinaire, artisan garagiste, ou petit patron, chez l'ouvrier aussi quand ces gens acceptent de faire preuve de mobilité ou se montrent accommodants, mais aussi inventifs. En revanche, lorsqu'un cadre, un expert donne l'impression d'avoir bâclé une tâche, peu importe le résultat final, les censeurs étrangers n'apprécient pas cette désinvolture qui est aussi pour eux la conséquence d'une attitude de dilettante.

C'est pourquoi l'improvisation passe mieux lorsqu'elle se manifeste chez des Français, qui, par choix ou fatalité, se situent en dehors de l'institution et surtout n'ont été marqués que superficiellement par le moule de l'école.

Par exemple l'industriel Frantz Kufferath ne tarit pas d'éloges sur la capacité d'improvisation de ses ouvriers français maintenant qu'il a su les impliquer par de meilleurs salaires mais aussi plus de considération et de responsabilités. En comparaison des ouvriers allemands plus disciplinés, plus lents, plus appliqués, les Français, dès l'instant où ils sont motivés, retrouvent quelque chose de cette fameuse débrouillardise d'antan qui leur permet de contourner les obstacles avec aisance, d'imaginer d'autres solutions, de faire preuve d'une ingéniosité rare. Ainsi, il y a quelques mois, pour empêcher que la production de l'usine ne chute à cause d'une grève perlée de l'EDF prévue pour durer plusieurs jours, ses ouvriers ont eu l'idée d'inverser leurs horaires, choisissant de travailler le soir et la nuit pour échapper aux périodes de coupure.

Mis à part cet exemple, les Allemands, mais aussi les ressortissants d'autres pays, qu'ils soient américains ou japonais, font souvent allusion avec un ton très mitigé à une variante du talent d'improvisation des Français, c'est-à-dire à leur manière de bâcler *in extremis* certains travaux ou problèmes trop longtemps négligés.

Ainsi le brio de l'improvisation est trop souvent synonyme d'impréparation, d'impatience, de manque de persévérance dans l'effort. Si quelquefois ce talent nous permet, par miracle, d'échapper à des situations difficiles, le plus souvent il nous plonge aussi dans des positions en porte à faux, nul n'étant dupe de nos lacunes.

Trop d'impatience

Un autre défaut nous nuit particulièrement, c'est notre impatience qui le plus souvent se double d'un manque de persévérance dans l'effort. Combien de fois ai-je entendu des étrangers se plaindre que des Français venus les prospecter n'ait ensuite jamais donné suite à leur visite. Il suffit qu'une discussion n'aboutisse pas dans l'instant pour qu'ils se découragent et abandonnent, un peu avec l'inconstance d'enfants faisant un caprice puis passant à autre chose. Ce manque de persévérance freine l'adaptation des Français aux mentalités des clientèles étrangères. Ceci constitue même un handicap important pour les firmes étrangères exportatrices.

Un responsable de la chambre de commerce franco-japonaise constate :

« Ils pensent qu'aller une seule fois au Japon pour vendre leurs produits est suffisant. Alors, si les résultats sont décevants la première fois, eh bien, ils abandonnent. Si l'entreprise japonaise ou allemande réussit c'est parce qu'il y a vingt ans de persévérance derrière. Les Français croient que c'est facile partout et qu'il suffit d'un voyage pour remplir les carnets de commande. Il y a quelques années, j'ai accompagné des Français qui voulaient exporter au Japon.

« Malheureusement, ils ont dû constater que leurs produits n'étaient pas adaptés au marché japonais. Ils m'ont aussitôt fait part de leur déception et de leur intention de renoncer. Aucun n'est revenu me voir en disant : " Voilà, j'ai réfléchi et j'ai trouvé le moyen d'adapter mes produits au marché japonais. " Pendant le voyage de retour je les entendais se plaindre en disant : " Nos produits sont bons mais les Japonais ne sont pas encore prêts à les accepter. " Je sais qu'il y a eu beaucoup d'efforts de faits pour faire évoluer les mentalités, alors j'espère que c'est en train de changer. »

Dans la mesure où Allemands, Italiens, Américains et même Japonais tiennent à peu près les mêmes propos, les changements survenus ne doivent pas encore être très spectaculaires.

A titre de décharge, on peut dire qu'entre ces différentes nationalités, et surtout les plus lointaines, et nous, il existe des différences de mentalité très marquées, basées sur des systèmes culturels situés aux antipodes du nôtre. Il s'agit donc avant toute chose d'un problème de communication qui demande du temps et des efforts de part et d'autre.

Espérons que les Français feront comme les autres peuples et apprendront à s'adapter ; mais encore faut-il que leur mentalité se transforme, ce qui représente un sacré challenge dont nos compatriotes n'ont pas vraiment conscience.

D'ailleurs, peut-on changer de mentalité ? La psychanalyse nous a enseigné que les névroses de caractère sont incurables parce que structurelles. Les mentalités étant en quelque sorte le caractère d'un peuple, il est difficile d'imaginer qu'il puisse en changer en conservant le même système de référence.

Chapitre VII

DES PATRONS
QUI ONT MAUVAISE RÉPUTATION

Histoire numéro un
Deux patrons allemands se rencontrent et l'un dit
à l'autre :
– Connaissez-vous la différence entre un X et un
commerçant ?
– ?
– L'X sait comment ça doit marcher et pourtant
ça ne marche pas ! Le commerçant, lui, ne sait
pas pourquoi ça marche et pourtant ça marche !

Histoire numéro deux
Connaissez-vous trois moyens imparables de se
ruiner ?
Le plus rapide, c'est au casino.
Le plus agréable, c'est de dépenser son argent
avec des femmes.
Le plus sûr, c'est d'engager un polytechnicien
comme directeur général !

A la recherche d'une évidence trop bien cachée

Pour rechercher les sources du mal français, pour expliquer la persistance de certaines de nos difficultés face aux autres pays industriels qui, eux, se portent de mieux en mieux, on a tendance dans l'Hexagone à incriminer trois causes. Du moins est-ce ainsi qu'en jugent les étrangers.

En premier viennent les causes conjoncturelles. Autrement dit, la fatalité et les grandes catastrophes imprévisibles qui

274

n'épargnent aucun des grands pays industrialisés. Les Français passent pour avoir tendance à abuser sans vergogne de ce type d'alibi imparable. Même longtemps après les faits, ils s'en servent encore pour déresponsabiliser les auteurs d'échecs ou d'initiatives malheureuses et désamorcer ainsi d'éventuelles critiques malintentionnées. Les deux chocs pétroliers qui mirent fin aux trente glorieuses et portèrent un coup fatal à notre courbe de croissance – qui ne s'en est d'ailleurs jamais complètement remise – font figure d'excuses inusables pour justifier nos retards.

Le krach boursier d'octobre 1987 aurait pu lui aussi jouer les boucs émissaires. Mais, malgré les frayeurs provoquées par l'ampleur de la secousse, les dégâts s'avérèrent, en définitive, assez superficiels et rapides à surmonter. En effet, après seulement quelques mois de convalescence, l'économie mondiale repartait sur sa lancée ; les Bourses internationales retrouvaient un ton euphorique, le Dow Jones et le yen flirtaient à nouveau avec des sommets vertigineux malgré quelques faiblesses en automne 1989.

Le discours sur le déclin français que les Cassandre de droite avaient entonné de nouveau à la veille des élections présidentielles de 1987 impressionna finalement moins que prévu et Mitterrand fut réélu.

Heureusement, lorsque la conjoncture internationale est au beau fixe, il reste aux Français la possibilité de recourir à la longue litanie des causes structurelles qu'ils ne peuvent contourner à cause d'un sort contraire. La France continue à payer son tribut à la modernité, et en particulier reste victime d'une vocation trop longtemps agricole et d'une industrialisation trop tardive. Les Français se plaignent aussi de traîner le poids d'un appareil de production en partie inadapté. Ils déplorent l'existence d'un important cheptel d'entreprises vieillottes qui n'ont pas été modernisées à temps et qu'il n'est guère facile de remplacer ou de revitaliser, cette race de patrons ayant encore une mentalité d'assistés ou de poules mouillées paniqués à l'idée d'investir.

Mais d'ici peu, tout ira bien, quand la plupart de ces entreprises condamnées, à plus ou moins brève échéance, à un inéluctable dépôt de bilan auront cessé d'exister et auront été rempla-

275

cées par toutes ces entreprises de pointe dont le gouvernement ne cesse d'espérer l'éclosion en masse. Cela étant, ces fameuses entreprises mises sur la touche ne doivent pas être si pourries qu'il y paraît chez nous, puisque les industriels et investisseurs étrangers sont à l'affût de ces affaires qu'ils guettent avec une convoitise à peine dissimulée. On peut d'abord se demander ce que ressent toute cette main-d'œuvre française dirigée par des patrons étrangers qui l'ont reprise avec les lieux, mais aussi ce qu'il adviendra d'elle si un jour la conjoncture internationale est moins favorable qu'aujourd'hui. Les Français vivent la situation avec plus de philosophie que nos voisins, comme en témoigne cette remarque d'un juriste hollandais :

« Actuellement c'est dramatique de voir tous ces Allemands qui achètent des PME françaises en faillite à la suite d'une mauvaise gestion imputable à la deuxième génération. Au début, je me demandais avec inquiétude comment des Français réagiraient devant une direction allemande. Mais je constate, avec une certaine surprise, que tout se passe bien dès l'instant où la boîte est bien gérée. Le seul problème, c'est qu'en cas de crise les patrons allemands laisseront d'abord tomber leurs filiales à l'étranger. Et croyez-moi ils ne se gênent pas pour le dire. »

Malgré la création de nouvelles entreprises et le renouveau de la classe des patrons de PME et PMI, les Français déplorent passivement que beaucoup de ceux-ci n'aient pas des capacités techniques suffisantes pour développer davantage leurs affaires qui, après un certain temps, commencent à piétiner. De la même façon, on regrette que le nombre des entreprises de pointe – celles qui se consacrent à la haute technologie et qui dégagent souvent plus de bénéfices que les mastodontes nationalisés – reste de loin insuffisant.

On se plaint que ces patrons n'aient pas acquis au fil des années des mentalités d'aventuriers, ne se soient pas assez ouverts à la recherche et à l'innovation.

Pour expliquer le dédain avec lequel nos élites considèrent les métiers d'argent, on évoque avec une complaisance attendrie les vieux clivages entre pays protestants et pays catholiques, en oubliant un peu trop facilement le démarrage fulgurant de pays comme l'Espagne ou l'Italie qui, eux aussi, ont été structurellement marqués par le catholicisme.

Aujourd'hui, ces arguments semblent caducs et risquent à brève échéance de devenir de moins en moins crédibles. Les Français, à qui l'on reconnaît le mérite d'être d'excellents sophistes, passent pour accorder une importance excessive à des causes relevant par trop de l'histoire ancienne. On préférerait plutôt les voir affronter le système et tenter de trouver comme leurs voisins italiens ou espagnols des moyens pour combattre l'inertie ou l'inhibition d'une bonne partie de la nation. Selon un patron particulièrement perspicace qui a énoncé sa théorie dans un livre à succès intitulé *la France paresseuse*[1], c'est la faute de la population laborieuse si le pays ne se redresse pas plus rapidement.

Selon ce licencié ès sciences économiques et diplômé de l'Insead (Institution national des affaires de Fontainebleau), les Français ou plus exactement les salariés de la base, les ouvriers, les employés, accessoirement les petits techniciens et une partie de l'encadrement moyen, travaillent de moins en moins. Tableaux statistiques à l'appui, il « prouve », d'ailleurs, que les Français battent tous les records en matière de temps perdu : taux d'absentéisme le plus élevé d'Europe, encore alourdi par des grèves ; temps de travail restreint, diminué encore par cinq semaines de congés sans compter les ponts. Bien plus, Victor Scherrer « constate » que les travailleurs français manifestent une très faible implication dans leur travail[2].

Si le spectre du déclin fait trembler la France responsable, les patrons et les grands dirigeants qui excellent à se faire entendre dans les médias, c'est bien parce qu'ils se sentent dépassés par l'inertie de ceux qui les entourent et qu'ils ne parviennent pas à mobiliser suffisamment pour que notre économie reparte du bon pied, et redevienne enfin assez compétitive pour relever le défi de la concurrence internationale.

Curieusement, les étrangers sont loin d'adhérer à ces différentes thèses. Surtout, ils ne donnent pas la même interprétation que celle qui est sensiblement majoritaire dans nos murs pour expliquer la persistance du mal français.

---

1. Victor Scherrer, *la France paresseuse,* Seuil.
2. Sa scientificité et son sens du management ne l'ont pas empêché d'avoir à supporter une grève sévère quelques mois après la parution de son livre ! Un juste retour de bâton ?

S'ils déplorent en ironisant la paralysie qui saisit la France deux mois par an à cause du grégarisme des Français en matière de vacances, s'ils s'irritent devant les perturbations provoquées par ces divers fléaux spécifiquement français que sont les ponts, les grèves, les réunions interminables et le rituel des déjeuners d'affaires dont l'utilité reste à démontrer, ils sont cependant très loin de partager en bloc les opinions de M. Scherrer dont les théories n'ont pas paru très convaincantes hors de nos frontières, même si elles ont servi à alimenter certains discours francophones.

Il est vrai, constate avec ironie Lothar Baier[1], carrément irrité par les propos de Scherrer, que les ouvriers français sont réfractaires aux bons exemples venus d'ailleurs. « Apparemment, ils n'ont pas été suffisamment germanisés, malgré le travail obligatoire dans l'Allemagne hitlérienne lors de la Seconde Guerre mondiale... Toujours trop peu de discipline, toujours trop de " goût de vivre ". C'est la faute des ouvriers et des employés si l'on ne s'élève pas assez vite : ils travaillent trop peu, achètent trop de Mercedes et, par-dessus le marché, médisent de leurs patrons. »

Le dénigrement des travailleurs traités comme les principaux boucs émissaires des difficultés économiques de la France est particulièrement mal reçu par les étrangers, tout particulièrement des Allemands qui considèrent ce jugement comme injuste, inexact et très représentatif d'une société inégalitaire et hiérarchisée selon de mauvais critères.

Par contre, les patrons allemands devenus propriétaires d'entreprises françaises ont plutôt tendance à faire l'éloge de la base. A condition, bien entendu, que celle-ci soit motivée, donc gratifiée pour ses efforts et que ses suggestions soient prises en compte. Bizarrement, dans ce cas de figure, l'ouvrier français peut se révéler aussi travailleur que l'ouvrier allemand. Car, n'en déplaise à M. Scherrer, les statistiques publiées en Allemagne révèlent que la bonne réputation en France de l'ouvrier allemand est quelque peu usurpée.

Comme le spécifient les meilleurs connaisseurs de ces deux pays, et comme le prouvent de nombreuses études comparatives, la durée et l'intensité du travail sont, contrairement aux idées

---

1. Lothar Baier, *l'Entreprise France,* Calmann-Lévy, 1989.

reçues, moindres en Allemagne qu'en France. Mais le sociologue Edward Hall qui connaît bien les deux pays précise : « En Allemagne la systématisation plus poussée d'un certain nombre de tâches, leur transformation en une routine plus efficace améliorent l'efficacité de chacun. » Néanmoins, il semblerait de plus en plus que la réputation de perfectionnisme des Allemands ne soit plus entièrement fondée outre-Rhin.

Certes l'ouvrier allemand aborde le monde du travail avec une meilleure formation professionnelle consécutive à une véritable période d'apprentissage. Mais après quelques années, même s'il a plus de facilité à changer de poste de travail, il ne se révèle cependant dans l'exercice de sa profession ni plus intelligent, ni plus capable d'initiative, ni plus appliqué. C'est ce qu'expliquait quelques pages plus haut ce grand patron allemand qui est le troisième fabricant de papier d'Europe, et qui récuse complètement cette image erronée et injuste.

A tort ou à raison, les étrangers n'avancent donc pas les mêmes causes que nos éminents spécialistes pour expliquer le retard économique de la France qui, somme toute, n'est pas si dramatique. De leur point de vue, si l'économie de la France se porte moins bien qu'elle le devrait, si le pays manque de dynamisme, si la « qualité France » a mauvaise réputation, la base n'y est pour rien. Nul n'a besoin de sortir de West Point ou de Saint-Cyr pour savoir qu'on ne gagne pas une guerre uniquement avec des hommes de troupe bien entraînés et valeureux. En revanche, l'expérience a prouvé à maintes reprises que de bons chefs sont capables de métamorphoser les pires crapules en soldats d'élite...

Pour bon nombre d'étrangers, apparentés de près au milieu de l'industrie, des affaires, de la presse économique, il ne fait aucun doute que si la France tarde autant à résoudre ses problèmes économiques et sociaux, malgré les mesures drastiques prises de façon chronique, si l'image de ses produits laisse encore tant à désirer, si, depuis des années, elle ne cesse de perdre des parts de marché, si au niveau mondial la plupart des grands groupes nationaux restent bien loin du peloton de tête des dix premiers mondiaux, la faute en incombe avant tout au choix de ses dirigeants.

Non, les Français ne sont pas paresseux comme le prétendait Victor Scherrer. En revanche, une chose pour eux est sûre : c'est que, du haut au bas de la pyramide, ils sont mal dirigés. Voilà l'une des causes cardinales du problème.

Tout en haut, dans le bastion des entreprises nationalisées et des grandes sociétés industrielles à capitaux privés où l'État a plus qu'un droit de regard, les rênes du pouvoir vont d'office entre les mains de gens brillants mais dont la compétence et la qualité d'expert sont brutalement récusées par nos observateurs étrangers, journalistes de la presse économique, hommes d'affaires, chefs d'entreprise ou universitaires qui s'en donnent à cœur joie pour tirer à boulets rouges sur nos élites.

A l'échelon intermédiaire, bon nombre de PME familiales ne sont guère mieux loties. Tombées trop souvent entre les mains d'héritiers incompétents, on les retrouve peu après en dépôt de bilan. Mises en vente pour une somme dérisoire, ces entreprises représentent une proie facile et convoitée par les patrons étrangers de plus en plus nombreux à surveiller nos secteurs sinistrés, conscients que certaines faillites incombent davantage à l'incompétence de leurs dirigeants qu'à des causes conjoncturelles. De ce fait, leur remise à flot ne demande souvent qu'un peu de savoir-faire pour un investissement dérisoire.

Il y a bien sûr beaucoup de PME dirigées par des patrons jeunes, dynamiques, compétents, qui progressent, font des profits, investissent à l'étranger. Mais leur foisonnement, leur rayonnement sont encore loin d'être suffisants pour modifier l'image globale des dirigeants de PME au-dehors.

Quant aux innombrables petites entreprises artisanales, inférieures à dix salariés, le problème de la compétence technique se pose aussi très rapidement pour celles qui œuvrent dans l'industrie et non pas dans le tertiaire.

Les observateurs étrangers ont *a priori* une image bien trop négative de notre formation technique et professionnelle restée trop longtemps à la traîne pour idéaliser la capacité des petits patrons à transformer leur société en PME performante.

Pour les étrangers, il ne fait cependant aucun doute que la France est prioritairement victime de la médiocrité de bon nombre de ses grands patrons, de tous ses salariés de haut niveau dont l'État fait si grand cas en leur confiant la direction des grands groupes nationalisés, ou privatisés, mastodontes qui donnèrent l'illusion à la France de pouvoir égaler un jour les multinationales d'outre-Atlantique.

Or, s'il fallait trouver un coupable et un seul à nos difficultés, sans hésiter les étrangers crieraient d'abord haro sur nos élites. Si l'entreprise France est loin d'être aussi performante qu'elle le devrait, c'est parce que sa malchance est d'être tombée entre les mains de technocrates dont les étrangers ne pensent pas le plus grand bien.

Les deux fables placées en exergue de ce chapitre témoignent du mépris porté à nos élites.

Si dans le cas présent c'est aux X que revient le rôle de têtes de Turc, on aurait pu choisir des versions où ce sont les énarques qui ont la vedette. L'un et l'autre de ces grands corps, qui depuis quelques années monopolisent tous les postes clés, apparaissent aux yeux des étrangers comme les vrais responsables des résultats médiocres de l'économie française, de son manque de dynamisme et de compétitivité.

Devenues des classiques en RFA, ces deux histoires, dont il existe aussi des variantes américaines et italiennes, m'ont été racontées par un industriel allemand qui a eu personnellement l'occasion de vérifier à quel point elles reflètent la réalité. Mais le charme acide de ces anecdotes est de présenter sous une forme condensée et incisive la quintessence des reproches le plus fréquemment adressés à l'encontre de nos élites. A savoir une confiance excessive et dangereuse dans leur propre supériorité et dans les théories, une absence de pragmatisme et d'expertise presque aussi catastrophique que leur désintérêt avoué pour les choses de l'argent. « Pour un grand commis, seul compte le service de l'État », comme l'avait expliqué, au grand étonnement des étrangers, Jacques Calvet, le patron de PSA, s'exprimant sur le plateau de « l'Heure de vérité ».

Certes, la France n'a pas attendu les étrangers pour ouvrir un débat autour de l'ENA et de l'emprise grandissante des grands corps sur la société française. Depuis plusieurs années les livres, les études, les articles qui dénoncent en vain les pouvoirs et les privilèges exorbitants de cette nouvelle aristocratie ne se comptent plus. Les projets de réforme de l'institution, centrés autour du mode de recrutement, de la nécessité de maintenir, supprimer ou modifier un concours de sortie qui vient fausser le cours des études et affine une fois encore la sélection et le classement, sont également innombrables.

Cependant, dans les débats franco-français autour de l'ENA, le problème n'a été que rarement posé en terme de compétence.

A ma connaissance, dans les dîners en ville comme dans les salles de rédaction, les histoires du genre de celles citées en exergue sont rares. Seul Michel Crozier s'est livré à un véritable travail d'évaluation de leurs performances. Chacun jubile et y va de son article pour ironiser sur les manies monarchiques de Tonton, le caractère de plus en plus inégalitaire de la société française, mais personne ne remet en cause la compétence de nos dirigeants ou leurs discours emphatiques. Le moule dont nous sortons nous persuade, de manière irréfutable, qu'ils sont en tout point les plus intelligents et les meilleurs puisque, eux, ont réussi là où tant d'autres ont échoué. En bref, pour les Français, le statut d'élite de la nation conféré aux élèves des grands corps n'est en rien usurpé ou perverti.

Or, la réflexion des étrangers diffère, à ce niveau, du discours franco-français. Ceci nous importe tout spécialement puisque eux contestent d'emblée la compétence de nos élites à se mêler d'autre chose que du service de l'État. En d'autres termes, ils leur dénient le droit de faire main basse sur la politique, l'économie, l'industrie au simple vu de leurs diplômes. Ces derniers ne leur confèrent aucune aptitude ou connaissance suffisante pour prendre, dès le départ, la direction de ces secteurs d'activité.

Pour les spécialistes étrangers, les principales difficultés économiques de la France s'expliquent actuellement par le profil de ses dirigeants et l'incapacité du pays à le comprendre et à réagir en conséquence.

Autrement dit, aussi longtemps que la France pouvait vivre en circuit fermé et demeurer une société statique, avec ses particularismes et ses spécificités en tout genre, elle était libre de choisir ses élites comme bon lui semblait. A l'orée de 1993 et d'un marché qui va s'ouvrir à la concurrence mondiale, où les barrières protectionnistes ne pourront plus se maintenir, la France ne peut plus, selon les étrangers, s'offrir le luxe d'occulter ces problèmes plus longtemps.

Plutôt que de se conforter en se gargarisant d'avoir les meilleures élites du monde, car les plus sélectionnées selon les critères apparemment les moins contestables, notre pays doit plutôt se demander en toute hâte si leur profil, leur mentalité, leur plan de carrière sont adaptés aux types de challenges et d'adversaires que la France devra bientôt affronter. Il nous faut aussi admettre que ces critères de sélection et de promotion de l'élite ne conviennent pas, car ce sont des critères qui, selon les étrangers, coupent court à l'initiative spontanée des individus alors qu'il en faudrait tant. D. Alduy, nommée récemment directeur général de FR3, à qui l'on demandait de préciser si elle s'intéressait à la télévision plus qu'à autre chose, a répondu : « C'est bon pour mon plan de carrière. » Ce qui en dit long sur ses possibilités d'implication.

1. Pourquoi crier haro sur les grands corps ?

L'obsession de la grandeur qui joue un rôle déterminant dans tous les choix fondamentaux de la société française explique en partie cette entrée fracassante des grands corps de l'État dans le monde de l'industrie et des affaires pendant les vingt dernières années.

A cette France pas encore remise de ses rêves de grandeur, à cette France encore éprise d'idées monarchistes, il fallait des élites hyper-brillantes et policées. Tout au long d'un cursus semé d'obstacles, nos élites ont prouvé plus d'une fois qu'elles disposaient des plus belles mécaniques intellectuelles de la nation. Difficile ensuite d'éviter que ces petits-maîtres ne considèrent comme normal de prétendre aux plus hautes missions.

Il n'y a rien d'étonnant, en conséquence, à ce que l'État patron ait fait appel à ses troupes les plus brillantes et les plus dévouées lorsque, pour restructurer des pans entiers de son industrie, il lui fallut nommer des responsables d'envergure à la tête des grands groupes nationalisés et, plus tard, des sociétés privatisées.

L'élection de Giscard s'était d'ailleurs jouée sur cette image de compétence suprême. Pour la première fois, la grande masse des électeurs découvraient véritablement ce en quoi consistait la supériorité incontestée des énarques, surtout de ceux qui avaient réussi la performance d'être passés par Polytechnique puis l'ENA et, surtout, d'en être sortis dans la « botte » [1]. Dès lors, la voie

1. La botte de l'ENA (c'est-à-dire les dix premiers du classement final) peut entrer à l'inspection des Finances. A la fin des quatre années de tournées d'ins-

royale était ouverte à ce futur ministre des Finances, rapidement devenu président, dont les exposés aussi brillants que techniques donnaient enfin au discours technocratique ses lettres de noblesse sur la place publique. Avec Giscard, le mythe de la supériorité et de l'infaillibilité des énarques était bétonné.

Quelques années plus tard, un président aussi pragmatique que François Mitterrand est demeuré sous le charme, car n'oublions pas que la plupart de ses conseillers sortent de la rue Saint-Guillaume. D'après les observateurs étrangers, le président a été à un tel point « bluffé » par le brio énarchique qu'il s'est offert le luxe de nommer Premier ministre un jeune homme dont le seul mérite était d'être auréolé de diplômes prestigieux (Normale-Sup et l'ENA) alors qu'il ne pouvait se prévaloir que d'une brève carrière de fonctionnaire, sans autre expérience de la vie professionnelle ou publique.

Un jour, peut-être, des historiens ou des sociologues étudieront-ils à travers différents écrits, en particulier les articles de la presse étrangère, le moment où l'étoile des énarques a commencé à se ternir à l'étranger. Est-ce une coïncidence s'ils découvrent que le phénomène de saturation et la remise en cause de leur compétence datent du passage de Laurent Fabius au poste de Premier ministre, de ses allusions constantes au « grand dessein » dont la presse étrangère fait encore ses gorges chaudes ? Il faut dire aussi à la décharge du susnommé que, depuis vingt ans, les grands corps sont partout et que les plus doués de ces jeunes gens, dans leur choix de carrière, semblent suivre à la lettre ce conseil que l'on prête à Alain Minc : « Si vous avez de l'ambition, faites donc l'Inspection. »

Cette phrase implique que cette caution permet à ceux qui décident de pantoufler, d'ambitionner (parfois à moins de quarante ans) la direction générale puis la présidence des plus grands groupes. Comme le faisait remarquer le directeur général d'un grand groupe nationalisé à des sociologues enquêtant sur le pro-

---

pection obligatoires, les inspecteurs sont envoyés dans l'administration centrale, de préférence aux Finances. Traditionnellement, le premier du classement de l'inspection va au Trésor, le deuxième, au Budget et le troisième aux Impôts. L'École polytechnique donne également lieu à un classement final très hiérarchisé. Les dix premiers entrent dans le prestigieux corps des Mines et ont comme obligation de servir l'État pendant dix ans, à moins de rembourser la « pantoufle ».

cessus de recrutement des patrons français : « Sauf à être dirigeant propriétaire, on a vraiment peu de chances d'accéder à la tête d'une grande entreprise française si on n'est pas un " pantoufleur ", c'est-à-dire si on n'a pas fait ses classes dans la haute administration [1]. »

Aujourd'hui, plus de quatre-vingts pour cent des groupes nationalisés sont dirigés par des patrons issus de ces grands corps qui, après quelques années passées à servir l'État, ne demandent qu'à aller dans le privé, où les émoluments et les avantages en espèces sont autrement plus juteux que dans le service public et, surtout, où ils découvrent une manière autrement plus attrayante d'exercer le pouvoir.

Des promotions aussi prématurées qu'injustifiées

Dorénavant, les diplômés des grandes écoles qui ne sortent pas dans le peloton de tête sont de plus en plus nombreux à refuser de perdre du temps dans l'administration et à se précipiter dans le privé où ils sont accueillis à bras ouverts. Non pour leur savoir-faire, mais pour l'aura que leur diplôme confère à l'entreprise.

Même les sociétés d'importance moyenne considèrent comme un privilège, mais aussi un *must,* d'avoir un énarque dans leur staff de direction. Les X et les diplômés des grandes écoles commerciales ont également la cote et se voient très vite promus à un grand avenir. Pour eux, pas de test ni d'entretien préalable avec le responsable du recrutement. D'emblée, ils sont reçus par le directeur général qui s'entretient avec eux d'égal à égal.

Quoi qu'ils fassent, ils sont assurés de se voir confier dès leur sortie de l'école des postes prestigieux, des titres ronflants et des salaires conséquents, même si le patron sait bien qu'il s'agit pour lui d'un investissement à moyen terme, ce brillant collaborateur n'étant pas immédiatement opérationnel.

Tim N., de père hollandais et de mère allemande, a étudié en Allemagne et aux États-Unis mais aussi au Japon. Spécialiste en droit international, il a d'abord été fonctionnaire, ce qui lui a

1. Cité par Michel Bauer et Bénédicte Bertin-Mourot dans un article paru dans *le Monde* du 19 mars 1988.

permis d'être admis à suivre pendant un an les cours de l'ENA où il s'est fait quelques amis français. Il a ensuite suivi leurs carrières avec un certain étonnement ; certains diront de la jalousie, mais ils auraient tort. Il est simplement choqué de voir des types à peine plus âgés que lui afficher des titres ronflants de directeur général. Pourtant, Tim n'est pas à plaindre ; il est entré il y a trois ans dans le groupe Schlumberger récemment racheté par une banque hollandaise. Responsable juridique dans le cadre d'opérations de joint-venture, il a un travail passionnant qui le fait voyager aux quatre coins du monde mais sans la contrepartie d'un titre prestigieux ou de responsabilités qui dépassent ses compétences, ce qui lui paraît absolument normal. Certes, il connaît bien son métier, mais il jugerait anormal d'être dès maintenant nommé directeur général comme l'un de ses amis à peine plus âgé qui a obtenu ce titre dans une grande banque populaire. Un autre de ses camarades de promotion, dès sa sortie de l'ENA, est entré comme conseiller auprès du directeur de la plus grande agence de publicité française, ce qui lui paraît véritablement le comble de l'absurde.

« Il est très intelligent mais ne connaît rien à la publicité. En Hollande ou en Allemagne, on l'aurait envoyé dans une filiale du groupe comme adjoint du directeur local pour qu'il apprenne le métier. Après deux ou trois ans, il aurait été nommé au siège avec une fonction dans l'état-major.

« L'entrée des élèves des grandes écoles directement dans les postes de direction, sans apprentissage d'aucune sorte, est un phénomène qui n'existe qu'en France. J'ai trente ans, je ne suis donc pas opposé à la promotion des jeunes, à leur accession rapide à des postes de responsabilité, surtout après de brillantes études, ou ce serait aller contre mon propre intérêt. Toutefois, je suis contre le système français qui engage, pour des postes de direction, des jeunes diplômés sans expérience professionnelle, mais dont le seul titre de gloire est d'avoir réussi des examens difficiles qui prouvent seulement une bonne intelligence.

« Disposant trop vite d'un maximum de pouvoir et de responsabilités, ils rechignent ensuite à s'intéresser aux problèmes quotidiens. Ils considèrent que s'ils sont là c'est pour diriger des grands coups dans le cadre de grandes manœuvres. C'est une réaction logique quand, pendant toutes vos études, vous entendez seriner que la réussite aux concours vous permet d'appartenir à jamais à l'élite. Durant mon année à l'ENA, j'ai entendu sans arrêt directeurs et professeurs répéter *expressément* et non pas *implicitement :* " Vous êtes l'élite, votre rôle est de diriger..."

« Entendre cela à longueur de journée, après avoir souffert et travaillé intensément pour préparer des concours, à une période de la vie où les jeunes ont envie d'autre chose, fait que, lorsque enfin on réussit, cela paraît une juste récompense. La frustration subie pendant tant d'années se transforme en soulagement et orgueil de classe. C'est normal qu'ensuite ils considèrent qu'ils n'ont plus à se justifier pour mériter leur fonction ou leur poste. Ils appartiennent à l'élite et ils savent qu'une fois arrivés ils n'ont plus de comptes à rendre...

« Dès leur entrée en fonction, ces gens se croient prédestinés à parler de stratégie, de plans d'avenir pour la société. Ce sont toujours les mêmes qui tiennent ce type de discours à côté de la réalité. Dans les autres pays, les promotions s'obtiennent au mérite, sur des résultats concrets et pas simplement sur des diplômes. Le directeur général d'une grande banque est nommé à ce poste parce qu'il a vingt ans de banque derrière lui. Dans les grandes banques allemandes ou américaines, chaque membre du directoire a au moins dix ans de métier. C'est son expérience qui lui donne la légitimité pour imposer à son entreprise telle ou telle mesure. Une seule fois, il s'est passé quelque chose de similaire en République fédérale : un ministre de l'Économie a été nommé président-directeur général de la deuxième banque allemande. Le public et la presse ont parlé avec une telle ironie de " l'apprenti le mieux payé de toute la République fédérale " qu'il n'a même pas pu essayer de s'imposer dans le milieu bancaire mais qu'il fut très vite contraint de démissionner. »

Un recrutement en vase clos

Ce qui choque le plus les étrangers et leur apparaît le plus anormal, c'est la valse des nominations à la tête des plus grandes sociétés[1]. Les P-DG en sont désignés à partir de critères qui

---

1. Qui semble s'être calmée puisque beaucoup ont été reconduits dans leur fonction.

n'ont rien de commun avec ce qui se passe partout ailleurs. Dans la plupart des pays pris comme références dans cette étude, la recherche des grands patrons est, en effet, généralement confiée à des chasseurs de têtes chargés de découvrir le personnage dont le profil et la compétence cadrent le mieux avec le poste à pourvoir. Ceci implique, d'emblée, une personnalité ayant en priorité une réputation d'expert hors pair dans sa partie mais qui n'est pas seulement le candidat le plus diplômé.

En France, la méthode pratiquée pour nommer des présidents de grands groupes s'effectue en fonction de critères qui laissent les étrangers abasourdis. D'une part, on privilégie les diplômes. Une fois encore, on accorde une plus grande importance au rang de sortie des grands corps [1], aux galons gagnés au service de l'administration qu'à l'expérience acquise dans des secteurs d'activité avoisinants. Par ailleurs, les autres critères pris en compte ne sont pas davantage basés sur l'expertise, le métier, mais sont d'ordre politique à l'intérieur de familles idéologiques où le copinage, la cooptation par affinités qui datent de l'école jouent à plein.

Ainsi, grâce à ce mode de recrutement limité, les principales entreprises françaises sont dirigées par d'anciens membres des grands corps. Plutôt que de nous fatiguer à citer la liste fastidieuse de ceux qui en sont, il serait probablement plus amusant et plus rapide de mentionner ceux qui n'en sont pas. Surtout, il est plus qu'improbable de trouver parmi eux quelqu'un qui ne soit pas au moins un ancien d'HEC ou de l'ESSEC qui, s'il n'a pas réussi à entrer à l'ENA, doit compenser cette tare par un *master* d'une université américaine.

La tradition de ne pas recruter en dehors d'un certain vivier, où ne se rencontrent que des gens du « meilleur monde », s'est aussi longtemps pratiquée dans un pays dont les avatars récents ressemblent singulièrement aux nôtres : le Royaume-Uni. Parmi les mesures salutaires mises à l'actif de Mme Thatcher, même par ses adversaires de gauche, on lui reconnaît le mérite d'avoir sérieusement remis en cause le monopole exercé par une certaine caste.

---

1. Peut-être ont-ils lu l'ouvrage de Michel Bauer et Bénédicte Bertin-Mourot : *Les 200 – Comment devient-on un grand patron ?* (L'Épreuve des faits / Seuil).

Ainsi, grâce à son influence, les Anglais ont adopté un système de recrutement très inspiré de celui pratiqué aux États-Unis, où le chasseur de têtes se transforme en véritable détective lancé à la recherche du meilleur. Chaque élément du cursus est contrôlé par une véritable enquête dans les milieux professionnels où les candidats retenus ont exercé leurs talents. Ceci pour vérifier si certaines réputations ne sont pas surfaites ou totalement imméritées, surtout lorsqu'il s'agit de personnalités très médiatisées.

Ainsi Gérard Cléry-Melin, responsable des activités européennes de Heidrick and Struggles, cabinet de sélection de dirigeants, a pu observer de près le mode de recrutement des présidents de grandes firmes occidentales. Les cent premières (selon le magazine américain *Fortune*), dont une trentaine de firmes anglaises, ont fait appel à un chasseur de têtes pour sélectionner leurs futurs responsables. Par ailleurs, il juge que l'initiative de Mme Thatcher a été salutaire à l'économie anglaise :

« Elle a clairement dérégulé le marché des grands patrons. Les opérations de privatisation ont de ce point de vue marqué une véritable rupture : presque à chaque fois, il a été fait appel à un chasseur de têtes pour choisir le patron. Parfois, d'ailleurs, les dirigeants choisis ont été des Américains : ce qui signifie que l'Angleterre a estimé ne pas avoir les hommes dont elle a besoin et qu'elle a eu le courage d'en tirer les conséquences. Tout cela a très profondément secoué l'*establishment* traditionnel et provoqué un appel d'air et un changement de mentalité. Aujourd'hui, de plus en plus de grandes sociétés se renouvellent par le haut. Elles vont chercher leurs nouveaux dirigeants dans les " viviers vrais ", c'est-à-dire à l'intérieur des entreprises. En France, sur les cent premières firmes, *pas plus de deux* ont fait appel à un chasseur de têtes pour recruter leur patron. Mais ce sont des firmes à capitaux étrangers ! Les grands corps règnent. Tout se fait par cooptation [1]. »

Jamais les autorités politiques n'ont accepté de faire appel à un chasseur de têtes pour pourvoir des postes de direction dans les entreprises dépendant peu ou prou de l'État. C'est ce qu'avancent Michel Bauer et Bénédicte Bertin-Mourot, auteurs d'un ouvrage consacré au parcours suivi par les grands patrons. Néan-

---

1. Interview publiée dans *le Monde* du 19 mars 1988 ; encadré accompagnant l'article « la Fringale du privé ».

moins, en 1986, un chasseur de têtes français, Marc Lamy, après avoir réuni une équipe dont les membres appartenaient aux principaux cabinets de recrutement, avait proposé *gratuitement* ses services au gouvernement en spécifiant qu'il tiendrait compte de la sensibilité politique dans les critères de recrutement des dirigeants des entreprises nationales. Ces professionnels voulaient, par cette démarche, tenter de faire comprendre que la compétence devait passer avant l'appartenance. Mais leur offre n'a pas même reçu de réponse[1].

Cela signifie que le mode de sélection traditionnel a comme toujours prévalu, même quand, vers juin 1989, les mandats de ceux qui avaient été nommés en 1986 arrivèrent à échéance et qu'il fallut remplacer un certain nombre de ceux qui n'avaient pas donné satisfaction ou que le gouvernement socialiste avait cru préférable de ne pas remplacer lors de son retour au pouvoir en 1988.

A tous les niveaux, une absence d'expertise véritablement désespérante

Autre aberration du système : considérer que ces élites ont la science infuse et une formation polyvalente qui leur permettent non seulement de s'adapter à toutes les situations, mais aussi de passer d'un secteur d'activité à un autre en devenant opérationnels du jour au lendemain. Ainsi, la durée des mandats pour les présidents de grands groupes était jusqu'à présent fixée à trois ans. Si l'impétrant donne satisfaction au pouvoir politique en place et que ce dernier reste stable, les mandats peuvent être reconduits.

Partout, on pense fermement que pour les postes de direction les idées générales et la théorie ne suffisent jamais à remplacer la pratique.

Or, en France, on ne sait pas encore (ou on l'a oublié, semble-t-il) que n'importe quelle fonction de direction exige non seulement une connaissance approfondie des rouages internes de la société, des méthodes, du langage, des hommes, mais aussi un

---

1. Informations extraites du même article. Peut-être y a-t-il eu des changements dans le recrutement d'août 1989. Qui sait !

temps de latence pour étudier l'environnement commercial, les marchés, la clientèle, etc. Car il n'y a pas que la gestion et l'administration qui relèvent du patron. Quand celui-ci est un homme de métier, la politique de produit à suivre le concerne au premier chef. Or, en France, c'est principalement là que le bât blesse le plus, selon les étrangers. En effet, nos élites qui ont fait leurs classes à l'inspection des Finances, au Trésor, au corps des Mines ou dans d'autres services de l'État sont accusées de ne généralement rien connaître au secteur où elles sont parachutées au nom de raisons qui, selon les étrangers, n'ont strictement rien à voir avec leurs compétences. Ce qui joue, en réalité, ce sont les relations de pouvoir, les prébendes, les services rendus et autres trafics d'influence dont les Français sont coutumiers, y compris dans des domaines où généralement d'autres critères devraient primer.

Dans les négociations internationales où les membres des grands corps sont censés faire merveille par leur brio, il semblerait plutôt qu'ils fassent sourire au détriment de cette pauvre France. Notre pays a choisi en effet de se faire représenter par des petits-maîtres justes capables de pratiquer une « guerre en dentelle ».

Pour des juristes internationaux, des hommes d'affaires avertis, d'authentiques experts, les membres des grands corps sont tout, sauf des interlocuteurs valables. Il faut savoir que, d'entrée de jeu, leurs partenaires ne les prennent pas au sérieux mais les endurent plutôt comme un mal qu'il faut prendre en patience.

Cela étant, les étrangers devraient plutôt nous remercier de leur faire si facilement gagner de l'argent, comme le prouve l'exemple suivant que m'a raconté un conseiller juridique allemand consultant pour un très grand groupe pétrolier national : « Les ingénieurs français qui font partie des grands corps sont très forts sur le plan technique, mais pourquoi sont-ils chargés des négociations commerciales ? Ce ne sont ni des commerçants, ni des vendeurs, ni des juristes. Ils manquent complètement d'agressivité et de sens des affaires. C'est pareil avec les énarques. Les Français sont à ce point persuadés de la supériorité de leurs élites qu'ils les envoient partout en première ligne. Résultat : les Français pratiquent une guerre économique en dentelle.

« Ensuite, ils se font taper sur les doigts et n'y retournent plus. A mon avis, tous ces gens des grandes écoles sont dangereux dans les affaires et pour les entreprises françaises. Ils sont très bien à Bruxelles comme fonctionnaires. Même si, parmi eux, il y a un petit nombre de très bons gestionnaires, la majorité n'ont pas le profil requis pour se battre et réussir en Allemagne... J'ai en mémoire un exemple très précis et très révélateur : celui d'un énarque attaché à un groupe pétrolier français désireux d'acquérir une petite chaîne de stations d'essence en Allemagne. Le propriétaire, une espèce de gros bonhomme brutal, était un self-made man qui demandait un prix largement exagéré. J'ai conseillé au Français de ne pas accepter ces propositions et de négocier ferme. Et voilà ce qu'il m'a répondu, au lieu de taper du poing sur la table et de discuter pour rabattre le prix : " Il faut faire attention, sinon il va se fâcher. " En fin de compte, il a payé cette affaire beaucoup trop cher... La France croit qu'un énarque a une formation qui lui permet de s'adapter à tout, de passer d'une entreprise à une autre et d'en comprendre la complexité en quinze jours ou six mois. Mais c'est faux. Le chef d'entreprise allemand est certes moins cultivé, mais, comme il décide au feeling, avec le ventre, il réagit vite sans se faire avoir, alors qu'un énarque ou un X craint de prendre une décision. Il consulte d'abord longuement les statistiques, fait faire des rapports, mais ce n'est pas ainsi qu'il touchera la réalité du doigt ; sans compter que, le temps qu'il se décide, l'affaire lui a échappé. »

Au-delà des exemples, il s'agit aussi d'un problème d'image. Or l'image de nos élites est si déplorable hors de nos frontières que, à quelques exceptions près, on leur dénie toute compétence parce que, pour de véritables professionnels, elles restent avant toute chose des fonctionnaires. Que cela nous plaise ou non, tout dans leur comportement laisse transparaître le fonctionnaire : le style bureaucratique dans la lenteur des décisions, la difficulté à prendre des responsabilités, etc.

Même leur langage n'a rien de commun avec celui employé par de vrais professionnels. « Il suffit de les entendre parler, m'explique un banquier américain, pour se dire que ces gens-là s'imaginent encore s'exprimer devant un auditoire d'examinateurs chargés de les noter pour la qualité de leur discours. Les discussions d'affaires, avec eux, durent dix fois plus de temps qu'avec n'importe qui, car il faut un prologue d'au moins une demi-heure pour qu'ils arrivent enfin au fait. J'ai rencontré beaucoup d'énarques car, malheureusement pour vous, cette race pullule dans la banque, mais je peux vous dire que jamais ni moi ni aucun de mes collègues n'avons eu l'impression en discutant avec eux de nous trouver en face d'un vrai banquier. L'énarque est quelqu'un de brillant, de polyvalent, mais qui manque totalement d'expérience car on ne lui demande jamais d'apprendre son métier. Il est tout de suite parachuté en haut de la pyramide comme chargé de mission auprès du directeur et il se contente de survoler puisque ce que l'on attend de lui c'est de mettre en place la stratégie. Ce que les Français ont d'ailleurs réussi de plus admirable, c'est de prendre comme stratèges des gens qui n'ont jamais mis les pieds sur un champ de bataille... mais qui planent dans la théorie. »

Mais puisqu'il faut bien trouver, quand même, quelques qualités à nos grands patrons, les étrangers admiratifs reconnaissent sans se faire prier que la France peut, sans crainte, se vanter d'avoir les patrons les plus cultivés de la planète. Non seulement ils possèdent, outre leur palmarès scolaire, une bonne culture générale, mais la plupart d'entre eux sont des écrivains qui peuvent s'enorgueillir d'avoir écrit un ou plusieurs ouvrages ayant eu un certain retentissement.

Non pas que les grands patrons étrangers n'écrivent pas. Mais cela se situe généralement dans un autre contexte. Tout d'abord ce ne sont pas des touche-à-tout qui se mêlent d'écrire sur l'économie, la politique internationale, la philosophie du temps ou autres sujets intellectuels. Le plus souvent, leur contribution se limite à écrire un ouvrage de souvenirs en partant à la retraite ou en quittant un poste où ils se sont particulièrement illustrés. C'est ce qu'ont fait, par exemple, Lee Iacocca, le Français Jacques Maisonrouge (l'ancien numéro deux d'IBM) et bien d'autres qui étaient de véritables experts dont l'expérience de manager international ou d'expert hors catégorie pouvait être instructive pour les générations montantes.

Peut-être faut-il signaler, pour relativiser la virulence de certains propos, que nos élites ont quand même des admirateurs parmi nos amis de Grande-Bretagne. Comme certains de ses compatriotes, le journaliste John Ardagh, un très bon connaisseur de la France, adopte, pour parler de nos élites, un ton plus nuancé où il essaie de faire la part des choses. Il est vrai que son objectivité est quelque peu sujette à caution puisque, en lisant la liste des personnes l'ayant aidé à recueillir des informations sur la France, j'ai cru reconnaître une majorité d'énarques et de membres de cabinets ministériels. Dès lors, c'était la moindre des choses, sans doute, que de ne pas se montrer trop ingrat et d'essayer de leur rendre justice en modulant ses appréciations : « Il ne faut pas souscrire au mythe selon lequel tous ces gens sont également brillants et dynamiques, mais il ne faut pas, pour autant, tomber dans l'excès inverse, assez répandu aujourd'hui, et croire que ce sont des incapables[1]. » Ce que, d'ailleurs, personne ne prétend. En revanche, ce qu'on leur reproche, c'est d'être victimes d'un système qui les dispense de l'obligation d'apprendre un métier à fond et de l'intérieur. Leurs diplômes leur conférant la science infuse, ils peuvent se payer le luxe de rester des touche-à-tout superficiels.

Un système qui pèche par irréalisme

Avant toute chose, la mauvaise image des grands corps est la conséquence logique de la perversité du système. C'est le système qui ne les incite pas à devenir des experts, en leur accordant une confiance et un mérite excessifs, en leur attribuant d'emblée les plus hautes responsabilités sans leur imposer de période probatoire avant leur entrée dans la vie professionnelle, comme si les diplômes servaient à parer à toutes les éventualités. Malheureusement, ce ne sont pas des assurances tous risques. L'aptitude à gérer et administrer ne suffit pas pour faire un grand patron, surtout si on ne lui en laisse pas le temps. Ces patrons, le plus souvent, ont à peine le temps de s'initier à l'essentiel.

Si la société a des problèmes financiers, des déficits, ils peuvent parer au plus pressé, les réduire par une meilleure gestion basée sur des réorganisations le plus souvent consécutives à des licenciements.

Pour le reste le grand patron à la française, un homme de pouvoir et d'appareil, rarement un homme de produit, fera appel à

---

1. John Ardagh, *Ces drôles de Français,* Belfond, mars 1989.

des experts qui tant bien que mal suppléeront à coups d'études à son manque d'intuition et de connaissance du marché.

Ainsi, nos élites ont la réputation de manquer totalement de l'approche pragmatique qu'a en revanche presque d'instinct le spécialiste, qui, palier par palier, a fait ses classes dans une profession choisie par vocation, dont il connaît à fond les tenants et les aboutissants. Ainsi, il est en mesure d'en prévoir l'évolution « avec ses tripes », indépendamment des études qui ne servent qu'à le conforter dans ses intuitions, à vaguement les réorienter mais non pas à dégager la marche à suivre.

Je me souviens que, lors d'un dîner très informel dans un petit bistrot de la rue Hautefeuille avec l'ancien P-DG de Sacilor, Claude Dollé, un HEC doublé d'un socialiste d'obédience ancienne, je ne pus m'empêcher de lui demander au cours d'une conversation à bâtons rompus (mais sans l'informer de mon enquête) quelle était selon lui la période probatoire moyenne nécessaire à un P-DG fraîchement nommé – inspecteur des Finances ou issu d'une grande école – pour être opérationnel dans un secteur d'activité où il pénètre pour la première fois. La réponse de Claude Dollé (dont une bonne partie de la carrière s'est déroulée dans la métallurgie et qui, de ce fait, passe pour avoir fait du bon travail à Sacilor où il a officié cinq bonnes années) fut formelle :

« Énarque ou pas, un nouveau venu est inopérant pendant les deux premières années de son mandat, surtout s'il n'est pas un homme de métier, un expert. Cette période " d'apprentissage " lui sert essentiellement à régler les problèmes d'intendance, à assurer le suivi des affaires en cours, à gérer, à prendre connaissance de l'entreprise et de son environnement. En d'autres termes, à étudier un marché dont il ne connaît rien. »

En réalité, selon Claude Dollé, cinq années pleines sont requises pour qu'un très bon généraliste du type énarque devienne enfin opérationnel et performant, c'est-à-dire insuffle une véritable politique de développement. Manque de chance pour lui, c'est à ce moment même de son mandat que, la droite revenant au pouvoir, il lui fut demandé de rendre son fauteuil.

Peut-être est-ce à la suite de consultations centrées sur ce thème que le ministre de l'Industrie, Roger Fauroux, envisage désormais de prolonger la durée des mandats de trois à cinq ans.

295

N'oublions pas qu'il a vécu ce type de situation de l'intérieur. Entré en 1981 à Saint-Gobain-Pont-à-Mousson, il y a occupé successivement différentes fonctions de direction avant d'en être nommé P-DG seulement après six ans.

Ce n'est pas un hasard non plus si tous les grands patrons de renommée internationale – citons entre autres Lee Iacocca, célèbre pour avoir remonté la société Chrysler, ou Lindsay Owen Jones, le jeune et nouveau patron de L'Oréal, numéro un mondial des cosmétiques, qui succède à François Dalle, Jacques Maisonrouge, pendant plusieurs années numéro deux d'IBM monde et l'un des seuls Français à avoir atteint les sommets dans un groupe américain – sont tous des gens qui ont fait l'intégralité de leur carrière dans le même secteur d'activité.

Ainsi le succès mondial d'une firme comme L'Oréal s'explique par le choix de ses présidents et de ses directeurs qui ont toujours été des hommes de produit et de marketing et non pas des technocrates.

« Il n'y a qu'en France qu'on trouve normal qu'un monsieur passe de la direction d'un service des Impôts à la présidence d'une banque d'affaires ou, comme Bernard Attali, ancien X (comme son jumeau Jacques, conseiller du président), de la présidence d'une compagnie d'assurances à celle d'une société de transport aérien. De la même façon, quand le directeur du Trésor, Philippe Jaffré, quarante-trois ans, est nommé directeur général de la banque Stern, *Libération* consacre presque un quart de page et une photo en pied à cette nomination à laquelle personne dans la rédaction ne trouve probablement à redire. Le seul élément qui retienne l'attention du rédacteur, c'est qu'un homme très marqué à droite a cependant réussi à faire carrière sous un gouvernement de gauche. Il est vrai qu'il s'agit d'un inspecteur des Finances », me fait remarquer, goguenard, mon interlocuteur, correspondant d'un important journal financier anglo-saxon.

Dans le même esprit, aucun des banquiers étrangers qui exercent dans les sièges parisiens des plus importantes banques d'affaires américaines, allemandes ou britanniques, aucun journaliste économique, aucun avocat international ne reconnaît la compétence de ses alter ego français placés à la tête de nos principales enseignes bancaires.

Voilà à peu près la teneur des propos que j'ai entendus. La paternité de ceux-ci incombe à un banquier espagnol qui tient à conserver l'anonymat :

« Les banques françaises, y compris les banques d'affaires, ne sont pas des vraies banques car elles sont dirigées par des états-majors qui n'ont appris le métier de banquier ni sur le tas ni par des études spécialisées. Or le métier de banquier, je peux vous l'assurer, ne s'apprend pas à l'ENA ; c'est pourquoi les banques françaises sont dans un ghetto franco-français. Elles se prétendent internationales grâce à des réseaux très étendus, mais c'est une illusion ; elles n'ont pas le savoir-faire de banques internationales et ce sont des nains à l'échelle mondiale... Aux États-Unis, dans les métiers de la banque, on peut monter très vite et très haut si on sent que vous êtes doué pour ce métier. En France, il n'est jamais question de talent dans cette profession. Quelqu'un qui n'a pas les diplômes ne réussira jamais chez vous, même s'il est un financier de génie. Je ne ferai pas l'éloge des *raiders,* mais ils ont d'abord réussi par leur talent et non par leurs diplômes, ce qui est fondamental, et c'est pour cela que j'admire la capitalisme américain. Je pense qu'en 1993 les banques françaises risquent même de se faire grignoter en France. Dans les pays de la Communauté, il faudrait d'abord que leur image change radicalement... »

Si les banques françaises ont si mauvaise réputation à l'étranger, voire ne sont pas considérées comme de véritables banques, si les étrangers sont persuadés et écrivent que 1993 va être un psychodrame pour la France, ils pensent en priorité à nos grandes banques (nationalisées et privatisées) ainsi qu'à nos plus anciennes compagnies d'assurances qui pâtiront, à coup sûr, de ne pas être dirigées par des gens de métier. Une exception signalée cependant : Claude Béabar, ancien X, qui a créé la société d'assurances Axa. C'est bien l'un des seuls dont les spécialistes étrangers admirent le dynamisme et le parcours atypique. En effet, comme l'ont souligné plusieurs interlocuteurs étrangers, un X qui prend le risque de créer une boîte, c'est assez rare pour mériter d'être signalé. Mais il est vrai qu'un X qui sort d'un milieu modeste est une deuxième étrangeté. L'une expliquant l'autre...

297

Un patron qui ne risque pas son propre argent n'est pas un vrai patron

François Michelin, sollicité par André Harris et Alain de Sédouy[1] qui voulaient faire figurer son témoignage dans leur galerie de patrons, s'était contenté d'envoyer une lettre dans laquelle il définissait en quelque sorte le credo du véritable chef d'entreprise, en insistant tout particulièrement sur la responsabilité financière du patron.

Pour cet autocrate qui a hissé sa société au sommet mondial, un vrai patron ne peut pas être un simple salarié à qui l'on donne des primes comme satisfecit, que l'on déplace à la direction d'un groupe encore plus prestigieux en cas de succès, mais qui se retrouve seulement congédié en cas d'échec. Sa seule sanction étant alors de réintégrer son corps d'origine avec quelque dépit. Mais sans perdre aucun des avantages liés au titre et à l'ancienneté. Son blason sera un temps terni par l'échec. Néanmoins, il n'en sera pas tenu pour responsable et il n'aura pas à en rendre compte.

En revanche, dans le privé, un patron est non seulement rémunéré en fonction des résultats mais surtout durement pénalisé en tant qu'actionnaire si ses choix ont été erronés.

Pour François Michelin, le plus paternaliste des patrons, l'éthique du patron passe par la prise de risque financier. Sans prise de risque personnel, il ne peut y avoir de véritable patron motivé par la nécessité de faire fructifier le capital.

« L'entreprise, pour être vivante, nécessite du capital, des usines, des clients, un patron... Les hommes du capital – les actionnaires – mettent à la disposition des hommes des usines du capital, ce qui permet de construire l'avenir, mais cela n'est possible que si les uns et les autres n'ont qu'un seul but, satisfaire ceux sans lesquels le capital ne peut être rémunéré, les salaires payés [...] : les clients... Notons que l'actionnaire est celui qui accepte le risque de tout perdre [...]. L'exigence de rendre compte de l'avenir de l'entreprise aux propriétaires du capital est un facteur essentiel de l'équilibre humain du chef d'entreprise, car c'est

---

1. *Les Patrons*, Seuil, 1977.

du réel et pas de l'idéologie. Il s'agit d'une responsabilité juridique et financière [...].

« C'est parce que l'on n'a pas voulu, ces dernières années, reconnaître la fécondité de cette réalité économique que celle-ci se venge, que les difficultés sociales et économiques existent, et que nous sommes dans les difficultés actuelles... »

C'était il y a douze ans. Les propos de François Michelin, déjà très allusifs, rejoignent complètement les propos tenus par les étrangers qui ne s'expriment pas au nom d'un libéralisme sauvage mais du bon sens. Selon eux, des patrons qui ne risquent pas leur propre argent, et qui même osent dire publiquement qu'ils n'aiment pas l'argent, ne seront jamais considérés, hors de France, comme de vrais patrons, aussi bons gestionnaires soient-ils. Un patron qui, comme Jacques Calvet, a honte d'avouer son salaire, considère comme un titre de gloire d'être mal payé, se vante d'avoir comme modèle Georges Pompidou, et qui, à bout d'arguments, finit par dire que son éthique est celle du service public, se discrédite littéralement en tant que patron devant les spécialistes étrangers, surtout lorsque, un an après, ils apprennent par *le Canard enchaîné* qu'il s'agit là d'un mensonge éhonté. Je dois dire que j'ai rencontré plusieurs industriels étrangers qui avaient suivi avec attention la prestation de Jacques Calvet à la télévision et qui ont été sidérés de l'entendre tenir de tels propos, illustration vivante de tous les griefs relatifs à la présence des grands corps dans l'industrie.

Le conflit social qui a éclaté à l'intérieur du groupe PSA à l'automne 1989, consécutif au refus de Jacques Calvet de dialoguer avec les partenaires sociaux, leur paraît également relever d'une mentalité inqualifiable, bien pire que le paternalisme d'un Michelin.

En effet, l'un des principaux griefs adressés aux grands commis de l'État, c'est leur désintérêt à l'égard de la rentabilité du capital, leur faible implication aux résultats, leur indifférence aux problèmes sociaux, le fait de ne pas se sentir directement concernés par le sort de l'entreprise, leur tendance à rester extérieurs, en gardant la possibilité de se replier dans un endroit abrité, si les choses vont trop mal pour l'entreprise.

Lorsque enfin ils semblent se passionner pour les jeux d'argent, la rumeur prétend que ce n'est pas toujours pour la bonne cause et que, là aussi, ils sont victimes de leur penchant pour les spéculations théoriques.

Ainsi, même quelques grands patrons pourtant issus du sérail n'hésitent pas en privé à en dénoncer les effets pervers. Ils stigmatisent, en particulier, le danger que font courir à certaines entreprises d'anciens hauts fonctionnaires qui s'amusent comme des petits fous à jouer à une sorte de Monopoly industriel, fondé sur le principe des joint-ventures. Ceux-ci vendent et rachètent des entreprises selon un rythme effréné. Dans divers cas de figure, ces tractations commerciales ne tournent pas toujours à l'avantage des entreprises françaises. Mieux vaudrait, selon nos censeurs étrangers, qu'ils essaient plutôt de développer de nouvelles activités ou optent pour la diversification ou d'autres opérations tout aussi valables mais moins amusantes intellectuellement. Dommage !

Une histoire exemplaire

Je n'ai pas vérifié si le secteur du papier est encore considéré comme sinistré ou tout au moins comme très vulnérable. J'ai en mémoire quelques dépôts de bilan dramatiques, mais, concernant l'entreprise dont il va être ici longuement question, je ne garde aucun souvenir. Peut-être s'agissait-il d'une trop petite affaire ou bien les choses se sont-elles passées en douceur, sans licenciements spectaculaires. Néanmoins, l'exemple authentique que rapporte l'industriel allemand Frantz Ferdinand Kufferath a ceci d'exemplaire qu'à lui seul il permet de repérer un certain nombre d'erreurs qu'un homme de métier, un vrai patron moderne, motivé, vivant près de son entreprise au lieu de la diriger de loin (pratique courante chez nos grands patrons qui gèrent à partir de leur siège parisien), n'aurait probablement jamais commises. Du moins est-ce l'opinion de celui qui reconnaît avoir fait une excellente affaire sans beaucoup d'efforts et de mise de fonds. Sa chance est d'avoir été un véritable spécialiste et d'avoir pu profiter d'une opportunité qu'il prévoyait depuis longtemps, qui lui a été quasiment servie sur un plateau. Ainsi se vérifie le fameux aphorisme « le malheur des uns fait le bonheur des autres ».

300

Issu de cette grande bourgeoisie industrielle éprise de tradition et de culture qui considérait comme normal de faire apprendre le français aux enfants par une gouvernante française à demeure, Frantz Ferdinand Kufferath, la quarantaine distinguée et l'allure un peu frêle et sensible d'un intellectuel, ne ressemble pas à l'image d'Épinal du patron germanique, massif et ventru, grand amateur de bière et lecteur assidu du *Bild Zeitung*. Après de solides études d'économie et une bonne culture générale, une parfaite maîtrise de l'anglais et du français, il rejoint cependant l'entreprise familiale, de même que l'avaient fait avant lui son père et ses aïeux depuis plusieurs générations.

La première fabrique fut créée en 1782 ; depuis, elle est toujours restée entre les mains de la famille. Les usines furent détruites pendant la guerre. Après 1945, son père, aidé par ses ouvriers, reconstruisit de ses mains les bâtiments et repartit presque à zéro. Par certains côtés, ce patron moderne qui envisage d'implanter d'ici peu une usine au Japon est resté très paternaliste et paradoxalement très attaché à son clocher à l'instar de beaucoup d'Allemands. Ainsi, s'il doit engager un ingénieur, à compétence et diplômes équivalents, il préfère engager un natif de la région qui connaît les dialectes et les coutumes locaux pour faciliter son acceptation par les ouvriers.

Entré dans l'entreprise familiale où il a fait son apprentissage dans les différents services, il est ensuite devenu représentant pour parfaire sa connaissance de la clientèle. Très tôt, il s'est tourné vers l'exportation, mais c'est surtout le marché français dont la pénétration a cependant été extrêmement lente et difficile qui suscitait sa convoitise dès les années 60 : « Au début, je me suis cassé le nez parce que les Français ne voulaient pas acheter allemand ; c'était loin, ils avaient peur ne pas avoir des services après-vente, etc. J'ai donc pris le temps nécessaire pour bien étudier le marché français et comprendre comment étaient constitués les réseaux commerciaux des sociétés locales. J'ai constaté que les agents commerciaux n'avaient aucune formation technique mais vendaient presque en circuit fermé à l'intérieur d'un réseau amical. J'ai donc décidé d'adopter une stratégie très pointue, en faisant appel à leur raison par une approche très technique.

« Pour avoir des gens opérationnels des deux côtés, j'ai donc embauché des ingénieurs alsaciens parfaitement bilingues pour les envoyer prospecter le marché français. En tant que Français présentant du matériel allemand, ils recevaient un bien meilleur accueil que s'ils avaient été allemands. En tant qu'ingénieurs, ils pouvaient intéresser à partir de démonstrations techniques. Cette approche était bien plus convaincante que les arguments commerciaux des Français. Dans la mesure où c'étaient des ingénieurs français venus sur place pour vendre, installer, expliquer, les gens n'ont plus pensé qu'ils achetaient allemand ; ils n'ont plus eu peur de la distance et d'un mauvais service après-vente. J'ai bien réussi ma percée. Dix ans après, le marché intérieur avait perdu cinquante pour cent parce que les Français, repliés sur l'Hexagone, ne s'étaient pas rendu compte que les produits étrangers étaient entrés bien avant l'officialisation du Marché commun.

« La société que j'ai rachetée il y a deux ans représentait alors mon principal concurrent. Au moment où je l'ai reprise, cette société, qui faisait partie du groupe Tréfimétaux et de la CGE, était sur le point de déposer son bilan. Elle était alors dirigée depuis quelques années par un polytechnicien qui précédemment avait été directeur de la section de contrôle des prix au ministère des Finances. C'était un monsieur extrêmement bien élevé et intelligent comme le sont ces gens-là. Mais il ne connaissait rien à l'industrie. A mon arrivée, j'ai pu constater que cette société était " véritablement administrée ". Comme elle faisait partie d'un grand groupe, on avait jugé nécessaire de donner à cette entreprise des structures très strictes.

« L'état-major siégeait à Paris, dans des bureaux de prestige loués très cher, alors qu'en province la société disposait de très beaux locaux qui restaient inoccupés. La direction ne se déplaçait que brièvement deux, trois fois par an. Le directeur général consacrait une grande partie de son temps à contrôler cet appareil administratif très lourd, ce qui le rendait incapable de répondre rapidement aux besoins du marché qui exige des réponses immédiates. Dans cette société, la tâche de chaque employé était définie avec précision. Pour l'essentiel, la communication se faisait sous forme de rapports rédigés selon un modèle inspiré en droite ligne de l'administration. Par contre, au moment des négociations relatives au rachat, j'ai constaté chez les dirigeants une méconnaissance totale de l'évolution du marché et de la clientèle.

« Un vrai chef d'entreprise, lui, juge indispensable de connaître l'évolution du marché, la manière dont se comportent les vendeurs, le produit, les besoins de la clientèle, etc. Par contre, dans une société administrative, on juge superflu de faire attention à tous ces détails qui sont du ressort du directeur du marketing ou du directeur commercial, mais pas du directeur général ou du président. Le secteur technique et tout ce qui relevait du renouvellement des machines et de la modernisation des procédés dépendaient d'un centralien axé sur un plan de développement fixé de façon théorique une fois pour toutes.

« Or, à cette période, la fabrication du papier connaissait une véritable révolution technologique. Partout, on remplaçait le procédé des " toiles " (il s'agit de sortes de moules) en bronze par des " moules " en toile synthétique. Ceci entraînait un changement radical du matériel de production. Mais cette administration était tellement figée qu'elle a décrété que le synthétique ne la concernait pas, sous prétexte que la spécificité de sa fabrication était et resterait la toile métal, produit davantage en concordance avec la vocation métallurgiste du groupe Tréfimétaux.

Cette décision leur a fait perdre, en très peu de temps, la quasi-totalité du marché français à l'avantage de la concurrence suédoise et allemande, et en particulier de ma société.

En même temps, ce qui est navrant, c'est que ces ingénieurs des grandes écoles s'étaient montrés très inventifs, mais en pure perte. Ils disposaient cependant d'un appareil de production très valable pour lequel ils avaient mis au point des solutions techniques impeccables. Mais ils n'avaient rien modernisé à cause de cette mentalité complètement inadaptée aux lois du marché. Ainsi, ils avaient perdu un temps fou à essayer d'améliorer des machines dont dix ans auparavant je connaissais les limites et l'incapacité à produire les nouvelles trames de papier moderne. Les problèmes de communication au sein du groupe étaient tels que personne n'osait dire : changeons de cap ou c'est la mort ! N'importe qui peut se tromper, mais avec un vrai patron, présent, accessible, on rectifie vite. Alors que là c'était impossible.

« Ainsi cette entreprise, qui, vingt ans auparavant, avait été

303

l'une des premières dans son domaine, a périclité lentement à cause d'une direction qui n'avait aucune intuition du marché. Bien entendu, ils ont fait réaliser des études de marché par des organismes extérieurs, mais aucune ne remplacera jamais le contact direct du patron avec le marché. Quand je l'ai reprise, elle n'avait plus que cinq pour cent du marché français alors qu'elle en avait détenu plus de la moitié.

« Les dirigeants constataient les pertes, mais leur esprit administratif les rendait incapables de réagir. A un moment, ils ont changé de directeur général. Le polytechnicien qui était là depuis très longtemps a pris sa retraite et a été remplacé par un autre X, transfuge du ministère des Finances. Mais déjà les meilleurs vendeurs étaient partis chez la concurrence. Seul restait l'état-major parisien constitué d'ingénieurs issus des grandes écoles...

« Sous prétexte qu'ils connaissent les mathématiques, les membres de ces grands corps sont terriblement dédaigneux envers les industriels qu'ils méprisent et assimilent à des sortes d'épiciers en gros, n'ayant comme seule préoccupation que l'argent, comme seule ambition le plaisir de ramasser des gros sous. A chaque fois que je les rencontrais, je sentais s'accroître leur mépris car je tenais absolument, avant de signer, à faire un inventaire très précis pour évaluer l'entreprise au plus juste. Mon objectif, en négociant, était bien entendu de l'acquérir au meilleur prix, mais celui que j'ai obtenu a largement dépassé mes espérances. Très vite, j'avais en effet compris que mes interlocuteurs (y compris le directeur de la CGE, qui chapeautait l'ensemble du groupe), n'avaient qu'un désir : se débarrasser au plus vite d'une boîte qui faisait des pertes. J'ai donc négocié de telle façon que je l'ai reprise pour une somme dérisoire. Mais le comble, c'est que j'ai obtenu tous les produits en stock dont ils ne savaient que faire, et cela pour une bouchée de pain. Il m'a suffi de prétendre que ces produits étaient invendables, car démodés, pour qu'ils me les cèdent pour une somme ridicule sans discuter ni vérifier l'exactitude de mes propos. N'importe quel professionnel aurait vu que cette marchandise était tout à fait valable. Avec les seuls bénéfices obtenus par leur revente, j'ai pu renflouer la trésorerie. En moins d'un an, l'entreprise refaisait des bénéfices et j'ouvrais de nouveaux marchés en Europe.

« La différence avec ma société est flagrante et justifie la disparité de performance. Nous sommes situés entre Cologne et Aix-la-Chapelle. L'usine et le siège sont dans le même site. Ma maison se trouve presque en face de l'usine. Donc toujours une communication directe, en face à face. Même l'usage du téléphone est réduit. Très peu de dépenses de transport et donc des frais de gestion réduits. Je préfère aussi des réunions brèves et fréquentes, suivies d'une décision rapide, sans presque jamais de compte rendu écrit. En reprenant cette société, j'ai aussitôt liquidé la direction générale, fermé le siège parisien et installé une nouvelle direction dans les bureaux près de l'usine. J'ai choisi, parmi les cadres moyens, un directeur sans diplômes prestigieux, mais très compétent et surtout originaire de la région. J'ai pu constater que les techniciens de l'usine avaient beaucoup d'idées sur la façon d'augmenter la flexibilité de la production, de répondre aux besoins du marché, mais on ne leur avait jamais demandé leur avis...

« Quand j'ai racheté la société, j'ai mis chacun devant ses responsabilités en individualisant les objectifs. Et les résultats ont été formidables. Maintenant, les gens sont fiers de travailler ici, car j'ai donné une justification à leur travail. »

En résumé, ce que nous fait comprendre cet industriel, c'est qu'il y a deux coupables à cette faillite dont il est l'heureux bénéficiaire : l'État et ses épigones en qui il place une confiance excessive. En effet, en envoyant ses serviteurs, qui ont fait leurs classes dans l'administration, jouer les pompiers ou les redresseurs d'entreprises en péril dans des secteurs plus ou moins fragilisés, l'État commet un grave impair, particulièrement coûteux pour l'économie française. Sans extrapoler, on peut cependant se demander combien d'entreprises ont été ainsi sacrifiées par négligence.

La deuxième remarque intéressante, c'est l'hommage rendu spontanément, en passant, par ce patron allemand au personnel de son usine ; c'est aussi la confiance dont il a su faire preuve envers un bon technicien, à qui il n'a pas craint de confier des responsabilités que ce dernier n'aurait probablement jamais obtenues avec une direction française traditionnelle. Bien sûr, l'usine est sous la tutelle des ingénieurs et des gestionnaires allemands, mais n'est-ce pas l'amorce de l'Europe véritable ?

2. Nos autres patrons ont-ils meilleure presse ?

Heureusement pour elle, la France possède aussi des entreprises privées importantes, qui prospèrent sous la houlette de cadres dirigeants dynamiques, parfois formés dans des universités américaines et qui constituent le fer de lance de la modernisation de l'industrie française.

Les étrangers sont quand même assez objectifs pour établir les distinctions qui s'imposent entre les salariés sortis des grandes écoles élitistes et les ingénieurs qui ont eu le courage de créer leur propre affaire. Ils savent aussi qu'il y a en France une nouvelle génération de brillants self-made men qui ont également créé des entreprises ou redonné vie à des sociétés en difficulté.

Les noms et les exploits de certains de nos patrons de choc, dont la carrure et le charisme valent bien ceux de certains dirigeants étrangers, commencent à être connus hors de nos frontières. Les anciens, François Michelin, Paul Ricard, Antoine Riboud, feu Marcel Dassault, ont trouvé de dignes successeurs. Citons parmi les plus connus à l'étranger : Vincent Bolloré, Bernard d'Arnault, Dominique Perrin, le dynamique patron de Cartier, Laurent Boix-Vives, le non moins génial patron des skis Rossignol, qui a fait de sa marque le numéro un mondial, Jean-Paul Bücher, le patron de la chaîne de restauration Flo Prestige qui compte désormais *la Coupole* parmi ses prestigieuses brasseries, et même Bernard Tapie dont la réputation d'entrepreneur talentueux a franchi les frontières non pas parce que le nom de ses sociétés ou d'un de ses produits est sur toutes les lèvres, mais parce qu'il est l'un des seuls patrons français dont le pragmatisme tous azimuts semble familier aux étrangers.

Il faut pourtant reconnaître que peu de noms français, mis à part celui de Dassault, atteignent le rayonnement international d'un Carlo De Benedetti, d'un Luciano Benetton, d'un Lee Iacocca, d'un Robert Maxwell ou d'un personnage devenu aussi mythique que Steve Job, le créateur d'Apple.

Cela étant, la France étant la première à se plaindre de l'aspect vieillot d'une partie de son tissu industriel, certains étrangers ont un peu tendance à extrapoler et à en déduire que bon nombre de nos patrons de PME et de PMI ne sont pas à la hauteur.

Le goût du risque ne passant pas pour être une vertu cardinale des lauréats des grandes écoles, réputés plutôt avides de sécurité, de statut social et de pouvoir, les étrangers se demandent qui, parmi les Français compétents et aptes à réussir grâce à un bon *background* universitaire, se sent assez marginalisé pour oser affronter un projet aussi fou qu'une création d'entreprise. Il est vrai également qu'ils ne connaissent pas non plus tous ceux qui ont franchi le pas, encore que la réputation de quelques informaticiens français commence à être connue au loin ; certains étant même sollicités par les Américains. Mais c'est un peu l'exception qui confirme la règle. De toute façon, nul n'a jamais nié la grande intelligence technique des ingénieurs français. Le principal reproche qui leur est adressé étant plutôt de manquer d'audace, d'ambition, de ne pas agir comme les Américains qui, à la sortie de l'université, sont bien plus nombreux à tenter leur chance en créant aussitôt après une entreprise.

Compte tenu du statut de parent pauvre longtemps réservé à l'enseignement technique, l'image des patrons de PME et PMI n'est pas encore devenue aussi excellente qu'elle le devrait, à supposer qu'ils le méritent.

On reproche à beaucoup de ces patrons de trop fabriquer pour le marché français, de ne pas d'emblée penser « international » et d'attendre trop longtemps avant d'aller vendre à l'extérieur. Mais, surtout, beaucoup de ces patrons, qui manquent de formation, n'investissent pas suffisamment dans la recherche. Ils manquent trop souvent de vigilance ; ils s'endorment facilement sur leurs succès en laissant vieillir leurs produits, faisant par là même le jeu de la concurrence étrangère. Par manque de culture scientifique, par crainte du risque, ils refusent trop souvent des brevets mis au point par des jeunes très inventifs qui sont contraints de s'exiler pour vendre leurs idées.

Même les responsables de l'innovation du ministère de la Recherche et de l'Industrie ne sont pas assez ouverts à des inventeurs isolés.

Aux États-Unis, il existe une profession très particulière : des chasseurs d'innovations, on les appelle des « scouts ». Payés par des industriels, ils sillonnent le continent pour trouver des idées ingénieuses applicables dans différents domaines.

Par contre, l'un de nos grands problèmes reste que les patrons d'entreprises privées ne prennent jamais des initiatives de ce genre. Ils préfèrent attendre une fois de plus que l'impulsion vienne de l'État, comme l'explique le journaliste britannique John Ardagh[1] :

« L'état de la recherche scientifique française est très inégal, ce qui provoque une forte dépendance envers les compétences étrangères. De surcroît, l'impulsion vient à la fois de l'État et des entreprises privées. Toutefois, bien que l'État ait, lui, engagé beaucoup d'argent dans la recherche (en grande partie pour des raisons militaires), peu nombreuses restent les entreprises privées qui investissent suffisamment pour se maintenir au niveau de leurs concurrents étrangers. La " balance des brevets " française est largement déficitaire : c'est ainsi que pour un brevet vendu aux États-Unis la France leur en achète quatre. »

Historiquement, elle est pourtant à l'origine de bien des découvertes scientifiques, mais son problème a toujours été de ne pas savoir relier la recherche pure, l'innovation pratique et l'application industrielle. Jusqu'à une date récente, d'ailleurs, l'opinion publique considérait que la découverte se suffisait à elle-même... Une telle attitude peut être résumée en une remarque que j'ai entendue autrefois d'un Français rétorquant à un Américain : « Non, nous n'avons pas de lait pasteurisé en France, mais nous avons Pasteur. »

Une des autres grandes difficultés pour remédier à ce problème, c'est qu'il existe trop peu de passerelles entre la recherche pure et l'industrie, comme nous l'avions déjà dénoncé dans le chapitre sur l'école et comme le signale également John Ardagh qui poursuit, en s'en prenant plus particulièrement aux chercheurs de gauche (ce qui tendrait à prouver qu'il a trop fait confiance à des informateurs de droite) : « Les chercheurs français purs et durs, généralement de gauche, vivent dans des tours d'ivoire et, s'ils ne méprisent plus l'industrie privée et ses besoins, ne sont guère soucieux de se " salir les mains " en appliquant concrètement leurs connaissances... Se préoccuper des

---

1. John Ardagh, *Ces drôles de Français,* Belfond, mars 1989.

applications de la science étant jugé, plus ou moins consciemment, déshonorant. »

Ce qu'il oublie de dire en passant, mais peut-être l'ignore-t-il, c'est que certains chercheurs titulaires d'un doctorat, qui aimeraient quitter la recherche, sont bien souvent refoulés par le secteur privé. Les laboratoires pharmaceutiques, par exemple, leur reprochent une approche trop théorique, un rythme de travail trop lent, des motivations très ambiguës à l'égard des recherches qui leur sont confiées. Ils quittent la recherche pour gagner davantage, mais éprouvent des difficultés à accepter la mentalité du privé et passent pour mépriser l'usage qui est fait de leurs travaux. Certains laboratoires les acceptent mais à condition qu'ils repassent certains examens, clause qui les décourage de poursuivre. Cette petite parenthèse, dont j'ai pu vérifier la véracité à travers des études réalisées pour le compte de laboratoires pharmaceutiques, montre que le refus de passerelle existe des deux côtés, ces deux mondes n'étant pas encore habitués à se fréquenter malgré tous les efforts officiels.

Il semblerait aussi que les subventions de recherche, auxquelles sont soumises certaines entreprises dans le cadre d'une politique de collaboration avec les universités, n'arrivent jamais à destination et soient utilisées à d'autres fins, comme ont eu l'occasion de le constater certains chercheurs et enseignants étrangers. Ainsi, force leur est d'admettre que les blocages existent des deux côtés, tout ici se résumant à des questions de politique et de magouille.

Dès lors, rien d'étonnant à ce que la France dépose moins de brevets que ses grands rivaux et que les entreprises qui consacrent peu de moyens à leurs services de recherche soient contraintes de solliciter des aides étrangères.

C'est donc plutôt dans le domaine de la haute technologie et des industries de pointe que les Français ont la réputation d'accomplir des merveilles. C'est surtout aux petites unités qui ont jailli depuis une dizaine d'années dans la Silicon Valley française, entre Toulouse et Grenoble, que revient le mérite de redorer le blason de la France.

Il y aurait encore bien des choses positives à dire sur les patrons français, mais, présentement, ce n'est pas l'objectif qui consiste plutôt à traquer les failles et ce qui permet de comprendre pourquoi la France ne va pas mieux. Or, même si du côté des entreprises privées, petites et moyennes, des imperfections subsistent, c'est en quelque sorte secondaire. Les étrangers sont plutôt optimistes de ce côté-là. Le vrai problème se situant pour eux au sommet.

3. EN CONCLUSION :
DES PATRONS D'UNE RENTABILITÉ CONTESTABLE

Tout compte fait, il n'y a qu'une race de dirigeants que les étrangers, toutes origines et formations confondues, vomissent littéralement : ceux que nous continuons à considérer comme notre élite, à savoir les membres des grands corps de l'État. Depuis quelques années, ils sont partout, effectuant une véritable razzia sur les postes à haute responsabilité, tant dans le secteur des entreprises nationales et privatisées que dans les sociétés privées où ils sont de plus en plus nombreux à pénétrer en rangs serrés.

Selon les étrangers, il y aurait, du fait de leur influence, une réelle spécificité des entreprises françaises. Leur organisation frappe par un caractère administratif, la lenteur du processus de décision, le poids d'un certain type de rapports hiérarchiques très formel et sclérosant dont les représentants des grands corps de l'État sont d'après eux les responsables. Mais tout ceci, mentionné en passant, ne fait pas à proprement parler l'objet de cet ouvrage. En revanche, ce qui nous intéresse au premier chef, c'est plutôt l'image des grands patrons français et des conséquences directes induites, aux yeux des étrangers, par un mode de recrutement qui est également une des singularités de notre système.

D'entrée de jeu, il faut le dire, l'image de nos patrons est globalement déplorable. Les étrangers se livrent sans le moindre scrupule ni la moindre hésitation à une remise en cause, pour ne pas dire à un dénigrement systématique de leur compétence.

Nous n'avons pas les données pour vérifier si oui ou non nos patrons sont réellement moins compétents que leurs homologues étrangers. Mais, à la limite, peu importe, car en réalité les faits sont secondaires par rapport à l'image dont la connotation est terriblement négative. En d'autres termes, ce préjugé contribue à jeter un discrédit sur la France et lui confère une singularité dont elle pourrait se dispenser.

Une mauvaise image au plan international

Il est vrai que certains de nos compatriotes sont conscients de ce discrédit. En témoignent les travaux du sociologue Michel Crozier [1] et de son équipe qui contestent qu'un diplôme soit la garantie de compétence professionnelle, et qui interpellent l'État sur le trop de confiance accordé aux formations polyvalentes.

Il est très intéressant de noter que la majorité de nos interviewés ne connaissent pas ces textes, mais se fondent pour justifier leurs critiques sur des expériences vécues ou sur la réputation des patrons français dans le milieu des affaires internationales.

Nous devons savoir que, dans ce contexte, presque tous nos patrons partent d'office avec le handicap de ne pas être réellement pris au sérieux et de voir leurs compétences suspectées.

A travers les propos des patrons étrangers interviewés ou de leurs hommes d'affaires, il apparaît que ce discrédit de principe joue à plein, y compris sur le plan financier et sur les enjeux des négociations. En effet, pour un patron étranger, très souvent actionnaire de sa société, motivé au premier chef par la réussite de son entreprise, un grand patron français est peu crédible. Nos élites courent peu de risques, sinon d'être dégommées avant la fin de leur mandat ou de rater une nomination plus prestigieuse.

N'étant ni actionnaires, ni concernés personnellement par les résultats, ni pénalisés pour les erreurs commises, nos grands commis peuvent toujours s'abriter derrière le flou des décisions collégiales, se montrer indifférents à l'égard des petits bénéfices et négliger bien des choses qu'ils estiment secondaires alors qu'un vrai patron les considérerait comme importantes. Ainsi, lors des achats de sociétés et dans le cadre des discussions liées à l'attribution de marchés, pourtant d'une importance capitale pour certains secteurs de l'industrie française, ils sont jugés comme des proies faciles, des négociateurs de bas échelon, car globalement

---

1. *Le Débat* n° 53, janvier-février 1989.

moins motivés. Aux dires des étrangers, leur mollesse dans le cadre des transactions en témoigne clairement.

Leur manque d'expertise et d'implication au résultat, leur possibilité de repli sur leur corps d'origine en font des patrons à responsabilités partielles, chose qui, selon les étrangers, doit revenir très cher à l'économie française. Ces retombées, impossibles à chiffrer, ne sont pas anodines. Les exemples cités en donnent d'ailleurs un aperçu. De toute façon, contrairement à d'autres pays tels que les États-Unis ou la RFA, il serait jugé, en France, inconvenant de rémunérer les grands patrons en fonction du chiffre d'affaires[1], à cause de cette attitude distante qu'ils entretiennent à l'égard de l'argent et qui découle directement de leur formation. Car si la France a laissé tomber de nombreux tabous autour de l'argent, certains grands patrons semblent ne pas avoir été touchés par cette remise en question, et semblent se soucier peu de la réussite économique de leur entreprise. D'où une image de déresponsabilisation due aussi à l'interférence de l'État sur le terrain des affaires.

Même si la France s'est longtemps tenue à l'écart du capitalisme sauvage et qu'il est des francophiles déçus, tel le journaliste allemand Lothar Baier, pour lui reprocher de glisser subrepticement vers un thatchérisme honteux, ces critiques restent fondées quelles que soient les idéologies auxquelles la France se réfère. Dans tous les cas de figure, il serait préférable que l'image de l'entreprise France à l'étranger ne pâtisse pas à ce point du discrédit de nos grands patrons.

A la décharge de ces derniers, les étrangers reconnaissent que le contexte d'arbitraire politique où se jouent les nominations et les destitutions ne contribue pas à améliorer cette image, mais au contraire renforce encore leur statut d'hommes de paille ou de fonctionnaires. C'est donc la totalité du système qui engendre là aussi des effets pervers tant dans les faits que dans les représentations. En effet, comment acquérir des compétences à la hauteur de telles responsabilités quand on dispose d'un laps de temps trop court, alloué par un système qui ne fait confiance qu'à la polyvalence et sous-estime l'expertise ?

---

1. C'est peut-être en train de changer, comme le prouvent les gains et intéressements de Jacques Calvet. Mais on ne le saura que par hasard et dans longtemps !

Une mauvaise image au plan intérieur

Vu de l'intérieur, leur profil ne correspond pas davantage à celui de véritable patron. En effet, personne n'imagine que leur formation leur donne la dimension charismatique et l'énergie correspondant à l'étoffe dont sont faits les vrais chefs d'entreprise chez qui on s'attend à trouver à la fois des qualités de gestionnaires mais aussi de meneurs d'hommes.

Ceci va loin et suppose qu'on leur dénie la capacité à avoir une prise réelle et concrète sur l'environnement humain et sur les enjeux psychologiques d'une entreprise. A titre d'exemple éclairant, un conseil en communication étranger rapporte qu'au début de l'ère socialiste il a eu l'occasion de participer à un audit interne et externe réalisé pour le compte d'un de nos très grands patrons actuels. Ce patron fut fraîchement parachuté à la tête d'un groupe industriel situé dans un secteur sinistré où il avait à résoudre à la fois des problèmes humains dramatiques et des dysfonctionnements économiques exigeant des mesures drastiques. Les employés de cette entreprise, ainsi que tout le corps social alentour, s'attendaient à une visite immédiate du patron, à l'instauration d'un dialogue direct qui aurait permis une approche plus sensible des problèmes et une entrée de plain-pied dans la vie de la région. Bien vainement, puisque ce patron avant de prendre un bref bain de foule a préféré déléguer à un organisme extérieur la tâche délicate de prendre la température locale, de mesurer les attentes afin de répondre à ces interlocuteurs en terrain balisé avec l'appui d'un bon dossier. Bien plus, ce patron, à qui l'on reproche d'être tatillon, peu enclin aux contacts directs, n'a pas daigné s'investir dans le dialogue social que les élus locaux attendaient avec impatience, mais s'est effacé derrière une politique de communication sans âme élaborée par d'autres. Cela lui a permis de gérer à distance et de s'épargner des affrontements d'homme à homme. La coloration politique du gouvernement responsable de la nomination de ce monsieur ne laissait pas prévoir un tel comportement qui, selon notre témoin, a un rapport de causalité direct avec le désaveu que les électeurs lorrains ont manifesté envers la gauche en 1986.

313

Au vu des divers exemples qui émaillent ce chapitre, force est d'admettre que les réactions négatives des étrangers ne sont pas seulement la conséquence de rumeurs infondées, même si l'on peut soupçonner certains jugements de découler d'extrapolations un peu hâtives.

Selon les observateurs étrangers, le mode de recrutement et de fonctionnement de ces « patrons mandarins » ne peut avoir qu'une influence néfaste sur l'attitude des Français au travail, le dynamisme du pays. Est-ce à dire que tous les reproches à l'encontre de la société France découlent en réalité du système de sélection des élites dirigeantes ?

Pas seulement, il y a encore plus grave : la défaillance des motivations engendrée par un tel système.

Chapitre VIII

LA FRANCE AU TRAVAIL :
UN PAYS QUI A PERDU SES MOTIVATIONS

Aux différents symptômes identifiés par les observateurs étrangers à la recherche des causes persistantes du mal français, il s'en ajoute un ultime, selon eux le plus grave, qui est en même temps la résultante logique et inévitable de tous les autres. En tout cas celui qui permet peut-être d'expliquer le mieux les raisons psychologiques du marasme dont l'économie française a longtemps été tributaire, ainsi que la manière très contestable dont se comporte encore maintenant la France au travail.

Dans une période où la balance commerciale est en plein rééquilibrage, où l'on assiste à une reprise des investissements, où divers signes indiquent une relance et même une nette amélioration de l'économie française, il peut paraître déplacé, ou tout au moins malvenu, de faire état des critiques formulées par les étrangers à l'égard de la façon de travailler des Français.

Il est vrai qu'au moment où je terminais la dernière phase d'interviews, soit aux alentours de décembre 1988, la presse n'avait pas encore fait état de ces nouvelles optimistes qui, *grosso modo,* datent de la fin du premier semestre 1989.

A maints égards aussi, cette amélioration passagère, dont nul ne peut encore dire avec certitude qu'elle est définitive, ne rend pas caduque l'analyse des étrangers dont la pertinence va bien au-delà de ces quelques indices.

Car, en mettant l'accent sur un des maux fondamentaux de la société française, leur analyse nous permet de comprendre en partie pourquoi cette reprise qui a tant tardé à venir demande à être consolidée avant de pouvoir être considérée comme durable.

En étudiant la France au travail, en s'interrogeant sur les différents facteurs qui longtemps ont empêché la France d'être aussi performante et surtout aussi dynamique que bien des pays occidentaux, nos observateurs étrangers nous proposent une explication qui repose sur la mise en évidence de trois facteurs déterminants :

– la défaillance des motivations pour une partie importante de la population ;

– l'absence en France du moindre rêve fédérateur, capable de mobiliser les énergies et auquel la majorité auraient le droit et la possibilité de se raccrocher ;

– une organisation du temps défectueuse qui la dessert considérablement dans le cadre de la société postindustrielle.

1. LA DÉFAILLANCE DES MOTIVATIONS

A l'assaut d'un mythe mensonger

Depuis quelques années, il est de bon ton dans notre doux pays de stigmatiser la France paresseuse. Cette France, mise à l'index dans un bel élan consensuel par nos dirigeants et nos penseurs médiatiques, est surtout celle des salariés sans gloire que nos élites accusent d'être en grande partie responsables tant des performances médiocres ou décevantes de certains secteurs économiques que de la mauvaise image de l'entreprise France à l'étranger. Pour nos élites, nul doute que si, malgré leurs efforts, la France demeure en dessous de ses potentialités et ne parvient pas à atteindre des résultats comparables ou supérieurs à ceux des pays qui lui servent de modèles, c'est d'abord parce que la masse des Français manque de courage et rechigne à travailler.

Cette paresse endémique, dénoncée pour stimuler la nation, apparaît aux observateurs étrangers comme une stratégie erronée car découlant d'un mythe mensonger qu'ils ne peuvent s'empêcher de réfuter d'entrée de jeu. Ils ont en effet pressenti que le mythe de la France paresseuse repose sur des comparaisons faussées et arbitraires avec d'autres systèmes de travail, qui ne prennent pas en compte des différences culturelles ou socio-économiques pourtant fondamentales.

En effet, l'affirmation péremptoire de la paresse française a beau s'étayer sur de nombreuses données chiffrées (taux d'absentéisme élevé conjugué à cinq semaines de congés payés et à des journées de travail perdues pour cause de grèves, de ponts, etc.), soit autant d'éléments visant à prouver la faible implication des Français au travail, les étrangers restent dubitatifs devant cette interprétation.

Ce mythe, véhiculé en France depuis quelques années, semble s'être incrusté dans l'inconscient collectif. Désormais, tout se passe comme si la catégorie de population visée par cet aphorisme l'avait intériorisé comme une vérité incontestable, alors que les étrangers y voient une construction imaginaire, d'une extrême malveillance, édifiée en quelque sorte à des fins idéologiques dont la plus évidente est de masquer des défaillances structurelles autrement plus graves. Mais, grâce à cet « alibi écran », nos élites, à l'origine de cette trouvaille, peuvent continuer à prospérer en paix. Le meilleur moyen d'éluder certains problèmes étant, semble-t-il, de les déplacer sur des boucs émissaires, contraints, par la force des choses, d'assumer ce rôle. Sinon comment expliquer la passivité des Français concernés par un jugement moral aussi dévalorisant et qui n'a d'ailleurs cours qu'à l'intérieur de l'Hexagone ?

C'est pourquoi les étrangers s'insurgent contre cette assertion où ils pressentent un caractère pervers et antisocial.

Non pas que les étrangers manifestent une admiration béate devant la France au travail. Loin de là. Les critiques sont nombreuses et articulées autour d'exemples précis. Tout d'abord, ils jugent les Français peu productifs, ensuite ils critiquent sans ménagement le manque de fini de certains articles et la maladresse avec laquelle les Français bradent le label « made in France » dont ils sont, par ailleurs, si fiers. Ils leur reprochent aussi de ne pas respecter les délais, de manquer de souplesse commerciale. Ces multiples notations prouvent qu'ils les ont observés assez attentivement pour faire la part des choses et bien distinguer ce qui fonctionne bien de ce qui fonctionne mal.

En conséquence, s'ils rechignent à adhérer à un constat si peu nuancé c'est, d'une part, parce que ce jugement pose une vérité qui fait l'impasse sur une recherche de causalité et, d'autre part, parce qu'il émane de l'élite du pays, ce qui le rend *a priori* suspect. Autrement dit, tout se passe comme si, au lieu de considérer qu'une telle attitude résulte de blocages qu'il faudrait résoudre au plus vite, nous choisissions plutôt de les bétonner davantage, en enfermant délibérément les travailleurs concernés dans un jugement moral qui vise autant à les infantiliser qu'à les inhiber en les inférorisant encore plus.

Pour les étrangers, il est clair qu'un tel jugement a comme conséquence redoutable de scinder la France en deux. D'un côté la « bonne France », celle qui travaille et s'arroge le droit de clamer sa supériorité à travers des jugements moraux. De l'autre, la « mauvaise France » accusée de vivre en parasite, et contrainte d'assumer l'étiquette humiliante dont on l'affuble avec une perversité troublante.

Seuls les étrangers, inscrits dans un autre système de référence, originaires de pays fondamentalement plus démocratiques et moins castrateurs que le nôtre, disposent du recul nécessaire pour y percevoir un sens caché et le dénoncer.

C'est ce qu'explique l'industriel Frantz Kufferath. Ses propos peuvent d'ailleurs sembler paradoxaux car on s'attendrait plutôt à le voir rallier le parti des patrons et non à se désolidariser de la sorte de sa classe sociale. Certes, il n'a rien d'un révolutionnaire. Il raisonne en chef d'entreprise, partisan d'une économie libérale et qui défend ses propres intérêts. Mais son indignation résulte de ce qu'il vit et travaille dans un pays devenu plus démocratique et plus égalitaire que le nôtre : « C'est un cliché qui n'a cours qu'en France. Il s'agit d'un mythe propagé par les patrons contre les ouvriers... L'aptitude au travail, le sérieux, la compétence des ouvriers allemands représentent également un mythe dont on se sert en France pour " dévaloriser " l'image du monde ouvrier alors que dans les faits je constate chaque jour que mes ouvriers français sont aussi experts et fiers de leur travail que mes ouvriers allemands. »

La plupart des étrangers issus de pays réputés très « travailleurs », l'Allemagne, le Japon, les États-Unis, partagent *grosso modo* le même point de vue. Ils déplorent la passivité résignée avec laquelle les Français revendiquent ce qualificatif, quand, confrontés aux « nations d'exception », ils font état de leur complexe d'infériorité ; ainsi, en guise de punition, ils assument avec tristesse et déréliction cette tare comme s'ils étaient seuls coupables du marasme ambiant. Au lieu d'essayer de se justifier, de dénoncer les soubassements idéologiques de cette prétendue paresse, qui mérite d'être relativisée, ils portent en toute humilité le bonnet d'âne dont on les affuble.

W.R. Schonfeld regrette que les Français soient privés à ce point de sens critique pour rester insensibles à une telle manipulation : « Les Français travaillent beaucoup et sont très travailleurs mais ils parlent d'eux-mêmes à un Américain comme s'ils étaient paresseux et que les Américains étaient tous travailleurs. Ils acceptent de croire qu'aux États-Unis on travaille beaucoup plus qu'en France sans s'interroger sur les causes ou l'origine de cette image. En France, je vois des gens extrêmement dévoués à leur travail mais qui se sentent obligés, dès qu'ils entendent mon accent américain, de s'excuser en disant : " Nous, Français, ne sommes pas aussi travailleurs que vous ou les Allemands et les Japonais. " »

A ce propos, certains de nos interlocuteurs citent quelques-uns des clichés qui circulent dans leur pays d'origine et qui sont eux aussi à relativiser. Ce faisant, ils veulent nous faire comprendre la fonction idéologique qui sous-tend l'emploi de tels clichés, même si certains contiennent un fond de vérité.

Ainsi, les Allemands continuent à passer pour très travailleurs des deux côtés du Rhin alors que, dans les faits, ils ont à peu près autant de vacances que les Français, qu'ils travaillent deux heures de moins par semaine et que l'on murmure que leur façon de travailler est à peine plus intensive que celle des Français. Mais il est vrai que la systématisation poussée d'un plus grand nombre de tâches, leur transformation selon des procédures plus performantes améliore l'efficacité de chacun et contrebalance un enthousiasme moindre. L'extrême difficulté à licencier un salarié en RFA impose aussi à l'embauche une sélection plus soigneuse qu'en France. Par ailleurs, les patrons allemands, très conscients de la nécessité de maintenir un climat d'émulation et de confiance, se font un devoir de motiver le personnel, envers qui ils marquent beaucoup d'égards et de considération. Ce n'est pas parce que les ouvriers allemands refusent de faire des heures supplémentaires qu'ils sont pour autant taxés de paresse. Néanmoins, en Allemagne, dans les milieux professionnels, on commence à relativiser le cliché relatif au tempérament travailleur des Allemands.

Un paradoxe qui en dit long sur la société française

Ainsi après avoir rejeté ce cliché franco-français, les étrangers se permettent de souligner un paradoxe qui, selon eux, mériterait toute notre attention.

A savoir, comment se fait-il que dans un pays où tout le monde est soumis à beaucoup d'heures de présence, certains poussent le zèle jusqu'à dépasser de leur plein gré les horaires imposés, sans même exiger une rémunération supplémentaire, alors que d'autres donnent l'impression d'en faire tout juste le strict minimum ?

En d'autres termes, pourquoi certains Français paraissent autant aimer leur travail et travaillent toujours davantage alors que d'autres donnent plutôt l'impression de tout faire pour fuir et boycotter leur boulot et ne sont jamais aussi désagréables que lorsqu'on les rencontre dans l'exercice de leur profession.

Dans certaines corporations, en particulier la fonction publique au sens large, l'administration, la poste, les banques, les assurances, mais aussi les grands magasins, les personnels, à l'intérieur d'une catégorie qui s'étend des employés aux cadres moyens, donnent souvent l'impression de travailler au ralenti, de laisser volontairement traîner des dossiers, de faire preuve d'une évidente mauvaise volonté, d'afficher une mine renfrognée, voire méprisante à l'intention du public qui les sollicite, comme s'ils étaient guidés par un désir de vengeance. Ils semblent éprouver un malin plaisir à mal informer, à décommander un rendez-vous sans préavis, se refusent à donner le plus banal renseignement, *a fortiori* s'il sort un tant soit peu de leurs attributions. Ils commettent des erreurs dans l'indifférence générale et sans songer à s'excuser.

Dans les grands magasins, les vendeurs et vendeuses, le plus souvent d'humeur maussade pour ne pas dire franchement désagréable, semblent peu enclins à aider la clientèle, et se comportent comme s'ils étaient là pour faire acte de présence et non pour servir. Une demi-heure avant la sonnerie qui marque leur délivrance, ils ralentissent avec ostentation leur semblant d'activité et rangent les comptoirs pour filer au plus vite.

Les touristes de passage se plaignent souvent de l'attitude déplaisante et même impolie des vendeurs de grands magasins, comme de bien d'autres Français surpris dans l'exercice de leur travail alors que les mêmes personnes, rencontrées dans d'autres circonstances, se montreront nettement plus sympathiques. Une fois de retour chez eux, les touristes se contentent de signaler que les Français sont des gens très lunatiques, ce qui est un euphémisme. Jonathan T., un banquier anglais qui vit pourtant en France depuis assez longtemps, n'en revient toujours pas. Il déplore que rien ne soit tenté pour remédier à un état de fait qui donne à la France une image désastreuse.

« Il y a une chose qui frappe tous les touristes étrangers, c'est à quel point les vendeurs de grands magasins réussissent à être ou absents ou désagréables. Ils font systématiquement semblant de ne pas comprendre qu'ils sont là pour servir. Je vais souvent à Londres, à New York, à Barcelone, mais j'ai rarement rencontré des gens qui, dans l'exercice de leur profession, se comportent de façon aussi hargneuse. Depuis peu j'ai appris à quel point ces gens étaient mal payés, et n'avaient pas vraiment droit à la considération de leurs chefs. J'en déduis qu'ils se vengent sur la clientèle des mauvais traitements qu'on leur inflige. »

Les étrangers qui ont pénétré à l'intérieur du service public ou de certains établissements nationalisés comme les banques ont pu constater qu'une bonne partie des employés de ces entreprises ne manquaient ni de compétence, ni de qualités humaines, ni d'énergie. Les jeunes semblaient même sympathiques, efficaces, énergiques. Simplement, passé trente-cinq ans, les gens changent d'attitude, de rythme. Progressivement ils se comportent presque en dilettantes, comme si, du jour au lendemain, faire usage de leurs qualités intellectuelles dans l'exercice de leur profession était devenu surperflu. Ils se contentent alors de gestes routiniers et mécaniques, comme si en eux un ressort s'était brisé. Mais paradoxalement, les mêmes personnes une fois dehors se révèlent passionnées par des activités annexes et se montrent parfois d'une énergie débordante sans que cette occupation prenne pour autant un caractère lucratif. En revanche, les absences se multiplient.

Dans bien des cas, l'abus va jusqu'à utiliser les congés de formation à des fins étrangères à la profession. Selon nos observateurs étrangers qui ont étudié la question d'assez près ou qui ont reçu quelques confidences, ce comportement devient surtout manifeste vers la quarantaine. C'est l'âge des déprimes, c'est aussi l'âge où pour survivre certains cadres se découvrent des hobbys. Un ingénieur en organisation d'Arthur Young, chargé d'un audit dans une administration, me racontait qu'un des contrôleurs du service informatique, un personnage très original et très cultivé, avec lequel il s'était lié d'amitié, lui avait expliqué en catimini que son travail l'autorisait à vivre deux vies parallèles. Grâce à un congé formation rémunéré de dix mois, dont personne ne lui avait demandé le but, il avait passé un CAP de cuisinier, ce qui lui confère aujourd'hui un talent de société fort apprécié et autrement plus épanouissant que sa carrière de fonctionnaire. Interrogé sur les raisons de son attitude, il avait déclaré sans ambages qu'étant seulement titulaire d'une licence en droit, il était en quelque sorte parvenu pour l'administration à son seuil d'incompétence. Compte tenu de ses diplômes, il aurait beau se décarcasser, il n'avait aucune chance d'espérer une promotion exceptionnelle. Son salaire ne progressant désormais que selon un critère d'ancienneté, faire du zèle lui paraissait superflu. N'étant pas rétribué pour travailler plus, il en faisait le minimum pour être à l'abri d'une improbable menace de licenciement...

Mais il n'y a pas que dans l'administration que l'on rencontre des salariés qui sabotent leur travail pour se venger du système. John MacBrian, fonctionnaire international à l'OCDE, a souvent été confronté au même paradoxe :

« Les Français ont parfois la réputation de ne pas être des travailleurs sérieux, ce que je trouve injustifié. Parmi les travailleurs manuels, les artisans, on rencontre des gens très compétents, très consciencieux qui inspirent vraiment confiance. Au niveau des cadres, je suis plus réticent. Les jeunes sont bien formés et s'intéressent apparemment à leur travail. En revanche, les cadres plus âgés, en particulier les gens de mon âge (la cinquantaine), ne sont pas très sérieux. Ils utilisent les congés de formation comme moyen de tourisme. C'est choquant, mais somme toute assez naturel. Ces cadres moyens ont subi des échecs, leur carrière a été bloquée donc ils se résignent à tirer un petit bénéfice d'une situation figée. C'est pour cela qu'ils se fatiguent si peu. »

Les étrangers n'ignorent pas non plus que l'absentéisme, qui atteignait quelques années auparavant des proportions dramatiques dans certains secteurs, n'avait pas d'autres causes que la faible implication au travail d'une partie de la population.

Rencontre avec quelques Français méritants

La France méritante se rencontre surtout dans certains secteurs du privé, constamment sous pression, où la notion de concurrence a le même sens que dans tous les autres pays capitalistes, où les promotions, souvent fulgurantes, permettent aux individus de mesurer concrètement les fruits de leur travail.

Il s'agit en général de nouveaux secteurs d'activité comme l'informatique, la publicité, la production vidéo, des métiers où les talents sont pris en compte indépendamment des diplômes et où les efforts sont récompensés par une progression immédiate des rétributions. D'une façon générale, les catégories sociales les plus motivées sont les cadres supérieurs, les créateurs, les chefs d'entreprise, les commerçants. En bref : les professions en marge du système de protection sociale ainsi que celles où les gens ne sont bloqués ni par des diplômes ni par des contraintes hiérarchiques pesantes mais où ils peuvent franchir rapidement les échelons et voir leurs gains augmenter en proportion des performances effectuées.

Les journalistes étrangers mentionnent aussi que la France est à leur connaissance l'un des rares pays où, lorsqu'une nouvelle qui tombe à dix-huit heures exige une vérification complémentaire avant d'être exploitée le jour même, ils sont quasi assurés en téléphonant après dix-neuf heures de trouver sur place un interlocuteur compétent. Cette observation concerne essentiellement les cadres supérieurs et dirigeants de sociétés dans certains secteurs d'activité très particuliers : banques, agences de publicité, presse écrite, cinéma, sociétés de marketing et d'une façon générale dans les grandes sociétés privées très ouvertes sur l'étranger. Dans tous ces secteurs d'activité, les horaires de travail dépassent largement les huit heures réglementaires.

Les étrangers sont surpris de constater que l'on y fait plus d'heures de présence qu'aux États-Unis ou en Allemagne où, passé dix-sept heures trente, il est très rare de trouver du monde dans les bureaux, y compris au niveau du directoire. En France, les publicitaires quittent facilement leurs bureaux aux alentours de vingt heures alors que cela n'arrive pratiquement jamais dans les agences de Madison Avenue. Très souvent aussi, cette catégorie de cadres emporte du travail à domicile, et, en cas de coup de feu, sacrifie son week-end sans rechigner, quitte à récupérer ensuite par quelques jours de vacances. Certains hauts fonctionnaires passent aussi pour être très travailleurs, mais leurs motivations sont sujettes à caution car on leur reproche de faire preuve d'un arrivisme personnel qui ne participe pas toujours au dynamisme de la nation.

Le courage des petits commerçants en alimentation, et en particulier des boulangers, des épiciers, des cafetiers, des garagistes, tous ces métiers où l'on commence à l'aube pour fermer boutique à vingt heures et parfois plus tard, suscite l'admiration des étrangers. La France est aussi l'un des seuls pays où des artisans acceptent, paraît-il, de travailler le dimanche ; où un garagiste peut sacrifier une partie de son jour de fermeture pour un dépannage exceptionnel. Le journaliste allemand Dieter Meier Siemeth se souvient être tombé en panne un vendredi soir dans un patelin du Massif central et d'être arrivé *in extremis* chez le garagiste local à l'heure de la fermeture. En dépit de l'heure tardive, celui-ci avait accepté de faire la réparation pour éviter à un étranger d'interrompre son voyage pendant deux jours : « En Allemagne c'est quelque chose d'inconcevable. Pas un seul garagiste n'aurait eu cette attitude arrangeante, cette serviabilité, et j'aurais été cloué sur place jusqu'au lundi matin. »

Malheureusement, on déplore de voir que dans certains corps de métier les motivations s'émoussent trop vite par la faute d'un système qui n'incite pas les gens à aller au bout de leur ambition, mais a plutôt tendance à les dissuader de viser trop haut. La journaliste italienne Leda N. est la seule à dire ouvertement que, à force de démotivation, certains Français deviennent à la longue paresseux, routiniers, sans désir d'évoluer ni dans leur vie ni dans leur travail :

« Prenez un ouvrier plombier ou électricien. S'il n'a pas son patron sur le dos, il paresse... Si on demande à un plombier de joindre deux fils électriques, il refuse car ce n'est pas son métier.

En réalité, ces gens n'ont pas envie d'apprendre autre chose. Ils savent faire une chose et c'est fini. En France, dans les classes modestes, les gens ont des ambitions restreintes, des projets mesquins... En France un artisan ou un ouvrier disent : " Du moment que j'ai mon pavillon ça me suffit. " Un Italien, s'il cesse d'être ouvrier pour se mettre à son compte, dira : " Je vis dans vingt-cinq mètres carrés mais plus tard j'aurai une villa et puis aussi une Ferrari. " En France, seuls les commerçants qui sont toujours ouverts deviendront riches. Les autres, on dirait qu'ils n'ont même pas envie de se fatiguer ou de se casser la tête pour gagner davantage. » Étrange que la seule catégorie qui suscite les louanges de Leda soit en majorité d'origine maghrébine ! Et que l'ambition des Français appartenant à la même corporation ne se manifeste pas autant.

Le constat de comportements aussi paradoxaux, aussi divergents, conduit les étrangers à s'interroger sur les causes profondes qui séparent la France dite travailleuse de la France paresseuse.

En définitive, après avoir écouté et disséqué leurs propos, on serait en droit de dire que la France se présente comme un pays à deux vitesses.

Un pays à la recherche de ses motivations

Le fait que les efforts soient aussi inégalement répartis dans la société française conduit les étrangers à se poser la question suivante : quels sont les facteurs responsables de degrés d'implication au travail aussi divers d'un milieu professionnel à l'autre, d'une catégorie sociale à l'autre ? Or cette différence si criante en terme d'implication, perceptible dans les actes les plus anodins, n'est pas sans importance. Si une partie de la France travaille trop et l'autre pas assez, ce n'est selon eux ni l'effet du hasard ni de la fatalité mais parce que les motivations sont inégalement réparties.

Notre pays n'est donc pas divisé en « bons » et en « mauvais » Français. Seulement certains Français, par leur naissance, leurs diplômes ou les hasards de la vie, sont autorisés à être motivés ; d'autres, au contraire, savent fort bien que, dans le contexte social et professionnel où ils se trouvent, l'amélioration de leur sort n'est fonction ni de leurs efforts, ni de leurs aptitudes mais d'un blocage inhérent à la rigidité sociale. Les dix premières années de leur carrière servent à leur faire comprendre qu'aucune échappée vers les cimes n'est permise à ceux qui servent à l'intérieur du système de protection sociale, à moins d'avoir au départ la caution de diplômes prestigieux. En d'autres termes, un employé de banque seulement titulaire du bac mais qui a réussi à devenir cadre moyen grâce à une formation interne échelonnée sur plusieurs années et est ainsi devenu un très bon spécialiste ne réussira jamais à dépasser un certain palier. Même topo pour celui qui est titulaire d'une maîtrise mais ne sort pas d'une grande école. Pis encore, l'un et l'autre, une fois parvenus à la quarantaine, devront recevoir des directives de jeunes gens plus diplômés, mais novices dans la profession bancaire alors qu'*a priori* ceux-ci auraient tout à apprendre d'eux.

Dès lors, pourquoi s'impliquer et faire davantage que le strict minimum, comme le déplore un Japonais en poste dans l'un de nos grands établissements bancaires et qui nous avait déjà parlé longuement des ravages suscités par un manque de concertation chronique en France ?

« Dans la banque, les personnels, y compris les cadres moyens, n'étant pas consultés même quand il s'agit d'activités professionnelles qui les concernent directement, après quelque temps, en tirent la conclusion qu'ils comptent pour peu de chose au regard de la hiérarchie... L'inconvénient de ce système, c'est de ne pas jouer sur les motivations, car lorsque les gens n'ont pas participé à l'élaboration d'un projet ils se sentent ensuite nettement moins concernés pour le réaliser.

« Je pense vraiment que le système français dans son ensemble n'est pas motivant. Pas seulement dans le milieu bancaire que je connais bien, mais un peu dans tous les domaines... En comparaison du Japon, les gens ont beaucoup moins l'esprit d'entreprise, et ceux qui s'identifient à elle, à sa progression, sont infiniment plus rares. La seule chose qui les préoccupe, c'est qu'elle se porte assez bien pour les protéger d'un éventuel licenciement économique.

« Dans cette banque, je pense que les cadres supérieurs sont motivés, ainsi que quelques cadres moyens ; du moins, je l'espère. Au niveau des employés, je me pose vraiment la question. Déjà du côté des cadres moyens, on sent une telle distance par rapport à la direction que pour les employés, cela doit être terrible.

« Au Japon, comme aux États-Unis, quelqu'un de très motivé, qui travaille beaucoup, qui obtient des résultats, peut monter, même sans diplômes prestigieux. En France, le poids des diplômes a une importance telle que ceux qui n'en ont pas savent que, pour eux, c'est fini. Dans une banque, il faut toujours passer un examen pour monter, mais en même temps, ces examens sont dérisoires car chacun sait qu'ils ne permettront jamais de se situer au même niveau qu'un diplômé avec qui la distance ne fera que s'accroître avec les années. A force de voir entrer des jeunes diplômés des grandes écoles à des postes qui leur sont à jamais inaccessibles, les cadres moyens deviennent très amers. Il est normal qu'ensuite ils perdent l'envie de se battre ou de faire des efforts. C'est quelque chose de terrible de voir des gens souffrir à cause d'un système qui ne leur donne pas une deuxième chance. Le diplôme, c'est une chose, mais la compétence professionnelle n'est pas synonyme de diplôme. Peut-être y a-t-il proportionnellement plus de gens compétents chez les diplômés que chez les non-diplômés, mais créer cette discrimination, cette différence catégorielle, dès le départ, me paraît mauvais.

« Non seulement c'est injuste de confier des postes de responsabilité à de jeunes diplômés, mais c'est idiot, car cela les empêche d'apprendre le travail de base. Ainsi, ces gens destinés à monter très vite au sommet de la hiérarchie prennent des décisions théoriques sans rien connaître des problèmes de la base. C'est à cause du manque de concertation que bon nombre de décisions sont inadéquates ou mal acceptées. Du moins est-ce ainsi que j'explique le manque de conscience professionnelle qui s'observe dans de nombreux secteurs d'activité. Au Japon, partout, sauf dans la fonction publique, les gens sont motivés parce qu'il y a diverses contreparties à un travail excessif : l'argent, le grade, la lutte économique avec les autres pays. Il y a aussi le fait qu'au Japon on peut être licencié pour incompétence. C'est une pratique rarissime, mais le fait qu'elle existe modifie la mentalité des gens. Ici, quand on a un emploi, on sait qu'on ne risque rien en faisant le minimum. Pour tous ces gens le travail est loin d'être une priorité. »

Notre Japonais a vu juste. Quelques phrases lui ont suffi pour résumer la plupart des facteurs responsables du manque d'implication au travail d'une partie du pays. A savoir : un blocage hiérarchique désespérément rigide et étanche ; un manque complet de concertation et de communication révélant à une partie des salariés le mépris qu'on porte à leur savoir-faire ou à leur tentative de s'élever ; et pour couronner le tout, une grille de rémunération insuffisante. A partir de là, comment imaginer que cette catégorie de salariés puisse se sentir motivée à travailler davantage ou mieux ? La seule gratification qu'un cadre moyen puisse escompter d'un dévouement hors pair est que son chef de service lui concède un indice supplémentaire qui se traduira sur sa feuille de paie par une augmentation dérisoire. Pour le reste, il sait trop bien que son avenir est bouché et que sa valeur réelle est méprisée au nom de normes sociales abstraites conçues pour que l'institution n'ait pas à prendre en compte les cas individuels.

Que dire alors du sort de l'employé, de l'ouvrier condamnés à subir à vie un travail fastidieux, sans initiative, sous le contrôle d'un surveillant et dans l'indifférence hautaine des chefs ?

Du moins est-ce ainsi que les étrangers expliquent le comportement si particulier d'une certaine catégorie de Français qui ne ratent pas une occasion d'être désagréables ou tatillons ou d'une désespérante lenteur.

La mauvaise image des produits français, à qui l'on reproche souvent, à juste titre, d'être mal finis, pourrait avoir la même origine. A savoir que le système ne donne pas aux ouvriers l'amour du travail bien fait parce que au préalable il n'a jamais songé à la nécessité de les motiver. En effet, pour nos observateurs étrangers, il ne fait aucun doute que la France ne propose à certaines catégories sociales ni officiellement ni implicitement la moindre motivation à laquelle se raccrocher.

Sur un plan général, il n'existe en effet ni motivation économique – les salaires étant globalement plus bas en France que dans les autres grands pays industriels –, ni motivation sociale – la France étant une société bloquée –, ni désormais de motivation politique – la gauche et la droite adoptant de plus en plus fréquemment les mêmes termes fédérateurs, et se révélant à l'usage l'une et l'autre aussi incapables, ou aussi peu désireuses, de débloquer le système social. Quant à la motivation psychologique, de loin la plus déterminante, il semble que personne n'ait songé à y avoir recours, tant le sens du dialogue, de la communication directe est étranger à la société française. Les seules paroles auxquelles nous avons droit sont les discours démagogiques des hommes politiques. A supposer d'ailleurs que certains s'aperçoivent parfois au cours de leurs réflexions du malaise découlant de l'absence de motivations du pays, et s'interrogent sur quel terrain asseoir ces motivations ? En d'autres termes, peut-on injecter des motivations au moyen de campagnes de pub, aussi brillantes soit-elles ? Le fait de savoir que les gens sont en attente de motivations devrait cependant faire réagir nos dirigeants et leurs maîtres penseurs. Peut-être aussi se sentiraient-ils enfin obligés de mener à terme les réformes structurelles qui s'imposent. Ne serait-ce qu'en s'attaquant sans plus tarder à la réforme scolaire, puisque c'est le lieu où tout se joue.

Comme l'explique un industriel allemand, le blocage social que constitue la sélection scolaire est tel en France que la classe ouvrière n'a pas même l'espoir, à titre de compensation symbolique et de motivation à long terme, de voir un jour ses enfants bénéficier d'un sort plus enviable. Les probabilités pour qu'un enfant issu d'un milieu modeste change de condition sociale, devienne ingénieur, médecin ou polytechnicien sont si faibles qu'elles tiennent presque du miracle, tant la société est peu dynamique et figée dans ses mécanismes de reproduction. Au mieux, un ouvrier peut parvenir à faire de son fils un technicien, un employé, un instituteur.

Au cours de diverses confrontations avec le système social français, cet industriel a maintes et maintes fois pu constater par lui-même à quel point la rigidité des structures contribuait à casser les motivations psychologiques d'une bonne partie des salariés français. Dans un système qui ne propose que des rêves étriqués, échapper à la morosité ambiante, oser prendre des risques, s'affirmer, exige une force de caractère peu commune ou un talent exceptionnel qui ne concerne qu'une minorité. C'est dommage pour la société France qui aurait besoin de motivations mieux réparties et plus nombreuses :

« La base d'une réussite individuelle ou collective, c'est la motivation des énergies. Les êtres humains sont liés entre eux par un potentiel inconscient. Un pays a donc besoin d'une mobilité dans tous les sens : verticale, horizontale, diagonale. L'engagement social, c'est de tout faire pour que l'ouvrier engendre un fils qui ait la possibilité, en travaillant beaucoup, d'accéder aux postes les plus élevés. En RFA, ce rêve est devenu possible depuis la guerre. Nous n'avons plus de castes. Tout le monde a donc la possibilité de faire une carrière politique, de devenir chef d'entreprise. Un autodidacte qui est intelligent et travaille beaucoup peut obtenir la qualification d'un ingénieur et même devenir directeur général... En France, le système de castes crée des barrières qui empêchent les gens de développer leur énergie, d'être motivés. A quoi bon, puisqu'ils n'y gagneront qu'une promotion limitée. Si, dans votre travail, vous êtes sans cesse confronté à une maffia dédaigneuse, vous perdez beaucoup d'énergie. Si on ne vous respecte pas en tant qu'être humain mais seulement parce que vous êtes porteur de certains diplômes, c'est un mauvais climat qui explique pourquoi tant de travailleurs français se sentent déresponsabilisés. »

Existe-t-il des patrons français parlant le même langage ? Apparemment ils sont rares, si l'on se fie aux propos du journaliste américain E.S. Browning, correspondant du *Wall Street Journal* : « Les patrons français ne sont pas assez pragmatiques sur la question de la motivation et je ne pense pas qu'ils cherchent véritablement à motiver leurs employés. Ils cherchent plutôt à organiser l'entreprise pour diminuer l'absentéisme ou les tâches inutiles. Ils continuent également à employer des contremaîtres alors qu'en Allemagne, aux États-Unis, au Japon on a compris qu'il était préférable d'encadrer les ouvriers par des chefs d'équipes qui travaillent avec les autres, aident si nécessaire, mais ne sont pas là pour surveiller. »

La plupart des observateurs étrangers en arrivent d'ailleurs à la même conclusion : un système aussi dédaigneux des valeurs humaines (la gratification, le pragmatisme, la capacité à entraîner les autres, le sens du dialogue, l'ouverture d'esprit) ne peut pas être motivant pour la masse des individus.

Des entreprises trop peu motivées

Chez nous, il n'y a pas que les groupes sociaux qui passent pour être faiblement motivés. Curieusement, il semblerait que cette défaillance frappe également notre secteur industriel et économique. Pour les étrangers, il ne fait aucun doute que l'industrie française, à la fois trop politisée et trop idéologique, a toujours été handicapée par le privilège pervers d'échapper à la pression et à la concurrence qui régissent tous les pays industriels. Mais c'est dans le cadre des entreprises nationalisées que l'absence de motivation a les effets les plus néfastes dans la mesure où ces sociétés ne sont même pas soumises à l'obligation de rendre des comptes aux actionnaires.

Le métier de la banque est l'un de ceux qui passe pour avoir le plus souffert de ce passe-droit.

Le poste d'observation privilégié dont dispose E.S. Browning, ses introductions dans le monde bancaire international, sa connaissance des milieux économiques lui confèrent une autorité suffisante pour critiquer nos principales enseignes bancaires. Selon lui, les mauvaises performances de ces établissements ne sont pas seulement dues aux salariés mais au climat apathique et administratif que fait régner une direction téléguidée par l'État. En caricaturant à peine, on peut dire que les banques nationalisées sont des administrations dirigées par des fonctionnaires plutôt démotivés par la notion de profit, ce qui est quand même une singularité méritant d'être signalée.

En effet, l'État ne les motivant pas en termes d'objectifs à atteindre, ne leur imposant jamais de vraies situations concurrentielles, leurs motivations n'ont aucune similitude avec celle des vrais établissements financiers. « Le Crédit Lyonnais ou la BNP étant nationalisés, personne n'a intérêt à montrer des résultats très élevés. Le gouvernement s'en fiche et la direction n'y tient pas beaucoup car sinon le personnel en profiterait pour demander des augmentations. C'est ce qui se passe quand on n'a pas à rendre de comptes à des actionnaires. »

Ce climat n'est pas seulement spécifique aux banques. Comme nous l'avons déjà laissé entendre, les spécialistes étrangers estiment qu'il a contaminé une bonne partie de la nation.

2. INTERDIT DE RÊVER

Histoire juive
Quelque part dans la Diaspora, deux juifs dis-
cutent, et l'un demande à l'autre :
– Quelle différence y a-t-il entre un cordonnier et
un psychiatre ?
– ?
– Une génération !

Le propre d'une société, et sa raison d'être, c'est d'être sous-tendue par des mythes fondateurs justifiant son identité, et aux-quels les membres de cette société peuvent en quelque sorte se raccrocher pour se motiver.

Ainsi le grand rêve américain de la conquête de l'Ouest mais aussi l'espérance pour chaque citoyen de « devenir président » sont des images qui continuent à alimenter l'imaginaire collectif de ce pays démocratique, mais souvent dur et même inhumain.

D'une façon moins lyrique, citons la reconstruction du Japon et de l'Allemagne vaincus qui ont trouvé dans la défaite et la des-truction d'un monde le moyen de faire jaillir le rêve d'une société nouvelle ; ou bien la Grande-Bretagne, qui en perdant son empire colonial renonce à ses rêves de grandeur pour s'en-foncer dans le déclin et qui soudain se voit proposer des rêves de substitution qui stoppent le déclin.

L'histoire placée en exergue et qui circule en Israël et dans les communautés juives de la Diaspora est instructive par le rêve qu'elle véhicule, à savoir que l'effort accompli trouvera sa récompense dans la descendance.

Tous ces exemples contiennent un même caractère dynami-sant, optimiste, voire messianique. Jadis en France circulait aussi une sorte d'aphorisme dynamique « Impossible n'est pas français », paraît-il très populaire avant la guerre, mais qui est considéré maintenant comme désuet. Sa moralité et sa finalité consistaient à inciter les Français à ne pas renoncer, en les fai-sant prendre conscience de leur force, de leur capacité à sur-

332

monter les obstacles. On peut se demander pourquoi cette expression est si peu utilisée de nos jours ? Est-ce parce qu'elle était surtout associée à un contexte militaire, ou bien parce que les Français en se démotivant ont perdu toute leur combativité, comme le prétendent les étrangers ?

Dans l'âge d'or des guerres révolutionnaires, puis au temps de l'épopée napoléonienne, un soldat pouvait supporter les horreurs de la guerre en rêvant à sa gloire future car on lui avait enseigné que « chaque soldat porte dans sa giberne son bâton de maréchal ».

Au XIXᵉ siècle, les colons qui partaient s'établir loin de la mère patrie étaient eux aussi animés par des rêves. Alors que la période d'après guerre sonnait le glas des grands rêves colonisateurs, la primauté culturelle et diplomatique de la nation se trouvait progressivement remise en cause. Même si nos dirigeants, tels de Gaulle, ont continué d'utiliser un ton grandiloquent pour glorifier la grandeur de la France et de ses grands desseins, à l'évidence il s'agissait de notions abstraites, sans effet mobilisateur suffisant sur les mentalités et surtout sur la France au travail.

Même l'épisode de Mai 68, où la référence au rêve était à l'honneur, ne réussit pas à générer un rêve français directif un tant soit peu porteur et durable.

Depuis longtemps, rien dans la société française n'indique d'ailleurs aux gens que le rêve est une thérapeutique de choc qu'il faut alimenter par des exemples mobilisateurs comme c'est le cas aux États-Unis ou en RFA.

L'historien Theodor Zeldin[1], chiffres à l'appui, prouve que les Américains ou les Allemands ont raison d'espérer et de trimer dur pour rendre leur rêve accessible. Un seul deviendra président, mais beaucoup feront fortune ou tout au moins disposeront d'une situation convenable. Les Français, eux, si l'on en croit ces chiffres, n'ont pas tout à fait tort de faire aussi peu d'efforts. En effet, alors qu'aux États-Unis moins d'un dixième des managers des deux cents premières sociétés est issu de familles riches, et en Allemagne un quart, on constate qu'en France les trois quarts des grands dirigeants viennent de familles riches, ce

---

1. Theodor Zeldin, *les Français*.

qui confirme bien l'impression des étrangers à propos de la rigidité de notre mode de reproduction social.

Aussi, en dépit de l'injustice notoire de la société américaine, le mythe de l'Amérique terre promise, carrefour de toutes les possibilités, subsiste. De même, le rêve américain se perpétue tant auprès des Américains de souche que des émigrants de fraîche date.

Bien qu'il ne faille pas trop idéaliser les États-Unis, il n'en demeure pas moins vrai que c'est l'une des seules contrées qui offrent encore autant de possibilités et d'espoirs. Même si les probabilités d'atteindre le sommet sont limitées, la référence à ces réussites lointaines, mais réelles, peut servir de motivation et devenir synonyme d'espérance, dès l'instant où on les sait possibles, et même relativement fréquentes. En revanche, quand on les imagine rarissimes, elles prennent un caractère si irréel qu'elles ne peuvent motiver qu'une minorité, comme c'est le cas en France.

A contrario, savoir que, dans les faits, beaucoup échouent n'altère pas ce rêve porteur. A la limite, la génération de ceux dont les parents échouèrent peuvent, dans le besoin de revanche, y trouver un complément de motivation. C'est la présence de ce rêve en filigrane qui rend la vie supportable aux USA où les gens travaillent parfois comme des forcenés, en sachant que s'ils échouent le système se montrera impitoyable. Gare aux faibles qui seront broyés par une société qui n'est pas tendre avec les éclopés. Gare à ceux qui tomberont à mi-parcours. Pour eux, pas de prise en charge médicale, pas de minimum retraite ; une seule certitude : la misère et la rue.

A la limite peu importe, puisque malgré sa dureté ce système permet de se raccrocher à un rêve de réussite qui oblitère la référence aux vaincus et évite de s'identifier à eux.

Dès l'instant où les nouveaux arrivants obtiennent un emploi, ils éprouvent la satisfaction de constater que plus ils travaillent, plus ils gagnent de l'argent, ce qui est primordial dans ce pays pour continuer à avoir envie de grimper les échelons.

A la décharge de la France, il faut dire que si elle propose moins de prétextes à rêver, la vie n'y est pas aussi dure qu'au Japon ou aux États-Unis par exemple. Mais cette facilité d'existence (qui n'est cependant pas le lot de tous), dans un environnement relativement socialisé, s'avère en définitive beaucoup moins stimulante que les grands rêves de réussite des autres, qui, même s'ils resteront à tout jamais chimères pour beaucoup, deviendront peut-être effectifs pour d'autres. Bref, comme si les sociétés dures s'avéraient en définitive plus motivantes que les sociétés molles.

Ce qui reviendrait à dire que les propos alarmistes des nombreux Cassandre germaniques, qui dénoncent outre-Rhin l'effet de ramollissement que provoque sur les mentalités un contexte d'opulence, ne sont pas complètement ridicules et dénués de fondement. En d'autres termes, ils auraient partiellement raison de s'inquiéter de l'implication moindre au travail de la classe ouvrière allemande dans son ensemble, mais surtout de la jeune génération, plus soucieuse de profiter des avantages de la société de consommation que de produire davantage pour la rendre encore plus florissante.

En effet, la RFA, devenue la société la plus égalitaire et la plus socialisée d'Europe, craint de voir ses rêves s'émousser et redoute par là même de perdre son élan et sa suprématie économique[1].

Et la gauche dans tout ça ?

Restée longtemps loin du pouvoir, la gauche était porteuse de rêves qui selon les observateurs étrangers n'ont guère eu l'occasion de fleurir. Pour le journaliste E.S. Browning, les changements amorcés depuis l'arrivée de la gauche au pouvoir sont illusoires. Pas plus que la droite libérale, la gauche ne s'est préoccupée d'imaginer une sorte de rêve mobilisateur destiné à motiver les énergies de ceux à qui la société avait désappris de rêver. « Bien qu'elle se prétende une société démocratique et égalitaire, la société française, quand on l'observe en profondeur, échappe à cette définition car elle ne donne pas à chacun l'espoir de réussir. On dit en France que les divisions sociales sont en train de disparaître, mais je doute que ce soit vrai. Les gens

---

1. Depuis l'ouverture du mur et l'effondremnt des régimes communistes à l'entour, la voilà plus que rassurée !

restent très conscients des clivages. L'ambition existe mais elle est surtout répandue dans les élites. »

En d'autres termes, l'ambition appartient surtout à ceux à qui le système donne au départ le droit d'être ambitieux. Quant à ceux qui transgressent l'interdit et parviennent à s'imposer quand même, on les a longtemps soupçonnés du pire. La spectaculaire réussite de Bernard Tapie aura au moins contribué à améliorer l'image des self-made men et des entrepreneurs de la nouvelle génération. Elle aura également servi à montrer que le système n'est pas aussi étanche qu'il le paraît et donc à encourager des jeunes d'origine modeste à tenter leur chance. Ce n'est pas un hasard si Tapie était devenu l'idole des jeunes et des classes populaires et si la gauche a cru bien faire en le récupérant, comme s'il devenait en quelque sorte la caution d'une amorce de changement, comme s'il était le premier depuis des lustres à incarner le rêve français.

3. Une productivité insuffisante

Défaillance des motivations et absence de rêves porteurs sont des facteurs qui expliquent en partie pourquoi certains Français semblent souvent manquer d'enthousiasme, d'application, de perfectionnisme, voire d'assiduité. Mais ils ne suffisent pas pour expliquer un des autres griefs, et non des moindres, adressé à la France au travail : une productivité qui dans divers secteurs s'avère pour le moins curieusement insuffisante.

Ce phénomène frappe à peu près tous les étrangers, sauf les Espagnols qui, d'une façon générale, nous considèrent comme très efficaces car plus méthodiques qu'eux.

L'autre paradoxe auquel sont confrontés les observateurs étrangers est donc le suivant : comment se fait-il que des gens qui comptabilisent tant d'heures de présence aient un si faible rendement ? Autrement dit, pour quelles raisons y a-t-il un tel écart à l'arrivée entre temps investi et résultat effectif ?

Une gestion du temps problématique

Bon nombre d'étrangers avouent leur surprise devant la relation pour le moins bizarre que nos compatriotes entretiennent avec le temps. Alors que, dans le monde industriel, le temps représente quelque chose de tangible, de précieux, qu'il est indispensable de gérer le mieux possible pour le faire fructifier et non le gaspiller, comme l'indique l'aphorisme « *Time is money* » auquel se conforment scrupuleusement les Japonais, les Américains, les Allemands, les Suisses, les Anglo-Saxons et les Nordiques en général, nous agissons comme si nous étions incapables de l'estimer à sa juste valeur. En comparaison de ces nations éprises d'efficacité, les Français donnent l'impression de considérer le temps comme une notion irréelle ou sans grande importance.

Sinon, comment justifier la façon étrange, brouillonne, dont ils administrent le temps, mélangeant allègrement travail et loisirs, alors que partout ailleurs ces activités restent cloisonnées comme l'explique Mᵉ Wenner : « Il y a un proverbe allemand qui dit : " Le travail, c'est le travail, l'alcool, c'est l'alcool ", ce qui veut dire *stricto sensu* que quand un Allemand travaille il ne fait rien d'autre, mais passé seize heures trente, plus question pour lui de travailler. »

La sociologue allemande Marianne D. partage cette opinion qui est commune, sans exception, à tous les Allemands rencontrés. Mais parallèlement, elle propose d'interpréter la relation paradoxale qui lie les Français à leur travail sous un autre angle. En effet, l'insuffisance de la productivité serait peut-être à mettre en parallèle avec le rapport sadomasochiste des Français à l'égard du travail, de l'État, de la hiérarchie, des institutions. Dans la mesure où les Français éprouvent une relation conflictuelle avec le travail, à savoir que ce dernier ne leur procure pas de satisfaction suffisante, ils ont besoin de compensation en cours de journée. D'où la rupture du déjeuner, dont la fonction est avant tout d'être une récréation utilisée pour se détendre, rencontrer des amis, faire des courses, du sport, visiter une exposition. Mais plus ou moins culpabilisés par cette fuite, les Français feraient, d'une certaine façon, acte de contrition en prolongeant la durée de leur calvaire plus tard le soir.

L'entourage professionnel de Marianne, composé en grande partie d'intellectuels et de chercheurs au CNRS, sans nul doute des privilégiés supposés avoir un travail intéressant, n'échappe pas à ce travers.

« Quand j'explique à mes amis allemands combien d'heures me prend mon travail, combien d'heures mes enfants passent en classe, ils n'en reviennent pas... Je crois que cela reflète l'idée du travail que se fait une société. Je n'ai jamais compris d'où venait cette théorie de la France paresseuse, si ce n'est de l'apparence " décontractée " que donne le milieu de travail tel qu'on peut l'approcher en tant que touriste. Quand on vient d'une société où tout va plus vite, on peut avoir l'impression que les Français perdent du temps. Par exemple, en voyant certains commerçants prendre le temps de bavarder avec leurs clients. En revanche, les étrangers qui travaillent en France sont surtout frappés par le rythme des Français au travail. La journée s'étale sur une période plus longue alors qu'en Allemagne on va au travail le plus tôt possible. On consacre très peu de temps au repas pour rentrer chez soi le plus tôt possible, au plus tard à dix-sept heures, pour se consacrer à sa famille et à des activités personnelles. Les Français prennent du temps non pas pour produire davantage mais pour communiquer. Le travail est davantage lié à la vie sociale et le repas est un rituel social très important qui n'existe ni en Allemagne ni aux États-Unis, mais qui permet à chacun de parler de ses problèmes, des frustrations qui existent sur le lieu de travail... »

Autrement dit, lorsque le travail est moins conflictuel il est plus facile d'envisager des systèmes où les activités ne se mélangent pas, ne débordent pas l'une sur l'autre. Cette organisation permet sans conteste de travailler plus vite et surtout de façon plus concentrée. Autre avantage, elle permet le respect scrupuleux du planning.

Une autre caractéristique de l'organisation du temps à la française, c'est de permettre d'échapper à la pression que subissent généralement les sociétés industrielles. L'avantage pour les Français, c'est d'ignorer le stress que connaissent les Américains ou les Japonais. L'inconvénient, c'est que les Français ont trop tendance à « traîner ». Je ne sais combien de fois j'ai entendu au cours de cette enquête des étrangers nous reprocher avec exaspération de faire traîner les dossiers, de traîner pour prendre des décisions ou répondre au courrier, de traîner dans l'exécution des commandes, de traîner sans raison au bureau le soir.

D'une façon générale il s'avère que les pays qui ont la réputation d'être plus « travailleurs » sont aussi ceux où l'on pratique la journée continue intensive, de façon à respecter un clivage rigoureux entre labeur et loisir. Dans ce cas de figure, la concentration semble plus intense car les interruptions sont moins fréquentes. D'une certaine façon, cette concentration sur un espace de temps plus court joue sur l'image du rendement, mais après vérification, on constate que l'image correspond à la stricte réalité et que ces pays sont effectivement plus productifs que ceux qui, moins stricts dans la gestion du temps, travaillent de façon plus dispersée. Selon certains ergonomes, la fatigue et le stress provoqués par des efforts réguliers et soutenus sont moindres que ceux consécutifs à des efforts d'intensité variable mais couvrant un laps de temps plus long.

Autrement dit, si les Français travaillent beaucoup, c'est pour compenser une organisation défectueuse.

Pour Gert L., il ne fait aucun doute que le véritable problème se situe ici, et non dans notre prétendue paresse :

« Quand on voit courir les Parisiens, on se demande comment ils tiennent le rythme. Une chose est sûre, ils ne sont pas paresseux, mais plutôt mal organisés. Toutes les entreprises françaises sont trop administrées et hiérarchisées pour être organisées dans le sens de la productivité. »

C'est pourquoi le relâchement de la tension et de l'effort en cours de journée est à la limite considéré comme bien plus grave que les cinq semaines de congés. Les Allemands, qui bénéficient d'autant de vacances que les Français, ne sont ni suicidaires ni masochistes ; ils n'éprouvent donc nulle envie de renoncer à un privilège auquel, par ailleurs, ils reconnaissent une fonction essentielle. En effet, dans un pays qui fonctionne selon un rythme intensif, l'organisme mais aussi le psychisme ont besoin de périodes de décompression pour éviter de s'essouffler et récupérer, sinon la productivité générale peut en pâtir.

Les expatriés japonais, quasiment privés de vacances dans leur pays, justifient à plein l'utilité des vacances françaises.

De même, un certain nombre d'Américains considèrent que, sur ce plan, la France a une attitude plus équilibrée que les États-Unis où la coutume est de prendre en moyenne quinze jours de vacances à ses frais et avec le risque de perdre son emploi, si l'on en croit Laura T., qui n'a pas une envie folle de retourner dans son pays et qui ne rate pas une occasion d'essayer d'écorner le mythe de l'Amérique qui, selon elle, est loin d'être le meilleur des mondes : « C'est vrai que les Américains produisent plus, mais à quel prix... Ils sont constamment dans l'agressivité, l'instabilité, l'angoisse. Ma sœur, qui est bibliothécaire, a pris deux semaines de congé et elle a perdu son travail ! C'est un pays sauvage, les gens ont un pétard sous les fesses pour travailler plus. » W.R. Schonfeld déplore lui aussi le stakhanovisme de ses compatriotes qu'il considère comme des intoxiqués du travail : « Les Américains se fatiguent plus, du fait de ce manque de pauses, et leur travail n'est pas toujours efficace. Mais le cadre supérieur américain se sent culpabilisé s'il prend plus qu'une semaine. »

En revanche, d'autres Américains ne sont pas tendres pour l'incapacité des Français à planifier l'étalement des vacances. D'autres parlent sans aménité des professions libérales, avocats, médecins, dentistes qui ont le culot de déserter leur cabinet pendant quatre ou cinq semaines d'affilée. En effet, rien n'est pire que le fléau qui frappe la France pendant les deux mois d'été. En réalité, c'est pendant près de deux mois et demi que la France tourne au ralenti, puisque la reprise ne s'effectue pas de manière immédiate, en particulier dans le cas d'entreprises ayant complètement fermé pendant un mois. Ce phénomène qui plonge le pays dans une sorte de dérive générale contribue à corroborer hors de nos frontières le mythe de la France paresseuse mais aussi de la France archaïque qui continue à vivre au ralenti, dans l'inconscience des échéances prochaines, comme si elle avait vraiment les moyens de supporter les conséquences catastrophiques de cette interruption sur une productivité déjà problématique en temps ordinaire.

Une fois de plus, la France révèle qu'elle pèche par manque d'organisation, individualisme et manque de civisme, ce qui est somme toute logique, le sens de la collectivité ne s'exprimant que s'il est sous-tendu par des motivations fortes.

A quand les maniaques du planning ?

Faut-il considérer ces critiques comme recevables ou au contraire les rejeter au nom du droit à la différence ? A quel titre les Français devraient-ils s'inspirer de la planification allemande ou yankee ? De la même façon que chaque peuple a ses coutumes, sa cuisine, son folklore, il semble logique que chacun continue à s'organiser selon un rythme organique qui lui correspond, en même temps qu'il représente l'une de ces variables culturelles qui font partie intégrante du patrimoine des peuples. Avant l'apogée de la société industrielle et l'ouverture des grands marchés mondiaux, il était possible de défendre de tels raisonnements. Aujourd'hui, il semble que cela le soit de moins en moins, car non seulement ces variables culturelles ont des effets sur les performances économiques, mais en outre, elles ont de plus en plus d'importance dans la communication entre les peuples, comme le démontre le sociologue américain Edward Hall, spécialisé dans l'étude des différences culturelles.

Dans le cadre d'une action destinée à faciliter et améliorer la compréhension entre les hommes d'affaires allemands et français appelés à avoir des échanges de plus en plus fréquents, le magazine *Stern* a eu l'idée de demander à ce sociologue de réaliser une étude[1] psychosociologique portant sur la communication interculturelle entre ces deux pays. Après avoir interviewé une centaine d'Allemands, Edward Hall, pour expliquer les difficultés rencontrées par les Français dans leurs échanges commerciaux avec les Allemands mais aussi avec d'autres pays, en arrive à incriminer une attitude à l'égard du temps radicalement opposée :

« ... Aujourd'hui, ce n'est plus la nature qui impose ses rythmes. C'est l'homme. Et les systèmes artificiels qu'il a créés. Le système temporel de chaque culture constitue l'une des bases essentielles de l'organisation de la vie. Comme une grammaire sert à relier les mots entre eux... Dans les pays industrialisés, programmes, plans, agendas sont considérés comme le fondement

---

1. Edward T. Hall, *les Différences cachées,* Stern, avril 1984.

de toute activité et reflètent la manière dont le temps est employé à organiser l'existence... »

Ainsi, explique Hall, d'une culture à l'autre, il y a différentes manières de traiter le temps qui déterminent un rythme différent dans toutes les activités pratiquées. Dans la société postindustrielle, deux systèmes s'affrontent, le système monochronique qui est celui pratiqué en Allemagne, mais aussi dans tous les pays anglo-saxons (dont les États-Unis) et en Suisse, en Scandinavie, les Pays-Bas, alors que les pays latins et méditerranéens préfèrent le système polychronique.

Dans les systèmes monochroniques, les individus ne font qu'une chose à la fois et le temps est perçu et traité de façon linéaire, divisé en segments indépendants, de façon à ne se concentrer que sur une chose à la fois. Dans ce système, les individus ne tolèrent pas d'être interrompus ou dérangés dans leurs activités, ils supportent également très mal des modifications inopinées du programme. En effet, en Allemagne, tout est programmé longtemps à l'avance (les vacances, les sorties comme le travail). Pour eux un rendez-vous d'affaires s'entend le plus souvent à la minute près, la remise d'un travail pareillement.

Un Allemand se fait donc un devoir de recevoir ses visiteurs à l'heure, comme de remettre un travail ou une commande à la date prévue et même avec une avance sur le planning. D'une façon générale, les activités sont très compartimentées. Ainsi, un Allemand ne mélange pas la vie professionnelle avec la vie familiale, le travail avec les loisirs.

En revanche, dans le système polychronique, qui est celui pratiqué en France, le temps est caractérisé à la fois par la multiplicité des activités exercées simultanément et un irrespect certain à l'égard de l'horaire. Plus on se dirige vers le sud et plus l'exactitude est relative, un retard n'ayant pas du tout la même signification à Paris qu'à Hambourg ou à Istanbul. Hall signale aussi que les Français, bien qu'utilisant, bien sûr, un agenda, se sentent moins contraints de respecter scrupuleusement un programme. Ils n'hésiteront pas à décommander à la dernière minute un rendez-vous pris longtemps à l'avance, à faire attendre une demi-heure, voire trois quarts d'heure, un visiteur qu'ils garderont cependant plus longtemps que prévu si le contact est plaisant. Ils n'éprouveront pas trop de remords à remettre un travail deux semaines plus tard que prévu.

Autre différence intéressante : dans les systèmes polychroniques, on établit moins de clivages entre obligations personnelles et professionnelles, entre relations d'affaires et relations amicales.

L'attitude désinvolte des Français à l'égard du temps paraît normale aux Espagnols mais choque profondément les Allemands ou les Américains. Ils s'impatientent de ne pas recevoir de réponse à leurs demandes d'information, de voir leur courrier rester fréquemment sans réponse immédiate, de ne pas recevoir leurs commandes dans les délais. Ils critiquent la manie des réunions interminables où l'on aborde autant des sujets personnels que généraux, la coupure de l'emploi du temps par les déjeuners d'affaires dont le principe serait agréable si le cérémonial et la durée en étaient abrégés.

Rien ne les déroute davantage que la manière dont les relations professionnelles et personnelles débordent l'une dans l'autre. Surtout ils ne peuvent pas comprendre le goût des Français pour le court terme, pour les solutions de dernière minute, bref, pour tout ce qu'ils englobent sous le terme « improvisation ».

Dans la mesure où ils sont plus lents, ils admirent parfois les Français pour leur rapidité à passer d'une idée à sa mise en application, d'un projet au début de sa réalisation. Ainsi, ils ne comprennent pas pourquoi les Français gâchent leurs dons et leurs chances en continuant à jouer au lièvre et à la tortue, oubliant qu'il est souvent plus profitable de s'identifier à la tortue qu'au lièvre.

Le dilemme auquel la France risque d'être confrontée de façon aiguë dans l'Europe de 1993, en luttant pour le maintien de sa spécificité culturelle qui englobe la fidélité au système polychronique, c'est de s'isoler davantage et de voir augmenter son retard en terme de productivité, la plupart des grands pays industriels fonctionnant tous selon un système monochronique. Ce système est donc devenu un modèle dominant pour le monde occidental. Aujourd'hui, tout pays qui veut devenir compétitif et réussir est donc plus ou moins obligé de s'y conformer comme l'ont apparemment déjà compris les Italiens. En revanche les difficultés des Français avec les Nordiques ou les Anglo-Saxons proviennent, pour une bonne part, de cette incompréhension et de l'exaspération que provoque l'attitude statique des Français.

En effet, à chaque fois qu'un industriel allemand critique un Français pour des questions relatives au respect des délais, à la bonne finition du travail, il ne manque pas de complimenter au passage les Italiens pour leurs progrès spectaculaires dans ces différents domaines. Preuve que quand on veut changer de mentalité on le peut sans perdre son âme ou son identité culturelle pour autant.

Pas assez de pragmatisme

Les étrangers reprochent également aux Français d'être trop généraux, trop théoriques dans la manière dont ils abordent les problèmes et présentent les dossiers. Ils les blâment de préférer trop souvent des tableaux statistiques abstraits, d'une lecture particulièrement rébarbative, présentés sans commentaires (que d'ailleurs personne n'aurait envie de lire), à des exemples concrets beaucoup plus parlants. Les Allemands et les Américains nous reprochent aussi de ne pas nous en tenir aux faits, de ne pas assez expliciter, de manquer de précision et d'avoir tendance à sortir trop facilement du sujet pour de longues digressions qui n'intéressent que nous.

Jonathan E., un Britannique chargé du secteur acquisition dans une grande banque américaine, estime que « la France est trop théorique et trop gouvernée, trop de Français restant encore persuadés que la théorie peut changer quelque chose au cours du monde. Je compare souvent la France à l'Italie qui est un pays extraordinaire où il n'y a pas d'État, ce qui veut dire que par certains côtés l'Italie se porte mal. Mais les Italiens, eux, se portent bien car ils n'ont pas de problème ontologique et ils abordent les problèmes de manière pragmatique. La France, au contraire, doute d'elle-même, fait moins bien face aux problèmes, aux réalités de la vie parce que les Français ont tendance à tout compliquer... »

Ainsi, une dernière chose nous manque encore pour devenir plus compétitifs dans la société postindustrielle : acquérir une bonne dose de pragmatisme et remiser au vestiaire une fois pour toutes notre goût immodéré pour l'intelligence pure, l'abstraction et la théorie. Après tout, il y a des renoncements qui ne mettraient en péril ni notre identité, ni notre culture. Contrairement à ce que pensent les Français, on peut rester soi-même, conserver intacte son identité nationale dans ce qu'elle a de plus fondamental, tout en s'améliorant et en s'adaptant à l'environnement. L'intelligence n'est-elle pas avant toute chose une capacité à s'adapter ? En conséquence s'il y a une morale à tirer de toutes les critiques formulées par les étrangers à l'égard de la France, c'est d'avoir trop tardé pour s'adapter au monde moderne, ou alors elle doit se résigner à changer d'image et accepter de devenir un pays un peu en retrait qui a préféré maintenir sa qualité de vie au détriment de l'augmentation de sa productivité.

En tous les cas, cette attitude ne nous ôtera pas la sympathie des observateurs étrangers qui, en définitive, n'ont guère envie de découvrir d'ici peu une autre France.

En d'autres termes, leurs critiques répondent à l'image que la France veut donner d'elle-même, à travers le modèle de société industrielle auquel elle veut s'identifier à toute force. Mais cela ne signifie pas que les étrangers nous souhaitent de réussir ce pari de transformation radicale car, comme le dit Isoumi Sassano : « La France doit rester la France, un pays très équilibré mais un peu inorganisé, un peu protectionniste, un pays où la vie est plus agréable que nulle part ailleurs. »

CONCLUSION

La France a été grande parce qu'elle a apprivoisé le féodalisme, l'absolutisme, le capitalisme. Elle connaît non son déclin, mais une mutation, et encore une fois il lui faudra bâtir une économie, une société, une pensée, une culture avec des hommes et des matériaux divers en respectant ce qu'il y a de respectable et de fortifiant dans cette diversité... Ce n'est pas le consensus des idées que les Français doivent rechercher pour construire leur nouvelle identité (...) mais un consensus des volontés pour échapper non au déclin mais à un dérapage.

Jacques LE GOFF.

Ce voyage dans « la France des autres » se termine sur une note amère. Le reflet que les experts étrangers mais aussi la presse étrangère nous renvoient de nous-mêmes n'a rien d'exaltant. La brutalité de certains propos devrait cependant secouer la vanité nationale, quitte à provoquer quelques électrochocs salutaires qui, il faut l'espérer, seront suivis d'une véritable volonté de changement.

A moins que, choisissant une fois de plus de se réfugier dans le dédain ou le déni, nos porte-parole et nos maîtres à penser prennent le parti de déclarer ces critiques nulles et non avenues et amoncellent justifications et arguments irréfutables pour les récuser massivement. Ce serait l'hypothèse la plus plausible et la plus conforme à la mentalité française, si l'on en croit les étrangers. En effet, il y a chez nous quelque chose de figé, de fermé qui nous rend incapables d'accepter une critique pour ce qu'elle peut souvent avoir de constructif. Cela les laisse pessimistes quant à l'éventualité de nous voir soudain réagir positivement.

Seule une minorité de masochistes patentés (à diverses occasions les étrangers soulignent la fascination de certains Français pour les critiques) renchérira dans ce sens, selon son habitude, mais sans rien tenter de décisif pour autant.

Même ceux qui sont les plus conscients des défaillances dénoncées ici et qui ont envie de tout changer risquent d'être pris de découragement devant cette tâche surhumaine. Il leur suffira d'abonder dans le sens des critiques, de tenter quelques réformes spectaculaires, de colmater quelques brèches de-ci de-là pour avoir aussitôt bonne conscience. Ils diront peut-être, à titre d'excuse, que la France ne sort de son inertie qu'acculée par les événements, autrement dit la force et la violence.

« Une solution : la révolution », ajouteront les sarcastiques en évoquant avec mélancolie ce slogan qui n'est définitivement plus à l'ordre du jour sous nos latitudes.

Ou alors, sous prétexte qu'il a été ici beaucoup question d'image, de représentation, ceux qui refusent de se sentir interpellés – et ils sont nombreux – auront beau jeu de rejeter les critiques en bloc sous les prétextes les plus divers.

L'objection principale sera de dire que dans certains domaines les étrangers se sont montrés moins attentifs, moins bien informés ou moins « objectifs » que leur rôle d'experts le faisait espérer, puisque leurs perceptions se révèlent finalement très en retard sur l'image de la France actuelle. En d'autres termes, malgré leurs postes d'observation privilégiés, ils ont raisonné à partir de données partiellement périmées qui les ont empêchés de mesurer l'ampleur des changements.

A supposer que les étrangers retardent parfois et que la réalité de la France actuelle diffère considérablement de celle décrite dans cet ouvrage – les symptômes dénoncés ici ayant été soignés depuis belle lurette –, on pourra toujours dire, à titre de consolation, qu'en définitive, ce dont la France manque le plus, c'est d'une bonne politique de communication pour effacer et remplacer l'image périmée qui nous porte préjudice.

Il est vrai que tout ce qui relève de l'image, de la représentation se constitue lentement et met aussi très longtemps à se transformer ou à se défaire dans les consciences, même celles d'un public averti. Il faudrait donc nous décider à accélérer le processus par des techniques appropriées.

Dans cette optique, la mise en œuvre d'une stratégie de communication très argumentée apparaîtra comme la bouée de secours à laquelle se raccrocher de toute urgence.

En effet, peu importe que les étrangers aient tort sur des points de détail ou que nous nous sentions différents de l'image dans laquelle ils nous enferment. L'essentiel, c'est que cette image existe et doit être modifiée. Il n'est pas concevable de la laisser circuler plus longtemps, de la même façon qu'il serait suicidaire d'adopter une fois de plus la politique de l'autruche en minimisant ou en relativisant à l'extrême le diagnostic des experts étrangers. Trop de signes sont là pour montrer que, dans bien des cas, ils ont vu juste même s'ils exagèrent parfois.

Que cela nous plaise ou non, cette image interfère dans la plupart de nos échanges avec eux. Nier plus longtemps son importance nous ferait courir trop de risques. Surtout, cela nous a déjà coûté trop cher, même si nous ne disposons pas de moyens pour mesurer l'étendue des dégâts.

Cela posé, s'imaginer, ne serait-ce qu'un instant, que la pub peut tout, équivaudrait à accorder aux publicitaires beaucoup plus de pouvoir qu'ils n'en ont. Certains d'entre eux ont beau prétendre que la publicité française est désormais « la meilleure et la plus créative du monde[1] », la pub ne peut à elle seule réaliser des miracles. En l'occurrence, pour être efficace et crédible, elle devrait s'appuyer sur des mesures et des faits réels, ou ces effets seront sans lendemain. On ne change pas l'image d'un pays avec un slogan, aussi bien formulé soit-il.

En d'autres termes, pour que la publicité soit crédible et fonctionne dans la durée, elle doit s'appuyer sur une véritable politique d'innovation dans différents secteurs.

Est-ce à dire que « l'entreprise France » doit accepter de prendre globalement en compte le diagnostic des étrangers, et d'essayer, par des mesures appropriées, de remédier à cette

---

1. Ce que les publicitaires étrangers refusent de prendre pour argent comptant, en particulier les Américains qui leur reprochent de faire un peu trop souvent de la création dans le vide, en oubliant que le rôle de la publicité est de faire vendre !

image, quitte à mettre en sourdine l'orgueil national, quitte à abandonner quelques-unes de nos spécificités les plus encombrantes, ce qui ne signifie pourtant pas un reniement de notre identité ?

Ce serait tout au plus une France enfin débarrassée de ses archaïsmes et de ses lourdeurs administratives. Une France moins hiérarchisée et plus égalitaire avec des rêves de réussite permis à tous, ce qui permettrait à l'ensemble de la population et pas seulement à une minorité de se sentir plus motivée. Ce serait aussi une France qui déciderait de s'ouvrir au monde avec toutes les conséquences que cela implique.

Par exemple, nous pourrions améliorer l'enseignement des langues, pour inciter les Français à sortir sans trembler de l'Hexagone mais en faisant néanmoins preuve de prudence. Sans devenir aussi rigides que les Allemands, nous pourrions cependant essayer d'être plus stricts et plus efficaces dans notre gestion du temps afin de l'adapter à celle de nos partenaires que nos retards en tout insupportent. A partir du moment où nous savons que les étrangers n'apprécient pas nos déjeuners d'affaires prolongés et que la qualité et le coût de notre gastronomie ne justifient pas à leurs yeux le temps perdu en digressions inutiles, nous aurions tout intérêt à réduire cet investissement de prestige d'une rentabilité douteuse.

Cela dit, tout ne doit pas être pris au pied de la lettre dans leur propos. A certaines occasions, on peut même s'interroger sur le sens caché de quelques-unes de leurs critiques ? La plupart ont beau se prétendre francophiles de la tête aux pieds, il nous faut relativiser quelques jugements particulièrement acerbes en constatant que certaines nationalités nous aiment d'un amour bien ambigu. Par exemple, en comparaison du ton plutôt bienveillant des Anglo-Saxons, il n'est pas interdit de se demander si le discours, à bien des égards excessif, de nos amis d'outre-Rhin ne révèle pas un contentieux insoluble ? Leur manque d'indulgence cacherait-il une propension suspecte à vouloir nier ou éradiquer les différences ? Ne s'agit-il pas d'un écran sous lequel se dissimulerait aussi une peur grandissante au fur et à mesure que l'échéance de 1993 se fait plus proche ? Après tout, pourquoi les Français seraient-ils les seuls à douter et à s'angoisser dans la dernière ligne droite ?

350

Juste avant l'explosion d'une partie de l'Europe communiste et la perspective d'une éventuelle réunification avec la RDA, la République fédérale ne manifestait-elle pas une inquiétude flagrante qui, selon quelques observateurs américains particulièrement vigilants, transparaissait très nettement dans la presse allemande. Ainsi les Allemands éprouveraient de l'appréhension par rapport à un éventuel « réveil » des Français dont en secret ils surestiment, semble-t-il, les talents et dont, en conséquence, ils redoutent la concurrence dans divers domaines. Car la force de l'Allemagne, c'est avant tout son image, son organisation, son efficacité, son sens de la discipline. Mais le rapport de forces peut changer si l'enjeu européen parvient à stimuler la France, lui donnant enfin l'envie de développer à fond ses potentialités estimées considérables. Devant une nation française soudain remotivée, les Allemands ne craignent-ils pas de manquer soudain de répondant ?

Ainsi, à force de les entendre proférer ces leçons sur un ton un peu trop triomphaliste, je me demandais parfois si cette intransigeance ne cachait pas l'incapacité d'antan à admettre les différences, avec en arrière-plan, le vieux désir, probablement inconscient chez la plupart, de nous assujettir. Non par la brutalité des armes, mais d'une manière beaucoup plus subtile cette fois : à travers la suprématie du modèle allemand pris en permanence comme référence, comme si hors du modèle germanique point de salut pour la France.

Heureusement, il existe d'autres voies de changement que l'identification au modèle allemand, qui ne séduit guère les Français. En tout état de cause, cette voie ne plairait pas davantage aux autres nationalités – en réalité pas même aux Allemands dès l'instant où ils oublient les vieux démons – aucun n'ayant envie de nous voir perdre notre identité en devenant un pays comme les autres.

Ainsi, aussi paradoxal que cela paraisse, bon nombre de ces étrangers, qui ont jaugé l'état de la France à l'aune du modernisme industriel, considèrent qu'une France trop moderne, trop organisée, trop performante, n'aurait plus le même charme.

Autrement dit, les changements suggérés ont beau être très importants, la voie que nos guides tracent pour nous y faire parvenir paraît pour le moins étroite et sinueuse.

Mais il ne faut pas exiger d'eux l'impossible ! Nos experts étrangers ont au moins le mérite d'avoir mis le doigt sur les abcès de la réalité française. Parfois, il est vrai, en tenant des propos contradictoires, excessifs ou périmés. Mais le plus souvent en faisant mouche. Alors inutile d'épiloguer davantage. A nous de relever ce défi qu'ils nous lancent !

TABLE DES MATIÈRES

Chapitre III

L'ENFERMEMENT DANS UNE SPÉCIFICITÉ DÉPASSÉE

Chapitre IV

LE SYNDROME DE L'HEXAGONE

Chapitre V

LA CLEF DE VOÛTE DU MAL FRANÇAIS :
SON SYSTÈME DE FORMATION

Chapitre VI

UN ÉTAT MÉGALOMANE ET DES CITOYENS INFIRMES

Chapitre VII

DES PATRONS QUI ONT MAUVAISE RÉPUTATION

Chapitre VIII

LA FRANCE AU TRAVAIL :
UN PAYS QUI A PERDU SES MOTIVATIONS

Cet ouvrage a été réalisé sur
Système Cameron
par la SOCIÉTÉ NOUVELLE FIRMIN-DIDOT
Mesnil-sur-l'Estrée
pour le compte des Éditions Robert Laffont
le 29 janvier 1990

Imprimé en France
Dépôt légal : janvier 1990
N° d'édition : 32456 – N° d'impression : 13973